HISTORIA CERO

William Gibson

Historia cero

Traducción de Rafael Marín

Plata

Argentina • Chile • Colombia • España
Estados Unidos • México • Perú • Uruguay • Venezuela

Título original: *Zero History*
Editor original: G. P. Putnam's Sons, New York
Published by the Penguin Group (USA) Inc., New York
Traducción: Rafael Marín Trechera

1.ª edición Enero 2012

Copyright © 2010 by William Gibson
All Rights Reserved
© de la traducción, 2012 *by* Rafael Marín Trechera
© 2012 *by* Ediciones Urano, S. A.
Aribau, 142, pral. – 08036 Barcelona
www.edicionesplata.com

ISBN: 978-84-92919-11-6
E-ISBN: 978-84-9944-089-7
Depósito legal: B - 297 - 2012

Fotocomposición: A.P.G. Estudi Gràfic, S.L.
Impreso por Romanyà-Valls, S.A. – Verdaguer, 1 – 08786 Capellades (Barcelona)

Impreso en España – *Printed in Spain*

A Susan Allison,
mi editora

1
Gabinete

Inchmale le pidió un taxi, de los que siempre eran negros la primera vez que ella vino a esta ciudad.

De plata nacarada, era éste. Con glifos de azul prusiano, anunciando algo alemán, servicios bancarios o *software* para empresas; un simulacro más estilizado de sus antepasados negros, su tapizado de falso cuero con una pizca de amarillo ortopédico.

—Su dinero mola —dijo él, dejándole caer un puñadillo de monedas de una libra en la mano—. Abre muchas puertas.

Las monedas todavía conservaban el calor de la máquina tragaperras de donde las había sacado, casi al paso, mientras bajaban por King's Algo.

—¿El dinero de quién?

—De mis compatriotas. Te lo doy libremente.

—No lo necesito.

Trató de devolverlo.

—Para el taxi.

Le dio al conductor la dirección de Portman Square.

—Oh, Reg, no fue tan malo —dijo ella—. Lo tenía en mercados financieros, la mayor parte.

—Tan malo como todo lo demás. Llámalo.

—No.

—Llámalo —repitió él, envuelto en un Gore-Tex japonés de espiguillas con muchas solapas y abrochado al revés.

Cerró la puerta del taxi.

Ella lo vio a través del parabrisas trasero mientras el taxi echaba a andar. Fornido y barbudo, se volvió ahora hacia Greek Street, cuando era poco más de la medianoche, para reunirse con su tozudo protegido, Clammy de los Bollards. De vuelta al estudio, para continuar con su lucrativa pugna creativa.

Hollis se acomodó, sin fijarse en nada en absoluto hasta que dejaron atrás Selfridges y el conductor giró a la derecha.

El club, de solamente unos pocos años de antigüedad, estaba en la zona norte de Portman Square. Tras salir, pagó y dio una generosa propina al taxista, ansiosa por librarse de las ganancias de Inchmale.

El Gabinete, se llamaba; de Curiosidades, no se decía. Inchmale se había convertido en miembro poco después de que ellos, los tres supervivientes de Toque de Queda, hubieran cedido los derechos de «Hard to Be One» a un fabricante de automóviles chino. Tras haber producido un álbum de los Bollards en Los Ángeles, y con Clammy deseoso de grabar el siguiente disco en Londres, Inchmale había argumentado que hacerse miembro del Gabinete sería a la larga más barato que un hotel. Y lo había sido, suponía ella, pero sólo si hablabas de un hotel muy caro.

Ahora se alojaba aquí como huésped de pago. Dado el estado de los mercados financieros, fueran lo que fueran, y las conversaciones que había mantenido con su contable en Nueva York, sabía que debería buscar alojamientos más modestos.

El Gabinete, un lugar peculiarmente estrecho, aunque caro, ocupaba la mitad del espacio vertical de una casa del siglo XVIII cuya fachada le recordaba la cara de alguien que empezaba a quedarse dormido en el metro. Compartía un rico vestíbulo de sobrios paneles con quienquiera que ocupase la otra mitad del edificio, la de la zona oeste, y Hollis se había formado la vaga idea de que debía ser una fundación de algún tipo, quizá de naturaleza filantrópica, o dedicada a promover la paz en Oriente Medio. Algo silencioso, en cualquier caso, ya que no parecía tener visitantes.

No había nada, en la fachada ni en la puerta, que indicara su naturaleza, igual que tampoco había nada que indicara que el Gabinete era el Gabinete.

Había visto a aquellas dos famosas gemelas islandesas de pelo platino en el vestíbulo la primera vez que entró aquí, las dos bebiendo vino tinto en vasos de pintas de cerveza, algo que Inchmale consideró como una afectación irlandesa. No eran miembros, se apresuró a recalcar. Los miembros del Gabinete, en las artes escénicas, no llegaban a ser estrellas, y Hollis había dado por hecho que eso le venía tan bien a Inchmale como a ella misma.

Era la decoración lo que había convencido a Inchmale, le había dicho, y era muy probable que así fuera. Los dos estaban indiscutiblemente locos.

Al abrir la puerta, por la que podría haber entrado montando a caballo sin tener que agachar la cabeza para pasar bajo el dintel, la recibió Robert, un joven vestido con un traje a rayas cuya función principal era vigilar la entrada sin que lo pareciera especialmente.

—Buenas noches, señorita Henry.

—Buenas noches, Robert.

Los decoradores se habían contenido aquí, lo que quería decir que no se habían vuelto pública y maniáticamente locos. Había un enorme mostrador de madera ornamentada, con algo vagamente pornográfico entre viñas y racimos de caoba, ante el que se sentaba alguno de los empleados del club, hombres jóvenes en su mayor parte, a menudo con gafas de carey de las que uno sospecha que han tallado a partir de tortugas de verdad.

Más allá del agradable y arcaico montón de papeles del mostrador se enroscaban un par de escaleras de mármol simétricamente opuestas que conducían a la planta de arriba; esa planta se dividía, como todo lo que había tras este vestíbulo, en reinos gemelos de presunto misterio filantrópico y el Gabinete propiamente dicho. De la parte del Gabinete, de las escaleras que bajaban en sentido contrario a las agujas del reloj, llegaba ahora el sonido de bebidas en común, risas y conversaciones fuertes que resonaban con brusquedad en la piedra desigualmente translúcida, moteada de tonos de miel añeja, parafina y nicotina. Los bordes dañados de los escalones individuales habían sido reparados con trozos rectangulares de material menos inspirado, pálido y mundano, que ella tuvo cuidado de no pisar.

Un joven con gafas de carey, sentado tras el mostrador, le entregó la llave de la habitación sin que se lo pidiera.

—Gracias.

—No hay de qué, señorita Henry.

Tras el arco de entrada que separaba las escaleras, la disposición de la planta se antojaba confusa. Indicativo, supuso, de alguna torpeza inherente a la división del plano original del edificio. Pulsó un gastado pero bien pulido botón de bronce para llamar al ascensor más antiguo que había visto jamás, incluso en Londres. Del tamaño de un armarito pequeño y poco profundo, más ancho que hondo, la cabina alargada de acero repintado de negro tardó su tiempo en bajar.

A su derecha, en las sombras, iluminada desde dentro por un aplique de museo edwardiano, había una vitrina con animales disecados. Aves, principalmente: un faisán, varias codornices, otros bichos a los que no pudo poner nombre, todos montados como si hubieran sido capturados en pleno movimiento, cruzando un césped de fieltro gastado, como de billar. Todos algo raídos, aunque no más de lo que cabría esperar de la edad que probablemente tenían. Tras ellos, antropomórficamente erecto, los antebrazos extendidos al estilo de un sonámbulo de historieta, había un hurón comido por las polillas. Sus dientes le parecían irrealmente grandes, por lo que sospechó que eran de madera pintada. Desde luego, sus labios estaban pintados, aunque no de carmín, lo que le daba un aire siniestramente festivo, como algo que temes encontrarte en una fiesta de Navidad. Inchmale, la primera vez que lo vio, le sugirió que lo adoptara como tótem, su bestia espiritual. Dijo que él ya lo había hecho, y que había descubierto desde entonces que podía provocar a voluntad de manera mágica hernias de disco a los ejecutivos musicales, haciendo que sufrieran horribles dolores y experimentaran una profunda sensación de indefensión.

Llegó el ascensor. Ella llevaba aquí el tiempo suficiente para haber dominado los entresijos de la rejilla de acero articulada. Tras combatir la urgencia de saludar al hurón, entró en la cabina y subió, lentamente, al tercer piso.

Aquí, los estrechos pasillos y sus paredes pintadas de verde muy oscuro se retorcían de manera confusa. La ruta a su habitación implicaba abrir varias puertas, que suponía de incendios, ya que eran gruesas, pesadas, y se cerraban solas. Los cortos tramos de pasillo intermedio estaban adornados con pequeñas acuarelas de paisajes, sin gente, cada una con un lejano capricho arquitectónico. El mismo lejano capricho arquitectónico, había advertido, no importaba qué escena o qué región mostraran. Se negaba a darle a Inchmale la satisfacción que obtendría si le preguntaba por los cuadros, así que no lo había hecho. Había algo demasiado concienzudamente imperceptible en ellos. Era mejor no mencionarlos. La vida ya era lo bastante complicada tal como era.

La llave, unida a una pesada férula de bronce con gruesos borlones de seda marrón trenzada, giró suavemente en la enorme cerradura. Entró en la habitación Número Cuatro, y el impacto concentrado de las peculiaridades de los diseñadores del Gabinete quedó revelado teatralmente cuando pulsó el punto de madreperla situado en un botón de gutapercha, por lo demás de aspecto hogareño.

Demasiado alta, de algún modo, aunque imaginaba que era resultado de haber dividido, con cierta inteligencia, una habitación más grande. El cuarto de baño, sospechaba, tal vez fuera más grande que el dormitorio, si no se trataba de una ilusión.

Se habían enfrentado a aquella altura empleando papel pintado blanco, decorado con ornamentados cartuchos de negro brillante. Si los mirabas con atención, advertías que estaban compuestos de trozos ampliados de dibujos anatómicos de insectos. Mandíbulas de cimitarra, miembros picudos alargados, las delicadas alas (imaginaba) de las cachipollas. Los dos muebles más grandes de la habitación eran la cama, cuyo enorme marco estaba cubierto por completo de placas de tallas de marfil de barbas de morsa, con la enorme y ranciamente eclesiástica mandíbula inferior de una ballena colgada en la cabecera de la cama, y una jaula de pájaros, tan grande que podría haberse metido dentro, suspendida del techo. La jaula estaba repleta de libros, y equipada en su interior con luces halógenas suizas de aspecto minimalista, cada bombillita enfocada en uno u otro de los artefactos residentes en la Número Cuatro. Y no se trataba de libros de pega, había recalcado orgullosamente Inchmale. De ficción o de ensayo, todos parecían tratar de Inglaterra, y hasta ahora ella había leído fragmentos de *English Eccentrics*, de Dame Edith Sitwell, y la mayor parte de *Rogue Male*, de Geoffrey Household.

Se quitó el abrigo y lo colgó de una percha tapizada de seda en el armario. Luego se sentó en el borde de la cama para desatarse los zapatos. La cama Piblokto Madness, la llamaba Inchmale.

—Histeria intensa —recitó ella ahora, de memoria—, depresión, coprofagia, insensibilidad al frío, ecolalia —lanzó de una patada los zapatos en dirección a la puerta abierta del armario—. Aguanta la coprofagia —añadió. Claustrofobia, este estado ártico, sujeto a la cultura. Posiblemente de origen alimenticio. Relacionado con la toxicidad de la vitamina A. Inchmale estaba lleno de este tipo de información, sobre todo cuando se encontraba en el estudio. Dale a Clammy un puñado de pastillas de vitamina A, le había sugerido ella, seguro que le vendrá bien.

Su mirada se posó en las tres cajas marrones sin abrir, apiladas a la izquierda del armario. Contenían ejemplares sin desprecintar de la edición británica de un libro que ella había escrito en habitaciones de hotel, aunque ninguna tan particularmente memorable como ésta. Lo había empezado justo después de que llegara el dinero del anuncio de coches para China. Se fue a Staples, West Hollywood, y compró tres endebles mesas plegables chinas, para colocar en ellas el manuscrito y sus muchas ilustraciones, en su suite en la esquina del Marmont. Aquello parecía muy lejano ya en el tiempo, y no sabía qué hacer con estos ejemplares. Las cajas con los ejemplares de la edición americana, lo recordó ahora, estaban todavía en la consigna del Tribeca Grand.

—Ecolalia —dijo, y se levantó y se quitó el jersey, que dobló y guardó en uno de los cajones altos del armario, junto a un pequeño popurrí disperso de ropa de seda. Sabía que si no lo tocaba no tendría que olerlo. Ponerse una bata blanca del Gabinete, más terciopelo que felpa, pero de algún modo sin eso que le hacía desconfiar tanto de las batas de terciopelo. Los hombres, sobre todo, parecían absolutamente indignos de confianza con ellas.

El teléfono de la habitación empezó a sonar. Era un *collage*, su enorme receptor de aspecto náutico, bronce recubierto de goma dentro de una horquilla de cuero sobre una caja cúbica de palisandro con esquinas de bronce. Su timbre era mecánico, diminuto, como si estuvieras oyendo el anticuado timbre de una bicicleta muy lejos en una calle silenciosa. Lo miró con mala cara, deseando que guardara silencio.

—Histeria intensa —dijo.

Continuó sonando.

Tres pasos y le puso la mano encima.

Era tan absurdamente pesado como siempre.

—Coprofagia —con eficiencia, como si anunciara un departamento en un gran hospital.

—Hollis —dijo él—. Hola.

Miró el auricular, pesado como un martillo viejo y casi igual de machacado. Su grueso cable, lujosamente envuelto en seda trenzada de color burdeos se posó en su antebrazo desnudo.

—¿Hollis?

—Hola, Hubertus.

Se imaginó descargando con fuerza el auricular contra el frágil palisandro, aplastando el viejo grillo electromecánico de su interior. Demasiado tarde. Ya se había callado.

—Vi a Reg —dijo él.

—Lo sé.

—Le dije que te pidiera que me llamaras.

—No lo hice.

—Me alegro de oír tu voz.

—Es tarde.

—Entonces descansa —lo decía de corazón—. Me pasaré por la mañana, para desayunar. Volvemos esta noche. Pamela y yo.

—¿Dónde estás?

—En Manchester.

Ella se vio a sí misma cogiendo un taxi madrugador hacia Paddington, la calle delante del Gabinete desierta. Cogiendo el Heathrow Express. Volando a alguna parte. Otro teléfono sonando, en otra habitación. Su voz.

—¿Manchester?

—*Black metal* noruego —dijo él, llanamente. Ella imaginó joyas folclóricas escandinavas, y entonces se corrigió a sí misma: el género musical—. Reg dijo que podría parecerme interesante.

Bien por él, pensó ella. El sadismo subclínico de Inchmale a veces encontraba un blanco adecuado.

—Estaba pensando en dormir hasta tarde —dijo, sólo por ser difícil. Sabía que ya iba a ser imposible evitarlo.

—A las once, entonces. Tengo ganas de verte.

—Buenas noches, Hubertus.

—Buenas noches —colgó.

Ella soltó el auricular. Cuidado con el grillo oculto. No es culpa suya.

Ni de ella.

Ni siquiera de él, probablemente. Lo que fuera que él fuese.

2
Ciudad límite

Milgrim contempló los ángeles con cabeza de perro de Gay Dolphin Cove.

Sus cabezas, a una escala de algo menos de tres cuartos, parecían haber sido moldeadas con ese tipo de escayola que antes se usaba para decorar paredes de manera preocupantemente detallada: piratas, mexicanos, árabes con turbante. Casi con toda certeza habría ejemplos semejantes aquí también, en el más extenso tesoro de *souvenirs kitsch* a pie de carretera que había visto jamás.

Sus cuerpos, aparentemente humanoides bajo el blanco satén y las lentejuelas, eran alargados, esbeltos al estilo Modigliani, peligrosamente erectos, las arpas cruzadas piadosamente al estilo de las efigies medievales. Sus alas eran las alas de los adornos de Navidad, más grandes de lo que suele haber en un árbol común y corriente.

Estaban hechos, decidió, con media docena de diversos animales mirándolo ahora, desde detrás del cristal, para honrar sentimentalmente a las mascotas muertas.

Con las manos en los bolsillos de los pantalones, dirigió rápidamente la mirada a una complejidad visual más amplia pero no mucho menos peculiar, advirtiendo al hacerlo que muchos artículos mostraban motivos con la bandera confederada. Alfombras, imanes, ceniceros, estatuillas. Observó a un yóquey que le llegaba hasta las rodillas, ofreciendo un pequeño cenicero redondo en vez del tradicional aro. Su cabeza y sus manos eran de un sorprendente verde marciano (para no ofender a nadie, supuso). Había también orquídeas energéticamente artificiales, cocos tallados para sugerir los rasgos de alguna raza indígena genérica y colecciones preenvasadas de rocas y minerales. Era como estar en el fondo de una tómbola de Coney Island, donde los premios no reclamados se habían ido acumulando durante décadas. Alzó la cabeza, imaginando un gigantesco garfio triple, agente de la eliminación total, pero sólo había un enorme tiburón copiosamente barnizado, suspendido en el aire como el fuselaje de un avión pequeño.

¿Qué antigüedad debía tener un sitio como éste para tener, en América, la palabra «gay» en su nombre? Un buen porcentaje del material que había aquí, juzgó, había sido fabricado en el Japón ocupado.

Media hora antes, en North Ocean Boulevard, había visto niños-soldados tonsurados, vestidos con atuendos de *skaters* que todavía mostraban las arrugas de fábrica, mirando espadas para matar orcos fabricadas en China, con punta y serradas como las mandíbulas de depredadores extintos. El puesto del vendedor estaba adornado con coronas de Mardi Gras, toallas de playa con la bandera de la Confederación, diversas falsificaciones de artículos de *merchandising* de Harley-Davidson. Entonces se preguntó cuántos jóvenes habían disfrutado de la tarde en Myrtle Beach como diversión absoluta, antes de dirigirse al escenario bélico que les tocase, el viento agitando la arena por el Grand Strand y el bulevar.

En las salas de recreativos, juzgó, algunas de las máquinas eran más viejas que él. Y algunos de sus propios ángeles, no los mejores, hablaban de una cultura de la droga antigua y profundamente implantada, imbuida en la suciedad feriante del lugar, intersticial e inmortal; piel dañada por el sol, tatuajes ilegibles, ojos que miraban desde rostros que sugerían taxidermia de gasolinera.

Iba a encontrarse aquí con alguien.

Se suponía que iban a estar solos. Él no lo estaba, realmente. En algún lugar cercano, Oliver Sleight estaría observando un cursor-Milgrim en una página *web*, en la pantalla de su teléfono Neo, idéntico al del propio Milgrim. Le había dado a Milgrim el Neo en aquel primer vuelo de Basilea a Heathrow, recalcando la necesidad de conservarlo en todo momento, y conectado, excepto cuando estuviera en un avión comercial.

Continuó avanzando, alejándose de los ángeles con cabeza de perro, de la sombra del tiburón. Pasó ante artículos de una historia ostensiblemente más natural: estrellas de mar, erizos, caballitos de mar, conchas. Subió un breve tramo de escaleras, desde el nivel de la acera, hacia North Ocean Boulevard. Hasta que se encontró directamente con la barriga de una mujer joven y embarazadísima, sus vaqueros de paneles de plástico químicamente distendidos de formas que sugerían pautas de desgaste barrocamente improbables. La tensa camiseta rosa revelaba su ombligo sobresaliente de un modo que le pareció alarmantemente un pecho gigante.

—Más vale que seas él —dijo la mujer, y entonces se mordió el labio inferior. Rubia, una cara que olvidaría en cuanto volviera la cabeza. Grandes ojos oscuros.

—Tengo que verme con alguien —contestó él, manteniendo con cuidado el contacto ocular, incómodamente consciente de que se dirigía al ombligo, o al pezón, que tenía justo delante de la boca.

Los ojos de ella se hicieron más grandes.

—No serás extranjero, ¿no?

—De Nueva York —admitió Milgrim, suponiendo que eso podría servir de explicación.

—No quiero meterlo en ningún problema —dijo ella, con suavidad y fiereza al mismo tiempo.

—Ninguno de nosotros lo quiere —la tranquilizó Milgrim al instante—. No hay ninguna necesidad. En absoluto —su intento de sonrisa pareció algo sacado a la fuerza de un juguete de plástico flexible—. ¿Y estás…?

—De siete u ocho meses —dijo ella, asombrada de su propia gravidez—. Él no está aquí. No le gusta esto.

—No nos gusta a ninguno —respondió Milgrim, y entonces se preguntó si era la respuesta adecuada.

—¿Tienes GPS?

—Sí —dijo Milgrim. De hecho, según Sleight, sus Neos eran de dos tipos, americano y ruso, siendo el americano notablemente político, y con tendencia a fallar en las inmediaciones de lugares sensibles.

—Él estará aquí dentro de una hora —dijo ella, pasándole a Milgrim un papel doblado levemente húmedo—. Será mejor que empieces. Y será mejor que estés solo.

Milgrim inspiró profundamente.

—Lo siento —dijo—, pero si eso significa conducir, no podré ir solo. No tengo carné. Mi amigo tendrá que llevarme. Es un Ford Taurus Equis blanco.

Ella se le quedó mirando. Parpadeó.

—¿No la cagaron en Ford, cuando empezaron a ponerles nombres con efe?

Él tragó saliva.

—Mi madre tenía un Freestyle. La transmisión es una auténtica mierda. Si el ordenador se moja, el coche no anda. Hay que desconectarlo primero. Los frenos se gastaron a las dos semanas. Siempre hacían aquel ruido chirriante.

Pero parecía aliviada al recordar algo materno, familiar.

—Claro como el agua —dijo él, sorprendiéndose a sí mismo con una expresión que tal vez nunca había usado antes. Se guardó el papel sin mirarlo—. ¿Puedes hacer algo por mí, por favor? —le preguntó a su vientre—. ¿Podrías llamarlo, ahora, y hacerle saber que mi amigo conducirá?

El labio inferior se movió bajo los dientes delanteros.

—Mi amigo tiene el dinero —dijo Milgrim—. No habrá problemas.

—¿Y ella lo llamó? —preguntó Sleight, al volante del Taurus X, desde el centro de una perilla que recortaba ocasionalmente con la ayuda de una guía ajustable, sujeta entre los dientes.

—Indicó que lo haría —respondió Milgrim.

—Indicó.

Se dirigían tierra adentro hacia la ciudad de Conway, atravesaban un paisaje que a Milgrim le recordaba las inmediaciones de Los Ángeles, hacia un destino que no sentía demasiadas ganas de alcanzar. Esta carretera de múltiples carriles, salpicada de centros comerciales de venta de artículos de temporadas pasadas, un Home Depot del tamaño de un crucero, restaurantes temáticos. Aunque los detritos intersticiales hablaban todavía obstinadamente de actividad marítima y cultivos de tabaco. Fábula de antes de la Anaheimización. Milgrim se concentró en estos residuos, pues parecían centrarlo. Un solar ofrecía césped de jardín. Un centro comercial de tres pisos con dos tiendas de empeños. Un emporio de fuegos artificiales con su propia cancha vallada. Préstamos para comprar un coche. Apretadas filas de estatuas de jardín de hormigón, sin pintar.

—¿Era un programa en doce pasos lo que seguiste en Basilea? —preguntó Sleight.

—Creo que no —respondió Milgrim, asumiendo que Sleight se refería al número de veces que le habían cambiado la sangre.

—¿Cuánto nos acercan esos números a donde él quiere que estemos? —preguntó Milgrim.

Sleight, de vuelta en Myrtle Beach, había introducido las coordenadas de la nota de la chica embarazada en su teléfono, que ahora descansaba en su regazo.

—Bastante —respondió—. Parece que estamos ya, a la derecha.

Estaban atravesando Conway, o en cualquier caso el extrarradio poblado de centros comerciales de lo que fuera que fuese Conway. Los edificios menguaban, el paisaje revelaba cada vez más los rasgos de una agricultura extinta.

Sleight redujo la velocidad, giró a la derecha, pasó a un camino de grava y piedra caliza aplastada, gris claro.

—El dinero está debajo de tu asiento —dijo. Avanzaban, con un suave y regular crujido de neumáticos sobre la grava, hacia una estructura de chapa pintada de blanco de un solo piso, rematada con un tejado que carecía de porche. Arquitectura rural de carretera de una época anterior, sencilla pero firme. Cuatro pequeñas ventanas frontales habían sido modernizadas con láminas de vidrio.

Milgrim tenía entre los muslos el tubo de cartón con el papel de calco, dos barras de grafito envueltas en un *kleenex* en el bolsillo derecho de sus chinos. En el asiento trasero había la mitad de una hoja de cinco palmos de tablero de gomaespuma, por si necesitaba una superficie plana en la que trabajar. Sujetando el brillante tubo rojo con las rodillas, se inclinó hacia delante, rebuscó bajo el asiento y encontró un sobre de vinilo azul metálico con una cremallera integral y tres agujeros. Contenía suficientes billetes de cien para darle el grosor de un diccionario en rústica de buen tamaño.

El crujido de la grava cesó cuando se detuvieron antes de llegar a la entrada del edificio. Milgrim vio un primitivo cartel rectangular sobre dos postes ajados, manchados por la lluvia y los elementos, ilegible excepto por FAMILIA, en letras serif cursiva azul claro. No había otros vehículos en el irregular solar de grava.

Milgrim abrió la puerta, descendió del coche, se detuvo, el tubo rojo en la mano izquierda. Pensó un momento, luego lo abrió y sacó el arrugado papel de calco. Apoyó el tubo en el asiento de pasajeros, sacó el dinero y cerró la puerta. Un rollo de papel blanco semitransparente era menos amenazador.

Los coches pasaban por la carretera. Recorrió los cinco metros que lo separaban del cartel, sus zapatos chirriando con fuerza sobre la grava. Sobre el FAMILIA azul metálico distinguió CIUDAD LÍMITE en lo que quedaba de rojo pelado; debajo, RESTAURANTE. Al pie, a la izquierda, habían pintado antaño, en negro, las siluetas infantiles de tres casas, aunque como el rojo, el sol y la lluvia las habían borrado hacía tiempo. A la derecha, con un azul distinto al de FAMILIA, había pintado lo que interpretó como una representación semiabstracta de colinas, posiblemente de lagos. Supuso que este lugar estaba en el extrarradio oficial de la ciudad o cerca de él, de ahí su nombre.

Alguien, dentro del silencioso edificio al parecer cerrado, golpeó bruscamente, una vez, la placa de cristal, quizá con un anillo.

Milgrim se dirigió obediente a la puerta principal, con el papel de calco sujeto en una mano como si fuera un modesto cetro, el sobre de vinilo apretado contra el costado con la otra.

La puerta se abrió hacia dentro, revelando un jugador de fútbol con un corte de pelo *mullet**, como los actores porno de los ochenta. O alguien con la constitución de uno. Un joven alto y de largas piernas con hombros excepcionalmente poderosos. Dio un paso atrás, indicándole a Milgrim que entrara.

—Hola —dijo Milgrim, entrando en el cálido aire quieto, los olores mezclados de desinfectante industrial y años de cocina—. Tengo su dinero.

Indicó el sobre de plástico. Un lugar sin usar, aunque listo para ser usado. Bola de Naftalina, Ciudad Límite, como un B-52 en el desierto. Vio el cristal vacío de una máquina de chicles, en su pedestal marrón arrugado.

—Póngalo sobre el mostrador —dijo el joven. Llevaba vaqueros celestes y una camiseta negra que parecían contener ambos un porcentaje de licra, y zapatillas de deporte negras. Milgrim advirtió un estrecho bolsillo rectangular en una posición extraña, muy abajo en la costura lateral derecha. Un clip de acero inoxidable sujetaba allí firmemente una gran navaja automática.

Hizo lo que le decía el joven, advirtiendo el cromo y el acero turquesa de la fila de taburetes que había delante del mostrador, cuya parte superior era de formica turquesa gastada. Desplegó parcialmente el papel.

—Tendré que calcarlo —explicó—. Es la mejor forma de capturar los detalles. Sacaré fotos primero.

—¿Quién hay en el coche?

—Mi amigo.

—¿Por qué no conduce usted?

---

* Pelo corto en toda la cabeza y largo por detrás. Lo popularizaron David Bowie y otros cantantes del *glam rock* en los años setenta. *(N. del T.)*

—Si bebes, no conduzcas —dijo Milgrim, y era cierto, al menos en cierto sentido filosófico.

En silencio, el joven rodeó un estante vacío de cristal que en tiempos debió contener cigarrillos y caramelos. Cuando quedó frente a Milgrim, rebuscó bajo el mostrador y sacó algo dentro de una arrugada bolsa de plástico blanco. Lo dejó caer sobre el mostrador y barrió el sobre de plástico hasta el extremo, dando la impresión de que su cuerpo, bien entrenado, hacía estas cosas por voluntad propia, mientras que él continuaba observando desde una distancia interior.

Milgrim abrió la bolsa y sacó un par de vaqueros doblados y sin planchar. Eran del tono beige que conocía como marrón coyote. Tras desplegarlos, los colocó sobre el mostrador de formica, sacó la cámara del bolsillo de su chaqueta y empezó a fotografiarlos, usando el flash. Tomó seis fotos de la parte delantera, y luego les dio la vuelta y sacó otras seis de la parte trasera. Sacó una foto de cada uno de los cuatro bolsillos con solapa. Soltó la cámara, volvió los pantalones del revés y los fotografió de nuevo. Tras guardarse la cámara, los colocó, todavía del revés, más ordenadamente sobre el mostrador, extendió la primera de las cuatro láminas de papel sobre ellos, y empezó, con una de las barras de grafito, a frotar para calcarlos.

Le gustaba hacer esto. Había algo inherentemente satisfactorio en ello. Lo habían enviado a Hackney, un sastre que hacía arreglos, a pasarse una tarde aprendiendo a hacerlo bien, y le complacía, de algún modo, que esto fuera un medio de robar información honrado por el tiempo. Era como hacer un calco de una lápida, o de un bronce en una catedral. El grafito semiduro, correctamente aplicado, capturaba cada detalle de costuras y pespuntes, todo lo que un copista necesitaría para reproducir la prenda, además de proporcionar la reconstrucción del patrón.

Mientras trabajaba, el joven abrió el sobre, sacó los billetes envueltos y los contó en silencio.

—Necesita un escudete —dijo cuando terminó.

—¿Cómo? —Milgrim vaciló, los dedos de su mano derecha cubiertos de polvo de grafito.

—Un escudete —dijo el joven, volviendo a meter los billetes en el sobre azul—. En el interior de los muslos. Se atan, si se hace rápel.

—Gracias —dijo Milgrim, mostrando los dedos manchados de grafito—. ¿Le importaría darles la vuelta por mí? No quiero mancharlos.

—Delta para Atlanta —dijo Sleight, tendiéndole a Milgrim un grueso sobre. Había vuelto a ponerse el molesto traje que había dejado para ir a Myrtle Beach, el de los pantalones cortos tan raros.

—¿*Business*?

—Turista —dijo Sleight, su satisfacción completamente evidente. Le pasó a Milgrim un segundo sobre—. British Midland para Heathrow.

—¿Turista?

Sleight frunció el ceño.

—*Business*.

Milgrim sonrió.

—Querrá una reunión en cuanto bajes del avión.

Milgrim asintió.

—Adiós —dijo. Se colocó el tubo rojo bajo el brazo y se dirigió a facturación, la maleta en la otra mano, y pasó directamente bajo una gran bandera del estado de Carolina del Sur, extrañamente islámica con su palmera y su media luna.

3
Pelusa

Despertó con la luz gris entre múltiples capas de cortinas y visillos. Yació contemplando una tenue vista anamórfica del repetido cartucho insectoide, más pequeño y más distorsionado cuanto más cerca del techo. Estantes con objetos, material *Wunderkammer*. Cabezas de distintos tamaños de mármol, marfil, bronce dorado. El fondo redondo de la biblioteca enjaulada.

Miró la hora. Poco más de las nueve.

Se levantó de la cama, con su camiseta Bollards XXL, se puso la bata que no era de terciopelo, y entró en el cuarto de baño, una cueva alta y profunda de azulejos blanquecinos. Abrir la enorme ducha requirió tanto esfuerzo como siempre. Un monstruo victoriano cuyos grifos originales eran gruesas piezas de bronce plateado. Tuberías horizontales de níquel de diez centímetros te encerraban por tres lados, a mano para calentar las toallas. Dentro colgaban placas de cristal esmerilado de dos centímetros de grosor, sustitutos contemporáneos. La alcachofa original de la ducha, montada directamente encima, tenía setenta y cinco centímetros de diámetro. Tras quitarse la bata y la camiseta, se puso un gorrito desechable, se metió en la ducha y se refregó con el jabón artesanal del Gabinete, que olía levemente a pepino.

Había sacado una foto de esta ducha con su iPhone. Le recordaba a la máquina del tiempo de H. G. Wells. Probablemente ya se utilizaba cuando empezó el serial que se convertiría en su primera novela.

Se secó, se aplicó crema hidratante, escuchó la BBC a través de una ornamentada rejilla de bronce. Nada de importancia catastrófica desde la última vez que la escuchó, aunque tampoco había nada especialmente positivo. Las cosas cotidianas de principios del siglo XXI, subtextos de espirales de muerte en el fondo de la mezcla.

Se quitó el gorro de ducha y sacudió la cabeza. Su pelo conservaba residuos de la sustancia del salón de estilismo de Selfridges. Le gustaba almorzar en el comedor de Selfridges, y escapar por la puerta trasera antes de que el trance comunal de las compras la agobiara. Aunque eso era lo que solía hacerse, en unos grandes almacenes. Era más vulnerable a los lugares más pequeños, y en Londres eso podía ser peligroso. Los vaqueros japoneses que se estaba poniendo ahora, por ejemplo. Producto de un establecimiento situado en la esquina del estudio de Inchmale, la semana antes. Vacío zen, cuencos con fragmentos de índigo puro solidificado, como cristal negriazul. La guapa y mayor vendedora japonesa, con su atuendo de *Esperando a Godot*.

Tendrás que cuidarlo ahora, se aconsejó. El dinero.

Mientras se cepillaba los dientes, advirtió la figurita de vinilo de la Hormiga Azul en el lavabo de mármol, entre sus lociones y maquillaje. Me dejaste tirada, le dijo a la briosa hormiga, sus cuatro brazos en jarras. Aparte de unas cuantas joyas, era una de las pocas pertenencias suyas que tenía desde que conoció a Hubertus Bigend. Había intentado abandonarla, al menos una vez, pero de algún modo la seguía teniendo. Creyó que la había dejado en el ático que tenía en Vancouver, pero estaba dentro de la maleta cuando llegó a Nueva York. Había llegado a considerarla, aunque algo vagamente, como una especie de amuleto inverso. Era la versión de dibujo animado del logo de la agencia de Bigend, y ella lo había convertido en un símbolo secreto de su falta de disposición a tener ninguna relación más con él.

Confiaba en que lo mantuviera a raya.

En realidad, no tenía muchas otras cosas que reemplazar, se recordó, enjuagándose la boca. La burbuja de las puntocom y una mala inversión en la venta al por menor de discos de vinilo se había encargado de eso, mucho antes de que él la encontrara. Ahora no estaba tan mal, pero si comprendía bien a su contable había perdido casi el cincuenta por ciento de su valor neto cuando se hundió el mercado. Y esta vez ella no había hecho nada para causarlo. Nada de inversiones en empresas de nueva creación, ninguna quijotesca tienda de discos en Brooklyn.

Todo lo que poseía hoy en día estaba aquí en esta habitación. Aparte de acciones de bolsa devaluadas, y algunas cajas llenas de ejemplares para el autor, allá en el Tribeca Grand. Escupió en el lavabo de mármol.

A Inchmale no le molestaba Bigend, no como a ella, pero Inchmale, por muy formidablemente inteligente que fuera, también estaba dotado de una útil dureza mental, un callo psíquico innato. Bigend le parecía interesante. Posiblemente también le parecía escalofriante, aunque para Inchmale interesante y escalofriante eran dos categorías que se solapaban. Ella suponía que no consideraba a Bigend una anomalía tan grande. Un manipulador riquísimo y peligrosamente curioso de las arquitecturas ocultas del mundo.

Sabía que era imposible decirle a una entidad como Bigend que no querías saber nada de él. Eso simplemente atraería más su atención. Ya había tenido a Bigend como jefe; aunque fue un periodo breve, estuvo lleno de demasiadas experiencias. Lo había dejado atrás, y había continuado con su proyecto de libro, que había surgido de manera natural de lo que había estado haciendo (o de lo que creía haber estado haciendo) para Bigend.

Aunque, se recordó mientras se abrochaba el sujetador y se ponía una camiseta, el dinero que había visto reducido casi a la mitad le había llegado a través de Hormiga Azul. Había que tenerlo en cuenta. Se puso una sudadera negra de angorina sobre la camiseta, se la alisó en las caderas y se subió las mangas. Se sentó en el borde de la cama para ponerse los zapatos. Luego volvió al cuarto de baño para maquillarse.

Bolso, iPhone, llave con su borla.

Salió entonces, dejando atrás los caprichos arquitectónicos idénticos en sus diferentes paisajes. Pulsó el botón y esperó el ascensor. Acercó la cara a la reja de hierro, para ver el ascensor alzarse hacia ella, sobre un complejo nódulo Tesla electromecánico que ningún diseñador había tenido que falsificar siquiera, auténtico, sirviera para lo que sirviese. Y adornado, advertía siempre con cierta satisfacción, con un poco de pelusa, el único polvo que había visto en el Gabinete. Incluso unas cuantas colillas dispersas, pues los ingleses eran unos bestias en ese aspecto.

Abajo, a la planta sobre el vestíbulo panelado, donde la bebida y el *networking* de la noche no había dejado ninguna huella, y el personal de servicio, tranquilizadoramente inmune a la decoración de la sala, hacía su trabajo matutino. Se dirigió a la parte de atrás, y se sentó en una mesa para dos, bajo lo que podría haber sido originalmente un expositor de armas, pero que ahora contenía media docena de colmillos de narval.

La camarera italiana le trajo una taza de café, sin que se lo pidiera, con un recipiente más pequeño de leche hirviendo, y el *Times*.

Empezaba su segunda taza, sin haber abierto el *Times*, cuando vio a Hubertus Bigend subir las escaleras, recorrer todo el largo salón, envuelto en una ancha gabardina de color grisáceo.

Era el típico usuario de batas de terciopelo, y bien podría haber llevado puesta una mientras se dirigía hacia ella atravesando el salón y se soltaba el cinturón de la gabardina, echando atrás sus solapas estilo Crimea, y revelaba el único traje Klein Blue International que ella había visto jamás. De algún modo, siempre conseguía causarle la impresión, al verlo de nuevo, de que se había vuelto más grande, aunque sin ganar ningún peso concreto. Simplemente, más grande. Tal vez, pensó, como si de algún modo se le acercara más.

Como hacía ahora, mientras los comensales que desayunaban en el Gabinete daban un respingo a su paso, no tanto por temor a su enorme gabardina y el cinturón que oscilaba peligrosamente como por la consciencia de que él no los veía.

—Hollis —dijo—. Tienes un aspecto magnífico.

Ella se levantó, para recibir un beso en el aire. De cerca, él siempre parecía demasiado lleno de sangre, con varios litros de más como mínimo. Sonrosado como un cerdo. Más caliente que una persona normal, oliendo a alguna antigua loción de barbero europeo.

—Difícilmente —respondió ella—. Fíjate en tu aspecto. Mira tu traje.

—Mr. Fish —dijo él, quitándose la gabardina con una sacudida de granadas y anclas. Su camisa era dorado pálido, la corbata de seda de un tono casi a juego.

—Es muy bueno —dijo ella.

—No está muerto —replicó Bigend, sonriendo, sentándose en el sillón frente a ella.

—¿Muerto?

Ella se sentó.

—Al parecer, no. Es imposible averiguarlo. Encontré su costurero. En Saville Row.

—Es un Klein Blue, ¿no?

—Naturalmente.

—Parece un traje radiactivo.

—Inquieta a la gente —dijo él.

—Espero que no te lo pusieras por mí.

—En absoluto. —Bigend sonrió—. Lo llevo porque me gusta.

—¿Café?

—Solo.

Ella llamó a la camarera italiana.

—¿Cómo te fue con el *black metal*?

—Punteo doble —dijo él, tal vez preocupado—. Batería doble. Reg cree que ahí hay algo —ladeó ligeramente la cabeza—. ¿Y tú?

—No lo sigo —Hollis añadió leche a su café.

La camarera italiana regresó para tomar el pedido del desayuno. Hollis ordenó copos de avena con fruta. Bigend optó por el inglés completo.

—Me encantó tu libro —dijo—. Me pareció que su acogida fue bastante satisfactoria. Sobre todo el artículo en *Vogue*.

—¿«Antigua cantante rock publica libro de fotos»?

—No, de veras. Era muy bueno —él acomodó la gabardina, que había colgado del brazo de su sillón—. ¿Trabajas en algo ahora?

Ella sorbió su café.

—Quieres continuar con eso —dijo él.

—No me había dado cuenta.

—Quitando los escándalos, la sociedad es reacia a permitir que una persona que se ha hecho famosa por una cosa se haga famosa por otra.

—No estoy intentando hacerme famosa.

—Ya lo eres.

—Lo fui. Brevemente. Y muy poquito.

—Un grado de fama innegable —dijo él, como un médico que ofrece un diagnóstico particularmente obvio.

Guardaron silencio entonces, Hollis fingiendo echarle un vistazo a las primeras páginas del *Times*, hasta que la camarera italiana y un chico moreno igualmente atractivo llegaron, trayendo el desayuno en oscuras bandejas de madera con asas de latón. Lo dejaron todo en la mesita y se marcharon. Bigend estudió el bamboleo de las caderas de la muchacha.

—Adoro el desayuno inglés completo —dijo—. Las asaduras. La morcilla frita. Las judías. El beicon. ¿Estuviste aquí antes de que inventaran la comida? —preguntó—. Debiste de estarlo.

—Lo estuve —admitió ella—. Era muy joven.

—Incluso entonces, el inglés completo fue obra de un genio —cortó un embutido que parecía *haggis**, pero hervido en el estómago de un animal pequeño, algo del estilo de un koala—. Hay algo con lo que podrías ayudarnos —dijo, y se metió un trozo de embutido en la boca.

—Ayudaros.

Él masticó, asintió, tragó.

---

* Embutido escocés hecho con el corazón o el hígado de oveja y copos de avena, condimentado y cocido en el estómago del animal. *(N. del T.)*

—No somos solamente una agencia de publicidad. Estoy seguro de que lo sabes. Hacemos transmisiones de diseño de marcas, prevemos modas, gestionamos puntos de ventas, exploramos el mercado joven, planificación estratégica en general.

—¿Por qué no se exhibió aquel anuncio, después de que nos pagaran todo ese dinero por «Hard to Be One»?

Él mojó un trozo de tostada en el ojo amarillento de un huevo frito, dio un mordisco a la mitad, masticó, tragó, se limpió los labios con una servilleta.

—¿Te importa?

—Fue un montón de dinero.

—Cosas de los chinos. El vehículo para el que era el anuncio no llegó a ser fabricado. Ni lo será.

—¿Por qué no?

—Hubo problemas con el diseño. Fundamentales. Su gobierno decidió que no era el vehículo con el que China debería entrar en el mercado internacional. Sobre todo después de los escándalos de los productos alimenticios adulterados. Y ese tipo de cosas.

—¿Tan malo era?

—Horroroso —sirvió con destreza las judías sobre la tostada con el tenedor—. Al final, no necesitaron vuestra canción. Y, por lo que sabemos, los ejecutivos a cargo del proyecto siguen vivos. Un resultado óptimo para todos los implicados.

Empezó con el beicon. Hollis comió sus copos de avena y su fruta, mirándolo. Él comió deprisa, engullendo metódicamente todo aquello que su metabolismo le hiciera cargar en aquellos cilindros extras. Hollis no lo había visto nunca cansado, ni con *jet lag*. Parecía existir en su propia zona horaria.

Terminó antes que ella, y limpió el plato con un último semitriángulo de tostada dorada del Gabinete.

—Transmisión de diseño de marca —dijo.

—¿Sí? —ella alzó una ceja.

—Narrativa. Los consumidores no compran tanto productos como narrativas.

—Eso es antiguo. Debe de serlo, porque lo he oído antes —le dio un sorbo al café frío.

—Hasta cierto punto, una idea como ésa se convierte en una profecía que se cumple a sí misma. Los diseñadores aprenden a inventar personajes, con narrativas, para los que luego diseñan productos, o lo hacen en torno a ellos. El procedimiento estándar. Hay procedimientos similares en todo tipo de marcas en general, en la invención de nuevos productos, nuevas compañías, de todo tipo.

—Entonces, ¿funciona?

—Oh, claro que funciona —dijo él—. Pero cómo lo hace, se convierte en rutina. Cuando ya sabes cómo se hacen las cosas, el objetivo migra. Se va a otra parte.

—¿Adónde?

—Ahí es donde entras tú.

—No.

Él sonrió. Tenía, como siempre, un montón de dientes muy blancos.

—Tienes beicon en los dientes —dijo ella, aunque no lo tenía.

Él se cubrió la boca con la servilleta de lino blanco y trató de encontrar el inexistente trozo de beicon. Tras bajarla, abrió mucho la boca.

Ella fingió buscar.

—Creo que ya no está —dijo, vacilando—. Y no me interesa tu propuesta.

—Eres una bohemia —comentó él, doblando la servilleta y colocándola en la bandeja, junto a su plato.

—¿Qué significa eso?

—Apenas conservas un puesto de trabajo. Vas por libre. Siempre has ido por libre. No has acumulado ninguna propiedad real.

—No porque no lo haya intentado.

—No —dijo él—, pero cuando lo intentas, apenas pones el corazón en ello. Yo también soy un bohemio.

—Hubertus, eres con diferencia la persona más rica que he conocido en mi vida.

Esto no era, lo supo mientras lo decía, literalmente cierto, pero todos los que había conocido que fueran más ricos que Bigend eran en comparación bastante más aburridos. Era fácilmente la persona rica más problemática que había conocido jamás.

—Eso es un producto secundario —dijo él, con cuidado—. Y lo es por mi desinterés fundamental en el dinero.

Ella supo que lo creía, al menos en eso. Era cierto, e influía en su capacidad para correr riesgos. Hollis sabía que eso era lo que hacía que fuese tan peculiarmente peligroso estar cerca de él.

—Mi madre era una bohemia.

—Fedra —recordó ella.

—Hice que su vejez fuera lo más cómoda posible. No siempre es el caso, con los bohemios.

—Muy bien por tu parte.

—Reg es el modelo del bohemio de éxito, ¿verdad?

—Supongo que sí.

—Siempre está trabajando en algo. Siempre, Reg. Siempre algo nuevo. —La miró—. ¿Y tú?

Y entonces supo que estaba en su poder. Al mirarla directamente a los ojos.

—No —dijo, aunque en realidad no había nada que decir.

—Deberías. El secreto, claro, es que realmente no importa lo que sea. Hagas lo que hagas, porque eres una artista, te llevará a lo siguiente. Es lo que pasó la última vez, ¿no? Escribiste tu libro.

—Pero me mentiste. Fingiste que tenías una revista, y que yo escribía para ella.

—Tenía una revista en potencia. Tenía el equipo.

—¡Una persona!

—Dos, contando contigo.

—No puedo trabajar así —le dijo—. No quiero.

—No será así. Esto es enteramente menos… especulativo.

—¿No estaba la Agencia de Seguridad Nacional o alguien pinchando tu teléfono y leyendo tus *e-mails*?

—Pero ahora sabemos que lo hacían con todo el mundo —se aflojó la corbata dorado pálido—. Entonces no lo sabíamos.

—Tú lo sabías. Lo adivinaste. O lo descubriste.

—Alguien está desarrollando lo que podría ser un nuevo modo de transmitir visión de marcas.

—Pareces precavido en tu apreciación.

—Un uso auténticamente provocativo del espacio negativo —dijo él, algo menos satisfecho.

—¿Quién?

—No lo sé. No he podido averiguarlo. Tengo la impresión de que alguien ha leído y comprendido mi manual de trabajo. Y posiblemente lo está ampliando.

—Entonces envía a Pamela —dijo Hollis—. Ella entiende de todo eso. O a otra persona. Tienes un pequeño ejército de personas que comprenden todo eso. Debes de tenerlo.

—Pero es exactamente eso. Como ellos «lo entienden todo» no podrán encontrar el matiz. No encontrarán lo nuevo. Y peor, lo pisarán y lo aplastarán sin darse cuenta, bajo cierta mediocridad inherente a la competencia profesional —se limpió los labios con la servilleta doblada, aunque no parecían necesitarlo—. Necesito un comodín. Te necesito a ti.

Se echó hacia atrás, entonces, y la observó exactamente de la misma forma en que había observado el prieto culo en retirada de la camarera italiana, aunque en este caso ella sabía que no tenía nada que ver con el sexo.

—Santo Dios —dijo ella, sin esperarlo, y deseando al mismo tiempo ser muy pequeña. Lo bastante pequeña para poder enroscarse en aquella bola de pelusa que coronaba el ascensor *steampunk*, entre aquellas colillas de color corcho.

—¿Significa algo para ti «Sabuesos de Gabriel»? —preguntó él.

—No.

Bigend sonrió, obviamente satisfecho.

4
Antagonista paradójico

Con el tubo de cartón rojo colocado cuidadosamente a su vera, bajo la fina manta de British Midlands, Milgrim permanecía despierto en la cabina oscura del avión que se dirigía a Heathrow.

Había tomado sus pastillas unos quince minutos antes, después de hacer algunos cálculos en la contraportada de la revista de cortesía del vuelo. Las transiciones de las zonas horarias podían ser peliagudas, en términos de horarios de dosis, sobre todo cuando no se te permitía saber exactamente qué te estabas tomando. Fuera lo que fuese que proporcionaban los médicos de Basilea, él nunca lo veía en su forma original de fábrica, así que no tenía manera de saber qué podía ser. Le habían explicado que esto era intencionado, y necesario para su tratamiento. Todo volvía a envasarse, en diversas cápsulas de gelatina blanca sin indicativos, y tenía prohibido abrirlas.

Había metido en el bolsillo del asiento el sobre blanco de burbujas vacío, con sus diminutas y precisas anotaciones a mano de fecha y hora, hechas con tinta púrpura. Se quedaría en el avión, en Heathrow. Nada que declarar en la aduana.

Tenía el pasaporte contra el pecho, bajo la camisa, en una bolsa Faraday que protegía la información de su actual IDRF. Espiar la IDRF era una obsesión de Sleight. Identificación por radio-frecuencia. Era algo que estaba en un montón de cosas, evidentemente, y en todos los pasaportes norteamericanos recientes. Al propio Sleight le gustaba espiar la IDRF, por lo cual suponía Milgrim que era el motivo por el que le preocupaba. Podías estar sentado en el vestíbulo de un hotel y recopilar información por remoto de los pasaportes de los hombres de negocios americanos. La bolsa Faraday, que bloqueaba todas las señales de radio, hacía que eso resultara imposible.

El teléfono Neo de Milgrim era otro ejemplo de la obsesión de Sleight con la seguridad o, como Milgrim suponía, con el control. Tenía un teclado virtual casi inimaginablemente diminuto, y que era preciso accionar con un punzón. La coordinación mano-ojo de Milgrim era bastante buena, según la clínica, pero de todas formas tenía que concentrarse como un joyero cuando necesitaba enviar un mensaje. Más molesto aún, Sleight había dispuesto que cerrara la pantalla después de treinta segundos de pausa, lo que obligaba a Milgrim a introducir su clave si se paraba a pensar más de veintinueve segundos. Cuando se quejó al respecto, Sleight le explicó que eso daba a los atacantes potenciales sólo una ventana de treinta segundos para entrar y leer el teléfono, y que los privilegios del administrador eran en cualquier caso incuestionables.

El Neo, comprendía Milgrim, era no tanto un teléfono como una especie de tabla rasa con la que Sleight podía recibir datos continuos sin el conocimiento o el consentimiento de Milgrim, instalando o desinstalando aplicaciones como le apetecía. También tenía tendencia a algo que Sleight llamaba «pánico base», que hacía que se desconectara y hubiera que reiniciarlo, un estado con el que Milgrim se había sentido identificado al instante.

Sin embargo, últimamente, Milgrim no se dejaba llevar tan fácilmente por el pánico. Cuando lo hacía, parecía reiniciarse solo. Su terapeuta cognitiva le había explicado que era una consecuencia de hacer otras cosas, en vez de algo que uno pudiera entrenarse para hacer. Él prefería considerar esta consecuencia con cautela, no fuera a ser que dejara de existir. Lo más importante que hacía, en términos de la ansiedad reducida de la consecuencia, según le había explicado la terapeuta, era no tomar benzos de manera constante lo máximo posible.

Ya no las tomaba, al parecer después de haber pasado por una recuperación gradual en la clínica. No estaba seguro de cuándo había dejado de tomarlas, ya que las cápsulas sin nombre le imposibilitaban saberlo. Y había tomado un montón de cápsulas, muchas de ellas con suplementos alimenticios de diversos tipos, pues la clínica tenía cierta oscura base naturópata que él había achacado a la forma de ser de los suizos. Aunque en otros aspectos el tratamiento había sido bastante agresivo y había habido de todo, desde masivas transfusiones de sangre al uso de una sustancia que llamaban «antagonista paradójico». Esta sustancia producía sueños excepcionalmente peculiares, en los que Milgrim era perseguido por un Antagonista Paradójico concreto, una figura quimérica asociada de algún modo con los colores de las ilustraciones publicitarias americanas de los años cincuenta. Curioso.

Echaba de menos a su terapeuta cognitiva. Le encantó poder hablar ruso con una mujer tan maravillosamente educada. De algún modo, no podía imaginar haber conseguido todo eso en inglés.

Había permanecido ocho meses en la clínica, más tiempo que ninguno de los demás clientes. Todos los cuales, cuando lo permitió la oportunidad, preguntaron con discreción el nombre de su empresa. Milgrim había respondido de diversas formas, al principio, aunque siempre mencionando alguna marca icónica de su juventud: Coca-Cola, General Motors, Kodak. Al oírlo, ellos abrían mucho los ojos. A final de su estancia, cambió a Enron. Esto fue en parte resultado de que su terapeuta le ordenara que utilizase Internet para familiarizarse con los acontecimientos de la década anterior. Como bien le había señalado, se lo había perdido todo.

Sueña esto en la alta habitación blanca, su suelo de roble pulido. Ventanas altas. En el exterior nieva. El mundo exterior es completamente silencioso, sin profundidad. La luz carece de dirección.

—¿Dónde aprendió ruso, señor Milgrim?

—En la universidad. Columbia.

El rostro blanco de ella. El cabello oscuro, dividido por la mitad, recogido hacia atrás.

—*Describió su situación anterior como de cautiverio literal. ¿Esto fue después de Columbia?*

—*Sí.*

—*¿Cómo considera diferente su situación actual?*

—*¿Si la considero como cautiverio?*

—*Sí.*

—*No del mismo modo.*

—*¿Comprende por qué ellos están dispuestos a pagar las considerables sumas de dinero necesarias para mantenerlo aquí?*

—*No. ¿Y usted?*

—*Para nada. ¿Comprende la naturaleza de la confidencialidad doctor-paciente en mi profesión?*

—*¿Se supone que no puede decirle a nadie lo que yo le diga?*

—*Exactamente. ¿Cree que lo haría?*

—*No lo sé.*

—*No lo haría. Cuando accedí a venir aquí, a trabajar con usted, lo dejé absolutamente claro. Estoy aquí por usted, señor Milgrim. No estoy aquí por ellos.*

—*Eso es bueno.*

—*Pero como estoy aquí por usted, señor Milgrim, también me preocupo por usted. Es como si estuviera naciendo. ¿Comprende?*

—*No.*

—*Estaba usted incompleto cuando lo trajeron aquí. Ahora está algo menos incompleto, pero su recuperación es necesariamente un proceso orgánico complejo. Si tiene mucha suerte, continuará durante el resto de su vida. «Recuperación» es quizás un término engañoso. Está recuperando algunos aspectos de sí mismo, ciertamente, pero las cosas más importante son cosas que nunca había poseído previamente. Aspectos primarios del desarrollo. Se ha quedado usted atrofiado, en ciertos aspectos. Ahora se le ha dado una oportunidad para crecer.*

—*Pero eso es bueno, ¿no?*

—*Bueno, sí. ¿Cómodo? No siempre.*

En Heathrow había un negro alto, la cabeza inmaculadamente afeitada, que sujetaba una carpeta contra su pecho. En la carpeta, con letras rojas Sharpie tamaño medio, alguien había escrito «mILgRIm».

—Milgrim —dijo Milgrim.

—Análisis de orina —dijo el hombre—. Por aquí.

Rechazar someterse al análisis aleatorio habría sido estropearlo todo. Habían dejado eso muy claro, desde el principio. Le habría importado menos si hubieran conseguido recoger muestras en momentos menos embarazosos, pero suponía que de eso se trataba.

El hombre quitó el nombre rojo de Milgrim de la carpeta mientras lo conducía a un cuarto de baño público previamente seleccionado, lo arrugó y se lo guardó en su gabán negro.

—Por aquí —caminó rápidamente ante una hilera de excusados-cuevas británicos seriamente privados. No eran cubículos, ni urinarios, sino cuartitos estrechos, con puertas de verdad. Ésta solía ser la primera diferencia cultural que Milgrim advertía aquí. Los ingleses debían percibir los cuartos de baño americanos como algo notablemente semicomunitario, supuso. El hombre le indicó un excusado vacío, miró por donde habían venido, entró rápidamente, cerró la puerta tras él, corrió el cerrojo, y le tendió una bolsa para bocadillos de plástico que contenía un frasquito de tapón azul. Milgrim depositó con cuidado el tubo rojo de cartón en un rincón.

Sabía que tendrían que mirarlo. De lo contrario, podía dar el cambiazo, entregar la orina limpia de otra persona. O incluso usar, lo había leído en los tabloides de Nueva York, un pene prostético especial.

Milgrim sacó el frasquito de la bolsa, rompió el sello de papel, quitó el tapón azul y lo llenó, recordando la frase «sin más ceremonias». Le puso el tapón, lo colocó dentro de la bolsa y lo entregó de manera que el hombre no tuviera que experimentar el calor de su orina fresca. Se había vuelto muy bueno con estas cosas. El hombre la guardó en una bolsita de papel marrón, que dobló y se guardó dentro del gabán. Milgrim se dio media vuelta y terminó de orinar, mientras el tipo abría la puerta y salía.

Cuando salió, el hombre se estaba lavando las manos, las luces fluorescentes se reflejaban en la impresionante cúpula de su cráneo.

—¿Qué tiempo hace? —preguntó Milgrim, enjabonándose las manos a su vez con un dispensador de un solo toque, mientras el tubo de cartón reposaba en la encimera de granito falso salpicada de agua.

—Llueve —contestó el tipo negro, secándose las manos.

Cuando Milgrim terminó de lavarse y secarse, usó las toallitas de papel húmedas para secar la tapa de plástico de su tubo.

—¿Adónde vamos?

—Al Soho —respondió el hombre.

Milgrim lo siguió a la salida, con la mochila de viaje colgando de un hombro y el tubo bajo el otro brazo.

Entonces recordó el Neo.

Cuando lo conectó, empezó a sonar.

5

Perro verde

Y cuando ella lo vio, desde su silla, el cuello de su gabardina vuelto como la capa de un vampiro, bajar finalmente las escaleras hasta el vestíbulo del Gabinete, perdiéndose más de vista con cada paso, apoyó la cabeza contra el resbaladizo brocado y contempló las lanzas en espiral de los colmillos de narval, en su ornamentada panoplia.

Luego se irguió y pidió un cortado, una taza en vez de una cafetera. El público del desayuno se había marchado ya en su mayoría, dejando sola a Hollis y un par de rusos de trajes oscuros que parecían extras de una película de Cronenberg.

Sacó su iPhone y buscó en Google «Sabuesos de Gabriel».

Cuando llegó el café, había determinado que *Sabuesos de Gabriel* era el título de una novela de Mary Stewart, había sido el título de al menos un cedé y había sido o era el nombre de al menos un grupo de música.

Todo había sido ya el título de un cedé, lo sabía, igual que todo había sido ya el nombre de un grupo de música. Por eso los grupos, desde los últimos veinte años o así, tenían casi todos nombres imposibles de recordar, casi como si se enorgullecieran de ello.

Pero los Sabuesos de Gabriel originales, parecía, eran folclore, leyenda. Perros a los que se oía maldecir, aunque débilmente, en las noches de viento. Primos de la Caza Salvaje*. Esto era territorio de

---

* Grupo de espectros a caballo que simulan una cacería espectral. Sería el equivalente de nuestra Santa Compaña. (*N. del T.*)

Inchmale, definitivamente, y había incluso variantes más extrañas. Algunas mencionaban sabuesos con cabezas humanas, o sabuesos con cabeza de niños humanos. Esto tenía que ver con la creencia de que los Sabuesos de Gabriel cazaban las almas de los niños que morían sin bautizar. Lo cristiano impuesto sobre lo pagano, supuso Hollis. Y los sabuesos parecían haber sido originalmente *«ratchets»*, una palabra antigua que definía a los perros que cazaban por el olor. Totalmente inchmaliano. Él le pondría al instante al grupo adecuado el nombre de Gabble Ratchets.

—Lo han dejado para usted, señorita Henry.

La camarera italiana, tendiendo una brillante bolsa de papel, amarilla, sin texto.

—Gracias.

Hollis soltó el iPhone y aceptó la bolsa. Vio que estaba sellada con grapas, e imaginó la enorme grapadora de bronce encima de la mesa pornográfica, su extremo la cabeza de un turco con turbante. Un par de tarjetas de presentación idénticas, múltiplemente grapadas, sujetaban las dos asas. PAMELA MAINWARING, HORMIGA AZUL.

Retiró las tarjetas y abrió la bolsa, rasgando el brillante papel con las grapas.

Una camisa vaquera muy gruesa. La sacó y la extendió sobre su regazo. No, una chaqueta. El tejido más oscuro que los muslos de sus vaqueros japoneses, bordeando el negro. Y olía a aquel índigo, fuerte, el olor de jungla terrosa familiar de la tienda donde había comprado los vaqueros. Los botones de metal, de los de remache, eran completamente negros, sin reflejos, de aspecto extrañamente polvoriento.

Ningún signo exterior. La etiqueta, dentro, bajo la parte trasera del cuello, era de cuero sin teñir, gruesa como la mayoría de los cinturones. En ella habían marcado no un nombre, sino el vago y vagamente perturbador contorno de lo que interpretó como un perro con cabeza de niño. El hierro de marcar parecía haber sido retorcido a partir de un trozo de alambre fino, y luego calentado, apretado de manera irregular contra el cuero, que estaba chamuscado en algunas partes. Centrado directamente debajo, cosido bajo el borde inferior del parche de cuero, había un pequeño marbete de lazo blanco tejido, bordado a máquina con tres puntos negros y redondos dispuestos en forma de triángulo. ¿Indicadores de la talla?

Su mirada volvió a la marca del sabueso, con su cabeza de muñeco casi sin rasgos.

—Veinte onzas —declaró la atractiva y madura experta en tejido, la chaqueta Sabuesos de Gabriel extendida ante ella en un tablero de madera pulida, sobre lo que Hollis supuso que eran las patas de hierro forjado de un torno—. Rugoso.

—¿Rugoso?

Ella pasó la mano suavemente sobre la manga de la chaqueta.

—Áspero. El tejido.

—¿Es tejido vaquero japonés?

La mujer alzó las cejas. Iba vestida, hoy, con un traje de *tweed* que parecía como salpicado de zarzas, el tono caqui lavado tantas veces que ya no era de ningún color concreto, la tela Oxford tan burda que parecía tejida a mano, y al menos dos ajados pañuelos de estampado de cachemira, con anchuras peculiares, pero distintas.

—Los americanos han olvidado cómo hacer un tejido vaquero como éste. Tal vez sea de Japón. Tal vez no. ¿Dónde lo ha encontrado?

—Pertenece a un amigo.

—¿Le gusta?

—No me la he probado.

—¿No?

La mujer se situó detrás de Hollis, para ayudarla a quitarse el abrigo. Recogió la chaqueta y la ayudó a ponérsela.

Hollis se miró en el espejo. Se enderezó. Sonrió.

—No está mal —dijo. Volvió el cuello hacia arriba—. Hace por lo menos veinte años que no me pongo una de éstas.

—Le sienta muy bien —dijo la mujer. Tocó la espalda de Hollis con las dos manos, justo debajo de los hombros—. Hombreras flexibles. Dentro, lazos elásticos, se tira para ajustarla. Este detalle es de la chaqueta mecánica HD Lee, principios de los cincuenta.

—Si el tejido es japonés, ¿no tendría que haber sido hecha en Japón?

—Es posible. La calidad intrínseca, los detalles, son mejores, pero... ¿Japón? ¿Túnez? Incluso California.

—¿No sabe dónde podría encontrar otra igual? ¿O más de esta marca?

De algún modo, no quería pronunciar el nombre.

Sus ojos se encontraron, en el espejo.

—¿Conoce «marca secreta»? ¿Comprende?

—Creo que sí —respondió, vacilante.

—Ésta es una marca muy secreta —dijo la mujer—. No puedo ayudarla.

—Pero lo ha hecho, gracias —respondió Hollis, queriendo de pronto salir de la preciosa tienda dilapidada, del mustio olor del índigo—. Muchas gracias —se puso el abrigo encima de la chaqueta George—. Gracias. Adiós.

Fuera, en Upper James Street, un chico pasó velozmente de largo, una semiesfera de fina lana negra al ras con sus ojos. Todo de negro, a excepción de su cara blanca, llena de manchas y sin afeitar y el borde de las suelas manchadas del blanco de la acera de sus zapatos negros.

—Clammy —dijo ella, por reflejo, cuando pasó por delante.

—La leche jodida —susurró Clammy, en su reciente y algo extrañamente adquirido acento americano de West Hollywood, y se estremeció, como si sufriera una súbita liberación masiva de tensión acumulada—. ¿Qué estás haciendo aquí?

—Buscando ropa vaquera —dijo ella, y tuvo que señalar hacia la tienda, pues no tenía ni idea de cómo se llamaba, y descubrió simultáneamente que al parecer no tenía ningún cartel—. Sabuesos de Gabriel. No tienen.

Las cejas de Clammy tal vez se alzaran bajo su gorrita negra.

—Como esto —dijo ella, tirando de la chaqueta vaquera desabrochada bajo su abrigo.

Él entornó los ojos.

—¿De dónde has sacado eso?

—De un amigo.

—Son casi jodidamente imposibles de encontrar —declaró Clammy gravemente. Como si de pronto hablara con ella, para su asombro y por primera vez, en serio.

—¿Te apetece un café?

Él se estremeció.

—Estoy jodidamente enfermo —dijo, y sorbió de forma ruidosa por la nariz—. Tuve que salir del estudio.

—Té de hierbas Y algo que tengo para tu sistema inmunológico.

—¿Eras la chica de Reg, en el grupo? Mi compi dice que sí.

—Nunca —respondió ella con firmeza—. Ni simbólica ni bíblicamente.

Ninguna respuesta.

—Siempre se cree que el cantante jode al guitarrista —aclaró ella.

Clammy sonrió a pesar del resfriado.

—Los periódicos dicen eso de Arfur y de mí.

—Exactamente. Una medicina canadiense, basada en el ginseng. Té de hierbas patentado. No puede hacerte daño.

Él, sorbiendo por la nariz, asintió.

Ella esperó que de verdad tuviera un virus. De lo contrario, se encontraba en los primeros pasos del mono de heroína. Pero probablemente era un resfriado, más el considerable estrés inherente a trabajar en el estudio con Inchmale.

Le había hecho tragar cinco cápsulas de Cold-FX, tomando tres ella misma como medida profiláctica. Normalmente no parecían hacer nada, una vez que los síntomas estaban avanzados, pero la promesa de ofrecérselas le había hecho rodear la esquina y entrar en el Starbucks de Golden Square, y esperaba que él tuviera tendencia a experimentar el efecto placebo. A ella le sucedía, según Inchmale, que era un inflexible y declarado enemigo de Cold-FX.

—Tienes que seguir tomándolas —le dijo a Clammy, colocando el frasco de plástico blanco junto a su humeante taza de papel con té de camomila—. Ignora las instrucciones. Tómate tres, tres veces al día.

Él se encogió de hombros.

—¿Dónde dices que conseguiste los Sabuesos?

—Son de alguien que conozco.

—¿De dónde los ha sacado, entonces?

—No lo sé. Alguien me dijo que era una «marca secreta».

—No cuando tú lo sabes —dijo él—. Sólo son muy difíciles de encontrar. Raros como un perro verde, tus Sabuesos de Gabriel.

—¿Está ya empezando a hablar de regrabar las pistas de fondo? —Hollis supuso que si intentaba cambiar de tema, él podría resistirse, y ella podría hacer como que pasaba a otra cosa, no parecer demasiado interesada.

Él se estremeció. Asintió.

—¿Ha hablado de hacerlo en Tucson?

Clammy frunció el ceño, la frente enmascarada tras la negra cachemira.

—Anoche —miró, a través del escaparate, Golden Square, desierta bajo la lluvia.

—Allí hay un sitio —dijo ella—. Uno de sus sitios secretos. Hazlo. Si quiere volver más tarde para las pistas adicionales, hazlo.

—Pero ¿por qué me está partiendo las pelotas ahora remezclando?

—Es su forma de trabajar.

Clammy puso los ojos en blanco, para mirar al cielo o su gorra negra, y luego volvió a mirarla a ella.

—¿Le preguntaste a tu amigo de dónde sacó los Sabuesos?

—Todavía no.

Él se giró en su asiento, sacando la pierna de debajo de la mesa.

—Sabuesos —dijo. Los vaqueros que llevaba puestos eran negros, muy ceñidos—. Veinte onzas —dijo—. Brutales de pesados.

—¿Rugosos?

—¿Estás ciega?

—¿Dónde los encontraste?

—Melbourne. Una chica, sabía dónde y cuándo.

—¿Una tienda?

—Nunca en tiendas —dijo él—. Excepto de segunda mano, y no es probable.

—Probé en Google. Un libro de Mary Stewart, un grupo, un cedé de alguien más...

—Sigue buscando, en Google, y luego está eBay.

—¿Sabuesos en eBay?

—Todos falsos. Casi todos. Falsificaciones de China.

—¿Los chinos los están falsificando?

—Los chinos lo falsifican todo —dijo Clammy—. Si pones unos Sabuesos de verdad en eBay, alguien hace una oferta lo bastante alta para detenerlo. Nunca verás una subasta real para los Sabuesos auténticos.

—¿Es una marca australiana?

Él parecía disgustado, como todas las otras breves conversaciones que habían tenido.

—Joder, no —dijo—. Son *Sabuesos*.

—Háblame del tema, Clammy. Necesito saberlo.

6
Después de la rotonda

La carcasa de plástico del Neo le recordaba a Milgrim uno de aquellos detectores electrónicos de clavos que vendían en las ferreterías, su forma a la vez sencilla y basta, molesta contra la oreja.

—¿Escudete? —preguntó Rausch por el Neo.

—Dijo que los necesitaban. Uno en el interior de cada muslo.

—¿Qué es un escudete?

—Una pieza extra de tejido, entre dos costuras. Normalmente triangular.

—¿Cómo sabes eso?

Milgrim reflexionó.

—Me gustan los detalles —dijo.

—¿Qué aspecto tenía?

—El de un jugador de fútbol —contestó Milgrim—. Con una especie de *mullet*.

—¿Un qué?

—Tengo que irme —dijo—. Estamos en el Sistema Giratorio de Hanger Lane.

—¿Qué...?

Milgrim colgó.

Tras guardarse el Neo en el bolsillo, se enderezó, sintiendo el feroz motor trasplantado del Toyota Hilux de cuatro puertas con blindaje Jankel tomar fuerzas para lanzarse a la rotonda más famosa e intimidadora de Inglaterra, siete carriles de tráfico ferozmente decidido.

Según Aldous, el otro conductor del Hilux, esta ruta desde Heathrow, claramente poco adecuada, era parte de los requerimientos de su trabajo, para mantener ciertas habilidades que de otro modo uno era incapaz de practicar en el tráfico de Londres.

Preparado para la incomodidad de una rápida aceleración con neumáticos sin aire, cuando arrancara, Milgrim miró hacia abajo, a su derecha, vio el muslo mil rayas del conductor del carril adyacente y se perdió el cambio de semáforo.

Entonces se lanzaron a la rotonda, el conductor fue insertando hacia el lado, con habilidad y repetidamente, la enormemente secreta pero extrañamente ligera masa del Hilux, como si lo hiciera en absurdos y diminutos cambios de carril.

Milgrim no tenía ni idea de por qué disfrutaba tanto de esto. Antes de su estancia en Basilea, habría mantenido los ojos cerrados todo el tiempo; si lo hubiera estado esperando, habría aumentado su medicación. Pero ahora, sonriente, permanecía sentado con el tubo de cartón entre las piernas, sujetándolo con las yemas de los dedos de ambas manos, como si fuera un *joystick*.

Entonces dejaron la rotonda atrás. Suspiró, profunda aunque misteriosamente satisfecho, y sintió la mirada del conductor.

El conductor no era tan charlatán como Aldous, pero eso tal vez tuviera algo que ver con el análisis de orina. Aldous nunca había tenido que el análisis de orina o llevarlo de vuelta a Londres con un frasquito enfriándose en el abrigo de su gabán.

Aldous le había contado a Milgrim todo sobre el Toyota Hilux, sobre el blindaje Jankel y el cristal a prueba de balas y los neumáticos sin aire.

—A nivel de cártel —le había asegurado Aldous, lo que era extraño para Londres, al menos por lo que se refería a los todoterrenos gris plateado. Milgrim no había preguntado por qué habían considerado necesarias estas características concretas, pero sospechaba que podía ser un tema delicado.

Por fin, después de una parte del viaje mucho menos entretenida. Llegaron a Euston Road, y el principio de su idea de lo que era en realidad Londres.

Era como entrar en un juego, un trazado, algo plano y laberíntico, arbitrario, pero construido de manera fractal a partir de edificios preciosamente detallados, pero de algún modo irreales, su orden cambiado quizá desde la última vez que estuvo aquí. Los píxeles que lo configuraban eran familiares, pero sólo eran un mapa provisional, un territorio proteico, una caja de sorpresas, algunas incluso benignas.

Los neumáticos se comportaban de forma desagradable en el pavimento mixto, peor en el empedrado. Milgrim se acomodó y sostuvo el tubo de cartón rojo mientras el conductor empezaba a tomar una interminable serie de esquinas, manteniéndose más o menos en paralelo, supuso Milgrim, a Tottenham Court Road. En dirección al corazón de la ciudad y el Soho.

Rausch, su pelo transparentemente negro y corto como algo rociado con la boquilla de una manguera, los esperaba delante de Hormiga Azul, pues el conductor había telefoneado de antemano mientras avanzaban a duras penas por el tráfico de Beak Street. Rausch se cubría la cabeza con una revista para protegerse de la llovizna. Parecía despeinado como de costumbre, pero a su forma. Todo en su presentación personal tenía la pretensión de comunicar una concisión natural, pero no lo lograba del todo. Su ajustado traje negro estaba arrugado, le hacía bolsas en las rodillas, y al extender el brazo por encima de la cabeza para sostener la revista se le había salido un faldón de la camisa blanca. A sus gafas, cuyo armazón venía equipado con su propia bizquera, les hacía falta limpiarlas.

—Gracias —dijo Milgrim cuando el conductor pulsó un botón y abrió el seguro de la puerta de pasajeros. El conductor no dijo nada. Estaban detrás de un taxi negro, a punto de llegar.

Cuando Milgrim abrió la puerta, osciló con una alarmante velocidad impulsada por su peso, para ser detenida por un par de gruesas tiras de nailon que impedían que saltara de sus goznes. Se bajó, con el tubo rojo y la maleta, tras mirar brevemente el extintor rojo de espuma antiincendios debajo del asiento, y trató de cerrar la puerta con el hombro.

—Ay —dijo. Soltó la maleta, se metió el tubo bajo el brazo y usó la otra mano para empujar la puerta blindada para cerrarla.

Rausch se agachó para recoger la maleta.

—Él tiene los meados —dijo Milgrim, indicando con un gesto el todoterreno.

Rausch se irguió, haciendo una mueca de fastidio.

—Sí. Los lleva al laboratorio.

Milgrim asintió, contempló el tráfico peatonal, que tendía a interesarle en el Soho.

—Están esperando —dijo Rausch.

Milgrim lo siguió al interior de Hormiga Azul. Rausch acercó una chapa de seguridad a una placa de metal para abrir la puerta, una única hoja de cristal verdoso de cinco centímetros.

El vestíbulo sugería una combinación de cara escuela de arte privada e instalaciones de defensa gubernamentales, aunque, cuando lo pensó, Milgrim reconoció que no había estado nunca en ninguna de ellas. Había una enorme lámpara central, construida con miles de cristales de gafas graduadas, lo que contribuía a dar la impresión de escuela de arte, pero la parte del Pentágono (¿o sería Whitehall?) era más difícil de situar. Media docena de grandes pantallas de plasma mostraban constantemente el último producto de la casa, sobre todo anuncios de automóviles europeos y japoneses con presupuestos de producción que dejaban en pañales a los de muchas películas, mientras debajo se movía gente que llevaba chapas de identificación como la que Rausch había utilizado para abrir la puerta. Las llevaban alrededor del cuello, con cordones de diversos colores, algunos con los logotipos repetidos de varias marcas o proyectos. Olía a café excepcionalmente bueno.

Milgrim miró obediente un gran signo más rojo, en la pared tras el mostrador de seguridad, mientras una cámara automática se movía perezosa tras una ventanita cuadrada, como si fuera algo dentro de una casa de reptiles muy técnica. Poco después le presentaron una gran foto cuadrada de sí mismo, de resolución muy baja, con un horrible cordón verde limón sin indicativos. Como siempre, sospechó que esto era en parte para que sirviera como objetivo de alta visibilidad, si surgía la necesidad. Se lo puso.

—Café —dijo.

—No —respondió Rausch—, están esperando.

Pero Milgrim se dirigía ya a la máquina de capuchinos del vestíbulo, la fuente de aquel rico aroma.

—*Piccolo*, por favor —le pidió a la rubia camarera, cuyo pelo era sólo un poquito más largo que el de Rausch.

—Te está esperando —dijo éste tras él, recalcando tensamente la tercera sílaba de «esperando».

—Querrá que pueda hablar —contestó Milgrim, viendo cómo la muchacha servía con destreza la bebida. Batió la leche y luego sirvió un elaborado corazón en la taza blanca de Milgrim—. Gracias —le dijo.

Malhumorado, Rausch esperó en silencio en el ascensor que los llevaba a la tercera planta, mientras Milgrim se preocupaba sobre todo de mantener su taza y su platillo equilibrados.

Las puertas se abrieron deslizándose, revelando a Pamela Mainwarin. Parecía, según apreció Milgrim, la idea de «madura» de algún pornógrafo de mucho gusto, su pelo rubio magníficamente cortado.

—Bienvenido —dijo ella, ignorando a Rausch—. ¿Cómo fue Carolina del Sur?

—Bien —contestó Milgrim, que sostenía el tubo rojo de cartón en la mano derecha, el *piccolo* en la izquierda. Alzó levemente el tubo—. Lo tengo.

—Muy bien —dijo ella—. Pasa.

La siguió a una sala oblonga con una larga mesa central. Bigend estaba sentado al fondo de la mesa, con una ventana detrás. Parecía que algo había ido mal con una pantalla de ordenador, pero entonces Milgrim advirtió que era el traje que vestía, de un extraño azul cobalto eléctrico.

—Si no te importa —dijo Pamela, cogiendo el tubo de cartón rojo y entregándoselo a la favorita de Milgrim en el equipo de diseño de ropas de Bigend, una chica francesa que hoy vestía una falda de cuadros y un jersey de cachemira—. ¿Y las fotos?

—En mi maleta —respondió él.

Mientras colocaban la maleta sobre la mesa y la abrían, las persianas automáticas se cerraron en silencio en la ventana situada detrás de Bigend. Las luces del techo se encendieron, iluminando la mesa, donde desenrollaban con cuidado los calcos de Milgrim. Se había acordado de dejar su cámara sobre la ropa, y ahora la pasaban de mano en mano por toda la mesa.

—Tu medicación —dijo Pamela, tendiéndole un sobrecito acolchado nuevo.

—Ahora, siéntate —dijo Bigend, levantándose.

Milgrim se sentó a la derecha de Pamela. Eran sillas giratorias extremadamente elegantes, suizas o italianas, y tuvo que contenerse para no ponerse a jugar con los diversos pomos y palancas que asomaban bajo el asiento.

—Veo el patrón de los Bundeswehr OTAN —dijo alguien—. Las perneras son puro quinientos uno.

—Pero no la caja —dijo la chica de la falda y el jersey de cachemira. La caja, Milgrim lo había aprendido, lo era todo en un par de vaqueros, por encima de la parte superior de la pierna—. Los dos pequeños pliegues, la cintura más baja.

—Las fotos —dijo Bigend, desde detrás de su silla. Una pantalla de plasma, sobre la ventana ante la que había estado sentado, destelló en turquesa, alrededor del marrón coyote cuproso, el mostrador de formica del Restaurante Familiar Ciudad Límite dándose a conocer en esta sala a oscuras en el centro de Londres.

—Rodilleras —dijo un joven, americano—. Ausentes. No hay bolsillos para ellas.

—Hemos oído que tienen un nuevo sistema de retención de almohadillas —dijo la chica francesa con seriedad de cirujano—. Pero no lo veo aquí.

Observaron, en silencio, mientras las fotografías de Milgrim pasaban de uno a otro.

—¿Hasta qué punto son tácticos? —preguntó Bigend cuando la primera fotografía regresó a él—. ¿Estamos viendo un prototipo para un contrato del Departamento de Defensa?

Silencio.

—Prendas de calle estilo *skate. Streetwear.*

Era la chica francesa, mucho más confiada que los demás.

—Si son para el ejército, no es el ejército americano.

—Él dijo que necesitaban escudetes —dijo Milgrim.

—¿Qué? —preguntó Bigend, en voz baja.

—Dijo que eran demasiado estrechos en los muslos. Para hacer rápel.

—¿Ah, sí? —dijo Bigend—. Eso está bien. Eso está muy bien.

Milgrim se permitió tomar un primer y cuidadoso sorbo de café.

7
Una pistola RFAE
en Frith Street

Bigend le contaba una historia mientras tomaban unas copas en un abarrotado bar de tapas de Frith Street donde Hollis sospechaba que ya había estado antes. Una historia referida a alguien que empleaba algo llamado pistola RFAE (radiofrecuencia de alta energía), en Moscú, para borrar los datos almacenados de otra persona, en una unidad en un edificio adyacente, al otro lado de un muro de linde. Hasta ahora, lo mejor del tema era que Bigend seguía utilizando la expresión británica «muro de linde», y a ella siempre le había parecido leve, pero inexplicablemente cómica. La pistola RFAE, le estaba explicando ahora, el aparato de radiación electromagnética, era del tamaño de una mochila, lanzaba un pulso de dieciséis megavatios, y de repente ella tuvo miedo, siendo los hombres como son, de que hubiera algún chiste final referido a haber frito por accidente los órganos internos de alguien.

—¿Resultó algún animal herido, Hubertus, en el transcurso de esta anécdota? —le interrumpió.

—Me gustan los animales —dijo Milgrim, el americano que Bigend le había presentado en Hormiga Azul, como si le sorprendiera un tanto descubrir que era así. Parecía tener sólo ese nombre.

Después de que Clammy hubiera decidido volver al estudio, con el frasquito blanco de Cold-FC guardado de forma un tanto precaria en el bolsillo trasero de sus Sabuesos, Hollis se marchó del Starbucks de Golden Square durante un inesperado estallido de sol débil pero enormemente bienvenido. Se detuvo un momento entre los charcos de la plaza, antes de echar a andar (sin rumbo, fingió para sí) de vuelta por Upper James hasta Beak Street. Al girar a la derecha y cruzar la primera bocacalle en su parte de Beak, encontró el Hormiga Azul exactamente donde lo recordaba, mientras advertía al mismo tiempo que de algún modo había estado esperando que no estuviera allí.

Cuando pulsó el botón anunciador, una pauta cuadrada de agujeritos redondos la saludó.

—Hollis Henry, para ver a Hubertus.

¿La esperaban?

—No, la verdad es que no.

Un chico guapo y barbudo, con una chaqueta deportiva de pana considerablemente más vieja que él, abrió la gruesa puerta de cristal casi al instante.

—Soy Jacob —dijo—. Estamos intentando encontrarlo —le tendió la mano.

—Hollis —dijo ella.

—Pasa, por favor. Soy un gran fan de Toque de Queda.

—Gracias.

—¿Te apetece un café mientras esperas?

Indicó una especie de portería, con franjas diagonales de ajada pintura amarilla y negra, donde una muchacha de pelo rubio muy corto pulía una máquina de café exprés que parecía capaz de ganar Le Mans.

—Enviaron a tres hombres desde Turín para instalar la máquina.

—¿No deberían fotografiarme? —le preguntó Hollis. A Inchmale no le gustaron nada las nuevas medidas de seguridad de Hormiga Azul la última vez que vinieron aquí a firmar contratos. Pero entonces el teléfono a la derecha de Jacob empezó a hacer sonar los acordes de «Box 1 of 1», una de sus canciones menos favoritas de Toque de Queda. Ella fingió no darse cuenta.

—En el vestíbulo —le dijo al teléfono.

—¿Llevas mucho tiempo en Hormiga Azul? —preguntó ella.

—Va a hacer dos años. Trabajé en tu anuncio. Nos quedamos hechos polvo cuando se vino abajo. ¿Conoces a Damien?

Ella no lo conocía.

—El director. Hecho polvo del todo.

Entonces apareció Bigend, con su traje azulísimo, los hombros envueltos en el metro cuadrado de capote de la gabardina, acompañado por Pamela Mainwaring y un hombre algo insulso, sin afeitar, con una fina chupa de algodón y pantalones arrugados, una bolsa de nailon negro colgada del hombro.

—Éste es Milgrim —dijo Bigend—. Hollis Henry.

—Hola —saludó el hombre, y desde entonces apenas había dicho nada más.

—¿Qué clase de animales? —le preguntó ella ahora, en un intento más burdo por desviar la narración de Bigend.

Milgrim dio un respingo.

—Los perros —dijo rápidamente, como sorprendido por algún placer culpable.

—¿Te gustan los perros?

Estaba segura de que Bigend le había pagado al don nadie que empuñaba aquella pistola RFAE, aunque nunca te decía claramente esas cosas, a menos que tuviera algún motivo específico para hacerlo.

—Vi un perro muy bonito en Basilea —dijo Milgrim—. En… —una microexpresión de ansiedad—. En casa de un amigo.

—¿El perro de tu amigo?

—Sí —respondió él, asintiendo una vez, antes de tomar un sorbo de coca-cola—. Podría haber usado en cambio un generador eléctrico —le dijo a Bigend, parpadeando—, hecho con el sintonizador de un vídeo. Son más pequeños.

—¿Quién te ha dicho eso? —preguntó Bigend, concentrado de pronto de manera diferente.

—Un… ¿compañero de habitación? —Milgrim extendió un

dedo índice para tocar su montoncito de blancos platitos de porcelana de las tapas, como si necesitara asegurarse a sí mismo de que estaban allí—. Le preocupaban esas cosas. Mucho. Lo enfurecían —miró a Hollis con expresión de disculpa.

—Comprendo —dijo Bigend, aunque Hollis desde luego no comprendía.

Ahora Milgrim sacó un sobrecito acolchado blanco del bolsillo interior de su chaqueta, lo alisó y frunció el ceño, concentrado. Hollis vio que todas las píldoras eran blancas también, cápsulas blancas, aunque de diversos tamaños. Sacó con cuidado tres del cartoncito de aluminio, se las metió en la boca y se las tragó con un sorbo de coca-cola.

—Debes de estar agotado, Milgrim —dijo Pamela, sentada junto a Hollis—. Estás con el horario de la Costa Este.

—No estoy demasiado mal —respondió él, guardando las medicinas. Había una curiosa falta de definición en sus rasgos, pensó Hollis, algo adolescente, aunque supuso que tenía treinta y tantos años. Le pareció de algún modo como si no estuviera acostumbrado a habitar en su propio rostro. Tan sorprendido de descubrir quién era como de encontrarse aquí en Frith Street, comiendo ostras y calamares y jamón serrano.

—Aldous te llevará de vuelta al hotel —dijo Pamela. Aldous, supuso Hollis, era uno de los dos negros que los acompañaban desde Hormiga Azul, llevando largos paraguas plegados con preciosos mangos lacados. Ahora estaban esperando fuera, separados unos pasos, en silencio, sin dejar de vigilar a Bigend a través del escaparate.

—¿Dónde está? —preguntó Milgrim.

—En Covent Garden —respondió Pamela.

—Ese sitio me gusta —dijo él. Dobló la servilleta, la puso junto a la torre de platitos de porcelana. Miró a Hollis—. Encantado de conocerte.

Asintió, primero a Pamela, luego a Bigend.

—Gracias por la cena.

Entonces empujó hacia atrás su silla, se agachó para recoger su mochila, se la echó al hombro y salió del restaurante.

—¿Dónde lo has encontrado? —preguntó Hollis, observando a Milgrim, a través del escaparate, hablar con el que suponía que era Aldous.

—En Vancouver —dijo Bigend—, unas pocas semanas después de que tú estuvieras allí.

—¿Qué es lo que hace?

—Traducción —contestó él—, simultánea y escrita. Ruso. Es brillante con los idiomas.

—¿Está… bien? —no sabía de qué otra forma expresarlo.

—Convaleciente —dijo Bigend.

—Recuperándose —aclaró Pamela.

—¿Traduce para ti?

—Sí. Aunque estamos empezando a ver si puede ser más útil en otras áreas.

—¿Otras áreas?

—Tiene buen ojo para el detalle —dijo él—. Lo hemos puesto a observar ropa.

—No parece experto en modas.

—Eso es una ventaja, en realidad.

—¿Se ha fijado en tu traje?

—No lo ha dicho —contestó Bigend, mirando una solapa Klein Blue Internacional de proporciones Early Carnaby. Alzó la cabeza y miró la chaqueta Sabuesos de ella—. ¿Has descubierto algo?

Enrolló una rodaja de jamón español transparente, esperando su respuesta. Se llevó el jamón a la boca con cuidado, como temiendo morderse. Masticó.

—Es lo que los japoneses llaman una marca secreta —dijo Hollis—. Más o menos. Puede o no haber sido fabricado en Japón. No hay ningún punto de venta regular, ningún catálogo, ninguna presencia en la Red, aparte de unos cuantos miembros crípticos en los *blogs* de moda. Y en eBay. Los piratas chinos han empezado a falsificarlos, pero mal, el gesto mínimo. Si una pieza auténtica aparece en eBay, alguien hace una oferta que insta al vendedor a parar la subasta.

Se volvió hacia Pamela.

—¿De dónde sacasteis esta chaqueta?

—La solicitamos. En los foros de moda, principalmente. Acabamos por encontrar un vendedor, en Ámsterdam, y pagamos lo que pidió. Normalmente trata con muestras no usadas de ropa de trabajo de mediados del siglo veinte y de diseño anónimo.

—¿Ah, sí?

—No es muy distinto a los sellos antiguos, al parecer, con la diferencia de que puedes ponértelos. Un segmento de su clientela aprecia los Sabuesos de Gabriel, aunque son una minoría entre lo que interpretamos que es la demografía de la marca. Suponemos que la consciencia global activa sobre marcas, es decir, gente que se toma molestias considerables por encontrarlos, no llega más allá de unos cuantos miles.

—¿Dónde los consiguió el vendedor de Ámsterdam?

—Dijo que los había comprado como parte de un lote de material *vintage*, a un recolector, sin saber qué era. Dijo que había supuesto que eran reproducciones japonesas grado *otaku* de lo *vintage*, y que pensó que probablemente podría volver a venderlos fácilmente.

—¿Un recolector?

—Alguien que busca cosas para venderlas a los marchantes. Dijo que el recolector era alemán y desconocido. Una transacción en metálico. Y que no recordaba el nombre.

—No puede ser un secreto tan grande —dijo Hollis—. He encontrado dos personas desde el desayuno que conocían al menos tanto sobre el tema como lo que os he contado.

—¿Y son? —Bigend se inclinó hacia delante.

—La japonesa de una tienda especializada no muy lejos de Hormiga Azul.

—Ah —dijo él, su decepción era patente—. ¿Y?

—Un joven, que compró un par de vaqueros en Melbourne.

—¿De veras? —dijo Bigend sonriendo—. ¿Y te dijo a quién los compró?

Hollis cogió un trocito del cristalino jamón, lo enrolló, lo mojó en aceite de oliva.

—No. Pero creo que lo hará.

8
Legrado

Mientras se limpiaba los dientes en el iluminadísimo cuarto de baño de su pequeño pero decididamente exclusivo hotel, Milgrim pensó en Hollis Henry, la joven que Bigend había llevado al restaurante. No parecía formar parte de Hormiga Azul, y de algún modo también se le antojaba familiar. El recuerdo que tenía de la última década era poroso, imposible confiar en él, pero no creía que se hubieran visto antes. No obstante, seguía pareciéndole familiar. Cambió las puntas del minicepillo que estaba empleando entre sus molares traseros superiores, optando por una configuración cónica. Dejaría que Hollis Henry se asentara en la mezcla. Por la mañana tal vez descubriera quién era. Si no, estaba el MacBook del vestíbulo, preferible en todos los sentidos a buscar en Google con el Neo. Bastante agradable, Hollis Henry, al menos si no eras Bigend. No estaba del todo satisfecha con él. Milgrim se había dado cuenta de eso camino de Frith Street.

Cambió a una herramienta diferente, una que sujetaba tensos hilos dentales de media pulgada entre trozos de plástico desechables en forma de U. Le habían arreglado los dientes en Basilea y lo habían enviado varias veces a un especialista periodontal. Legrado. Desagradable, pero ahora sentía como si tuviera una boca nueva, aunque de muy alto mantenimiento. Lo mejor de haberse hecho todo eso, aparte de conseguir una boca nueva, era que había podido ver un poco de Basilea, salir para acudir a los tratamientos. Por lo demás, se había quedado en la clínica, según lo convenido.

Al terminar con el hilo dental, se limpió los dientes con el cepillo eléctrico y luego se enjuagó con agua de una botella cuyo cristal azul oscuro le recordó el traje de Bigend. Pantone 286, le había dicho a Milgrim, pero no del todo. Lo que más parecía gustarle a Bigend del tono, aparte del hecho de que molestaba a la gente, era que no podía ser recreado en la mayoría de los monitores.

Se había quedado sin colutorio, que contenía algo que usaban en el agua de grifo de los aviones. Sólo te permitían llevar un poco de líquido contigo en el avión y no facturó equipaje. Había estado racionando los restos de aquel colutorio en Myrtle Beach. Le había preguntado a alguien en Hormiga Azul. Tenían gente que parecían capaces de encontrar cualquier cosa, que lo hacían como parte de su trabajo.

Apagó las luces del cuarto de baño, y se quedó de pie junto a la cama, para desnudarse. La habitación tenía demasiados muebles, incluyendo el busto de un maniquí que había sido recubierto con la misma tela marrón parda del sillón. Pensó en poner los pantalones en la plancha, pero decidió no hacerlo. Iría de compras mañana. Una cadena llamada Hackett. Como una república bananera mejorada, pero con pretensiones que sabía que no comprendía. Estaba abriendo la cama cuando sonó el Neo, emulando el timbre mecánico de un teléfono antiguo. Sería Sleight.

—Deja el teléfono en tu habitación mañana —dijo Sleight—. Encendido, en el cargador —parecía molesto.

—¿Cómo estás, Oliver?

—La compañía que fabrica estas cosas ha dejado el negocio —dijo Sleight—. Así que tenemos que hacer un poco de reprogramación mañana.

Colgó.

—Buenas noches —dijo Milgrim, mirando al Neo que tenía en la mano. Lo puso en la mesilla de noche, se metió en calzoncillos en la cama y se tapó hasta la barbilla. Apagó la luz. Se quedó allí tendido, pasándose la lengua por la parte interior de los dientes. La habitación era un poco demasiado calurosa, y de algún modo era consciente de la presencia del maniquí.

Y escuchaba, o en cualquier caso sentía, la frecuencia de fondo que era Londres. Un ruido blanco diferente.

9

Mierda pinchada
en un palo

Cuando Hollis abrió la puerta principal del Gabinete, el atildado Robert no estaba allí para ayudarla.

Debido, lo vio inmediatamente, a la sorpresiva llegada de Heidi Hyde, antigua percusionista de Toque de Queda, en cuyo equipaje diverso estaba ahora envuelto Robert, claramente aterrado, allá en el ascensor-gruta, junto a la vitrina que albergaba al hurón mágico de Inchmale. Heidi, que estaba a su lado, era tan alta como ancha de hombros. Inconfundiblemente suyo aquel perfil de ave de presa, e igual de inconfundiblemente furiosa.

—¿La esperaban? —preguntó Hollis en voz baja al muchacho de gafas de carey que hoy estaba en el mostrador de recepción.

—No —respondió él, en voz baja también, entregándole la llave de su habitación—. El señor Inchmale telefoneó hace unos minutos para alertarnos.

Los ojos muy grandes tras el armazón marrón. Tenía algo del afecto, bajo su fachada de hombre de hotel, del superviviente de un tornado.

—No habrá problema —le aseguró ella.

—¿Qué la pasa a esta jodida cosa? —protestó Heidi en voz alta.

—Se confunde —dijo Hollis, acercándose a ellos, y asintió y mostró una sonrisa tranquilizadora a Robert.

—Señorita Henry —Robert parecía pálido.

—No debes pulsar el botón más de una vez —le dijo Hollis a Heidi—. Tarda más tiempo en decidirse.

—Carajo—dijo Heidi, desde algún pozo sin fondo de frustración, haciendo que Robert diera un respingo. Tenía el pelo teñido de negro gótico hasta media espalda, y Hollis supuso que se lo había hecho ella misma.

—No sabía que ibas a venir —comentó.

—Ni yo tampoco —respondió Heidi, sombría—. Es una mierda pinchada en un palo.

Con lo cual Hollis comprendió que su improbable matrimonio sub-Hollywood había terminado. Los ex de Heidi perdían sus nombres, al final, para ser conocidos a partir de entonces por esta designación general.

—Lamento oír eso.

—Dirige una estafa piramidal —dijo Heidi mientras llegaba el ascensor—. ¿Qué coño es esto?

—El ascensor.

Hollis abrió la reja articulada, indicándole que pasara.

—Por favor, adelante —dijo Robert—. Traeré sus maletas.

—Suba al puñetero ascensor —ordenó Heidi—. Suba.

Lo obligó a entrar en el ascensor con su pura presencia enfurecida. Hollis entró tras él y alzó contra la pared el banquito de caoba de bisagras de bronce para tener más espacio.

Heidi, de cerca, olía a sudor, furia de aeropuerto y cuero viejo. Llevaba puesta una chaqueta que Hollis recordaba de sus días de gira. Negra en su día, sus costuras se habían gastado hasta acabar por tener el color del pergamino sucio.

Robert consiguió pulsar un botón. Empezaron a subir, con el ascensor quejándose de manera audible por el peso.

—Este puñetero trasto nos va a matar a todos —dijo la ex percusionista, como si encontrara la idea no del todo desagradable.

—¿En qué habitación está Heidi? —le preguntó Hollis a Robert.

—Junto a la suya.

—Bien —dijo, con más entusiasmo del que sentía. Esa habitación sería la del sofá de seda amarillo. Nunca había comprendido el tema. No es que comprendiera el de su propia habitación, pero sentía que tenía uno. La habitación del sofá amarillo parecía tratar de espías, tristes, en cierto sentido muy británico, y sórdidos escándalos políticos. Y reflexología.

Hollis abrió la reja cuando el ascensor llegó por fin a su planta y luego les fue abriendo a Heidi y el cargado Robert las diversas puertas antiincendios. Heidi se abrió paso a través de los minipasillos verdes sin ventanas, su lenguaje corporal indicaba una insatisfacción universal. Hollis vio que Robert sujetaba la llave de la habitación de Heidi con dos dedos. Ella la cogió, los borlones verde musgo.

—Estás en la habitación de al lado —le dijo a Heidi, abriendo la puerta. La hizo pasar, pensando en toros, tiendas de porcelana—. Suéltelo todo —le dijo a Robert en voz baja—. Yo me encargo del resto.

Lo alivió de dos cajas de cartón sorprendentemente pesadas, cada una del tamaño requerido para contener una cabeza humana. Él empezó inmediatamente a librarse del diverso equipaje de Heidi. Ella le dio un billete de cinco libras.

—Gracias, señorita Henry.

—Gracias, Robert.

Cerró la puerta ante su aliviado rostro.

—¿Qué coño es esto? —preguntó Heidi.

—Tu habitación —contestó Hollis, que colocaba el equipaje junto a la pared—. Esto es un club privado al que Inchmale se ha unido.

—¿Un club para *qué*? ¿Qué es eso? —señaló una gran pantalla de seda enmarcada que a Hollis le parecía uno de los artículos de decoración menos notables.

—Un Warhol. Creo.

¿Había cubierto Warhol el escándalo Profumo?

—Tendría que haber sabido que el puñetero Inchmale aparecería con una cosa así. ¿Dónde está?

—Aquí no —dijo Hollis—. Alquiló una casa en Hampstead cuando Angelina y el bebé vinieron de Argentina.

Heidi sopesó un ancho decantador de cristal, lo destapó, lo olfateó.

—Whisky —dijo.

—El transparente es ginebra —indicó Hollis—. No agua.

Heidi sirvió tres dedos de whisky escocés Gabinete en una copa balón, se la bebió de un trago, se estremeció, soltó el decantador y colocó el tapón de cristal en su cuello con un golpe peligrosamente brusco. Tenía un don sobrenatural a la hora de apuntar: nunca había perdido una partida de dardos en su vida, pero no jugaba a los dardos, tan sólo los arrojaba.

—¿Quieres hablar del tema? —preguntó Hollis.

Heidi se despojó de la chaqueta de cuero, la arrojó a un lado, y se quitó la camiseta negra, revelando un sujetador verde oliva que parecía tan listo para entrar en combate como ningún otro sujetador que Hollis hubiera visto jamás.

—Bonito sujetador.

—Israelí —dijo Heidi. Miró a su alrededor, absorbiendo los contenidos de la habitación—. Joder. El papel de la pared parece los pantalones de Hendrix.

—Creo que son de satén.

Franjas verticales verdes, burdeos, marfil y negras.

—Lo que yo decía, joder —replicó Heidi, tirando de su sujetador del ejército israelí, y se sentó en el sofá de seda amarilla—. ¿Por qué dejamos de fumar?

—Porque era malo para nuestra salud.

Heidi suspiró, explosivamente.

—Está en la cárcel —dijo—. El mierda pinchada en un palo. Sin fianza. Hizo algo con el dinero de otros.

—Creí que a eso se dedicaban los productores.

—No así.

—¿Estás metida en líos tú también?

—¿Bromeas? Tengo un acuerdo prenupcial más grueso que la altura del mierda pinchada en un palo. Sólo tuve que salir pitando de Dodge.

—Nunca entendí por qué te casaste con él.

—Fue un experimento. ¿Y tú? ¿Qué estás haciendo aquí?

—Trabajar para Hubertus Bigend —dijo Hollis, advirtiendo lo poco que le gustaba hacerlo.

Heidi abrió los ojos de par en par.

—No me jodas. ¿Ese gilipollas? No podías soportarlo. Te daba pavor. ¿Por qué?

—Supongo que necesitaba el dinero.

—¿Cuánto perdiste con la crisis?

—La mitad, más o menos.

Heidi asintió.

—Todo el mundo perdió la mitad. A menos que tuvieras a alguien como el mierda pinchada en un palo invirtiendo por ti.

—¿Y tú no?

—¿Bromeas? Separación de la Iglesia y el jodido Estado. Siempre. No creí que sirviera para eso, de todas formas. Otra gente sí. ¿Sabes una cosa?

—¿Qué?

—La sal de la puñetera tierra nunca te dice que es la sal de la puñetera tierra. La gente que es timada es gente que no sabe eso.

—Creo que tomaré un whisky.

—Adelante —dijo Heidi. Entonces sonrió—. Me alegro de verte, joder.

Y empezó a llorar.

10
Eigenblich

Milgrim despertó, se tomó su medicación, se duchó, se afeitó, se cepilló los dientes, se vistió y dejó el Neo cargándose pero encendido. El adaptador a la corriente inglesa era más grande que el cargador del teléfono. Manteniendo al maniquí fuera de su campo de visión, salió de la habitación.

En el silencioso ascensor japonés, mientras bajaba las dos plantas, pensó en detenerse para buscar en el MacBook del vestíbulo la información que hubiera en Google sobre Hollis Henry, pero alguien lo estaba utilizando cuando llegó allí.

No siempre se sentía enteramente cómodo con este vestíbulo. Sentía como si pareciera que iba a robar algo, aunque, aparte de sus ropas arrugadas tras el vuelo, estaba seguro de que no era así. Y, desde luego, pensó mientras salía a Monmouth Street y la vacilante luz del sol, no iba a hacerlo. No tenía ningún motivo. Trescientas libras en un sencillo sobre marrón en el bolsillo interior de la chaqueta, y nada, hoy, que le dijera lo que tenía que hacer con ellas. Seguía siendo una situación novedosa para un hombre de su historial.

Las adicciones, pensó, girando a la derecha, hacia el obelisco del mismo nombre de Seven Dials, empezaban como mascotas mágicas, monstruos de bolsillo. Hacían trucos extraordinarios, te enseñaban cosas que no habías visto, eran divertidas. Pero a través de una extraña química gradual, acababan por tomar decisiones por ti. Al final, tomaban las decisiones más cruciales para tu vida. Y eran, como había dicho su terapeuta de Basilea, menos inteligentes que los peces de colores.

Entró en el Caffè Nero, un Starbucks más sabroso de una realidad alternativa, repleto ahora. Pidió un *latte* y un *croissant*, este último enviado congelado desde Francia, y horneado aquí. Eso le parecía bien. Vio una mesita redonda que una mujer de un traje de rayas dejaba vacante y la ocupó rápidamente, contemplando el Vidal Sassoon, al otro lado de la pequeña rotonda, donde las jóvenes peluqueras iban a trabajar.

Mientras se comía el *croissant*, se preguntó qué podría querer Bigend de unos pantalones de combate de diseño. Era un buen observador, y cuidaba de no dejar que la gente se diera cuenta, pero los motivos y modos de Bigend se le escapaban. Podían ser casi agresivamente aleatorios.

Los contratos militares, según él, eran en esencia a prueba de crisis, sobre todo en América. Eso era parte del tema, y quizás incluso el meollo. A prueba de crisis. Y Bigend parecía centrado en un área de contratos militares, donde, suponía Milgrim, la capacidad estratégica de Hormiga Azul era más aplicable. Hormiga Azul estaba aprendiendo todo lo que podía, y muy rápido, sobre la contratación, diseño y fabricación de las ropas militares. Y por lo que había visto hasta ahora, parecía ser un negocio muy lucrativo.

Y él, por el motivo que fuese o por carencia de algún motivo, iba incluido en el lote. De eso había tratado Myrtle Beach.

Los ejércitos voluntarios, había dicho la muchacha francesa, la que llevaba la falda de cuadros en la reunión de ayer, en una presentación anterior en PowerPoint que Milgrim había considerado bastante interesante, requerían voluntarios, siendo el grueso de ellos hombres jóvenes. Que bien podrían dedicarse, por ejemplo, a practicar *skateboard*, o al menos a llevar ropas que recordaran el *skateboard*. Y la ropa de calle masculina en general, a lo largo de los últimos cincuenta años o así, había sido más influida por el diseño de la ropa militar que ninguna otra cosa. El grueso del código de diseño subyacente del varón callejero del siglo XXI era el código de la ropa militar de mediados del siglo anterior, sobre todo norteamericano. El resto era ropa de trabajo, también casi toda norteamericana, cuya fabricación había evolucionado en paralelo a la de la ropa militar, compartiendo elementos del mismo código de diseñó, y la ropa deportiva.

Pero ahora, según la muchacha francesa, las tornas habían cambiado. Los militares necesitaban ropa que atrajera a aquellos que necesitaban reclutar. Todas las ramas de las fuerzas armadas norteamericanas, dijo, ilustrando cada una de las ramas con una diapositiva del PowerPoint, tenía su propia pauta distintiva de camuflaje. El Cuerpo de Marines, dijo, había intentado patentar la suya (de cerca, a Milgrim le había parecido demasiado llamativa).

Había una ley en Estados Unidos que prohibía la fabricación de ropa militar norteamericana en el extranjero.

Y ahí era donde Bigend pretendía entrar. Las cosas que se fabricaban en Estados Unidos no tenían por qué haber sido diseñadas necesariamente allí. Los fabricantes de ropa deportiva y de paseo, junto con unos cuantos especialistas en fabricación de uniformes, competían por contratos para manufacturar ropas para el ejército norteamericano, pero esas ropas habían sido diseñadas previamente por el ejército mismo. Que ahora, según había dicho la muchacha francesa, algo atropelladamente, como si se lanzara sobre un animalillo en un claro del bosque, carecía claramente de las capacidades de diseño necesarias para hacerlo. Tras haber inventado tanta moda masculina contemporánea a mediados de siglo, se encontraban compitiendo con su propio producto histórico, reiterado como ropa de calle. Necesitaban ayuda y lo sabían, dijo la muchacha francesa, convocando con los clics de su ratón un tropel de imágenes.

Milgrim bebió su *latte*, contemplando a la gente pasar, preguntándose si podía ver la tesis de la muchacha francesa revalidada en los atuendos de los peatones de esta mañana. Si lo considerabas como una especie de subtexto, decidió, sí que podías.

—Disculpe. ¿Le importa si comparto la mesa?

Milgrim alzó la cabeza ante la sonriente americana, de etnia china, con su sudadera negra, una sencilla cruz dorada, cadena de oro gastada encima, un pasador de plástico visible, mientras un módulo insomne de alerta callejera, soldado en su mismo núcleo, le anunciaba claramente: policía.

Parpadeó.

—En absoluto. Adelante.

Sintió que los músculos de sus muslos se tensaban, preparándose para echar a correr hacia la puerta. Error de funcionamiento, le dijo al módulo. Síndrome de abstinencia postagudo. *Flashback*: su cerebro límbico estaba preparado para eso, como las huellas de las ruedas de las camionetas Conestoga, hundidas en arena hasta los tobillos.

Ella puso su bolso blanco de piel artificial sobre la mesa, su taza celeste de tapa de plástico Caffè Nero al lado, acercó la silla, y se sentó. Sonrió.

Bordadas en blanco, en la sudadera negra, se veían la media luna y la palmera de la bandera del estado de Carolina del Sur, un poco más grandes que los ponis de polo de Ralph Lauren. El módulo enterrado de Milgrim instantáneamente extrajo una línea entera de emergencia de un antiguo aparato sensor de polis.

La paranoia, le había dicho su terapeuta, era demasiada información. La experimentó ahora mientras la mujer rebuscaba en su bolso, sacaba un teléfono plateado mate, lo abría y fruncía el ceño.

—Mensajes —dijo.

Milgrim miró directamente la pupila infinitamente negra que era la cámara del teléfono.

—Oh-oh —dijo ella—. Veo que tendré que correr. ¡Gracias de todas formas!

Y se levantó, el bolso bajo el brazo, y salió a Seven Dials.

Dejando su bebida.

Milgrim la recogió. Vacía. La tapa blanca manchada de lápiz de labios oscuro que no llevaba.

A través de la ventana la vio pasar ante una papelera rebosante, de donde probablemente había cogido esta taza para su hazaña. Cruzó rápidamente la acera, hacia Sassoon. Desapareció en una esquina.

Milgrim se levantó, alisó su chaqueta y salió, sin mirar alrededor. Volvió por Monmouth Street hacia su hotel. Mientras se acercaba, cruzó en diagonal Monmouth, todavía moviéndose a paso calculadamente despreocupado, y entró en una especie de túnel de ladrillo que conducía a Neal's Yard, un patio que parecía una especie de mini-Disneylandia New Age. Lo cruzó tan velozmente que la gente se le quedó mirando. Salió a Shorts Garden, otra calle.

Paso resuelto ahora, pero nada que llamara la atención.

Consciente todo el tiempo de su adicción, despertado por el subidón de productos químicos para el estrés que le avisaban con urgencia que tomar algo para reducirla sería una muy buena idea. Era, pensó una parte nueva de él, sorprendida, como tener un tanque nazi enterrado en el patio trasero. Cubierto de hierba y dientes de león, hasta que te dabas cuenta de que su motor seguía ronroneando.

Hoy no, le dijo a los nazis de su tanque enterrado, mientras se dirigía a la estación de metro de Covent Garden a través de una enciclopédica antología de zapaterías para jóvenes, las zapatillas de primavera de colores de gominolas.

No es bueno, decía otra parte de él, no es bueno.

Por mucho que deseara parecer relajado, el grupo habitual de mendigos, flotando en una solución de la acera delante de la estación, se desvaneció al verlo acercarse. Vieron algo. Se había vuelto de nuevo como ellos eran.

Vio Covent Garden como desde una gran altura, la multitud de Long Acre se apartaba de él como si fueran limaduras de hierro magnetizadas.

Coge las escaleras, aconsejó el piloto autónomo. Lo hizo, bajó, sin mirar atrás, una unidad en la espiral de la cadena humana.

A continuación tomaría el primer tren hacia Leicester Square, el camino más corto de todo el sistema. Luego volvería, sin salir, tras asegurarse de que no lo seguían. Sabía cómo hacerlo, pero estaban todas aquellas cámaras, en sus esferas acrílicas ahumadas, como imitaciones de lámparas de Courrèges. Había cámaras literalmente por todas partes en Londres. Hasta ahora, había conseguido no pensar en ellas. Recordó a Bigend diciendo que eran un síntoma de enfermedad autoinmune, los mecanismos protectores del Estado preparándose para algo activamente destructivo, crónico: ojos vigilantes, erosionando la sana función de lo que ostensiblemente protegían.

¿Lo protegía alguien a él ahora?

Se dedicó a hacer lo que uno hacía para decidir que no te seguían. Mientras lo hacían, previó su inmediato regreso a esta estación. Imaginó su subida en el aire muerto del ascensor, donde una voz muerta le aconsejaría repetidamente que tuviera su billete o su pase preparado.

Estaría más tranquilo entonces.

Entonces reiniciaría el día, como había planeado. Iría a Hackett en King Street, compraría pantalones y una camisa.

No es bueno, dijo la otra voz, haciendo que sus hombros se encogieran, los huesos y los tendones se tensaron de forma casi audible.

No es bueno.

11
Deshaciendo el equipaje

La habitación de Heidi parecía las secuelas de una bomba sin demasiado éxito en un avión. Algo que hubiera abierto de golpe todas las maletas del compartimento de equipaje sin hacer caer el aparato. Hollis había visto esto muchas veces antes, cuando iba de gira con Toque de Queda, y lo interpretaba como un mecanismo de supervivencia, un medio de negar la succión sin alma de las sucesivas habitaciones de hotel. Nunca había visto a Heidi distribuir sus cosas de esa forma. Suponía que era inconsciente, conseguido en el curso de un trance instintivo, como un perro que recorre en círculos la hierba antes de echarse a dormir. Le impresionó ahora ver cómo había creado su propio espacio, desechando lo que los diseñadores del Gabinete habían querido que la habitación expresara.

—Mierda —dijo Heidi, ominosamente, al parecer porque se había quedado dormida, o inconsciente, con su sujetador del ejército israelí. Hollis, que se había llevado la llave al salir, vio que apenas quedaba un dedo de whisky en el decantador. La ex percusionista de Toque de Queda no bebía a menudo, pero cuando lo hacía, lo hacía de veras. Yacía ahora bajo una arrugada pila de ropa para lavar, incluyendo, vio Hollis, varias servilletas de lino color magenta y una toalla de playa barata mexicana con franjas como un sarape. Al parecer, había arrojado los contenidos de la cesta de la lavandería de Chez Mierda pinchada en un palo en una de sus maletas, al marcharse, y la había traído hasta aquí. Había dormido debajo de todo aquello, no de las colchas del Gabinete.

—¿Desayunamos? —Hollis empezó a recoger y clasificar las cosas de la cama. Había una gran bolsa de congelados llena de pequeñas herramientas de aspecto afilado, cepillos de punta fina, latitas de pintura, trozos de plástico blanco. Como si Heidi hubiera adoptado a un niño de doce años—. ¿Qué es esto?

—Terapia —graznó, y luego emitió un sonido como el que emitiría un buitre a punto de desechar algo demasiado pútrido para digerir, pero Hollis lo había oído antes. Creyó recordar de quién lo había aprendido Heidi, un teclista alemán sobrenaturalmente pálido con tatuajes prematuramente envejecidos cuyos contornos se difuminaban como tinta en papel higiénico. Depositó la bolsa y sus misteriosos contenidos en la cómoda y cogió el teléfono, francés, principios del siglo XX, pero cubierto por completo con chillonas perlas marroquíes de aspecto reptilesco, como el extremo de una pipa de agua del Gran Bazar.

—Una cafetera, sin leche, dos tazas —le dijo a la voz del servicio de habitaciones—, una bandeja de tostadas, zumo de naranja grande. Gracias.

Sacó una vieja camiseta de los Ramones de lo que se reveló como un modelo de reflexología de porcelana blanca de un palmo de altura, una oreja, complejamente detallada en rojo. Se puso la camiseta, colocándola de modo que el logotipo del grupo se viera bien.

—¿Y tú qué? —preguntó Heidi desde debajo de la ropa sucia.

—¿Yo?

—Hombres.

—Ninguno.

—¿Y ese artista de *performance*? El que saltaba de los rascacielos vestido con aquel disfraz de ardilla voladora. No estaba mal. Y estaba macizo. ¿Darrell?

—Garreth —dijo Hollis, probablemente por primera vez en más de un año, sin quererlo.

—¿Por eso estás aquí? Era inglés.

—No —contestó—. Quiero decir, sí, lo era, pero no estoy aquí por eso.

—Lo conociste en Canadá. ¿Os presentó Bigend? No lo conocí hasta más tarde.

—No —dijo Hollis, temiendo la habilidad de Heidi en esta otra forma más dolorosa de deshacer las maletas—. No llegaron a conocerse.

—No te van los deportistas —dijo Heidi.

—Era diferente.

—Todos lo son.

—¿Lo era el mierda pinchada en un palo?

—No —dijo Heidi—. No de esa forma. Era cosa mía, intentando ser diferente. Él era tan poco diferente como pueda serlo nadie, pero a su estilo. Tuve la impresión de que podía calzar los zapatos de otra persona. Guardar todo el material de las giras. Comprar en centros comerciales. Conducir un coche que nunca había pensado conducir. Disfrutar de un jodido descanso, ¿sabes? Tiempo libre.

—No parecías feliz con él cuando te vi en Los Ángeles.

—Resultó ser un creativo de salón. Me casé con un abogado empresarial. Empezó a intentar producir. Cosas *indies*. Empezó a hablar de dirigir.

—¿Y ahora está en la cárcel?

—Sin fianza. El FBI se plantó en las oficinas. Con esos chalecos que ponen «FBI» en la espalda. Tenían un gran aspecto. Magnífico para una pequeña producción. Pero él no podía estar en el plató.

—Pero ¿tú estás bien, legalmente?

—Hablé con el abogado de Inchmale en Nueva York. Ni siquiera perderé la parte de sus propiedades legítimas a las que tengo derecho como ex. Si le dejan algo, lo cual es improbable. Pero en serio, a la mierda.

Llegó el desayuno. Hollis recogió la bandeja de manos de la camarera italiana con un guiño. Le daría una propina más tarde.

Heidi se abrió paso entre la pila de ropa. Se sentó en el borde de la cama, poniéndose un enorme jersey de yóquei que Hollis, nacida sin el gen para seguir los deportes de equipo, recordó que había pertenecido a alguien bastante famoso. A Heidi sí que le iban los deportistas, pero sólo si estaban lo suficientemente locos. Como batería de Toque de Queda, se había enrollado con un puñado espectacularmente malo de boxeadores, por bueno que esto pudiera haber sido como publicidad. Había dejado fuera de combate a uno de ellos de un puñetazo, en una fiesta antes de los Oscars. Ahora, cada vez con más frecuencia, Hollis agradecía haber tenido una carrera anterior a YouTube.

—Nunca supe a qué se dedicaba, Garret —dijo Heidi, sirviéndose media taza de café, y luego rematándola con lo que quedaba en el decantador de whisky.

—Garreth. ¿Crees que eso ha sido una buena idea?

Heidi hizo un gesto de indiferencia, los hombros casi perdidos dentro del jersey.

—Ya me conoces. Acabo con esto y me paso seis meses a base de agua mineral. En realidad, lo que necesito ahora es un gimnasio. Uno de verdad. ¿A qué se dedicaba?

—No estoy seguro de poder explicarlo —respondió Hollis, sirviéndose café también—. Pero hice un acuerdo muy firme de no intentarlo nunca.

—¿Era un mafioso?

—No, aunque algunas cosas que hacía implicaban quebrantar la ley. ¿Conoces a Banksy, el artista del *graffiti*?

—¿Sí?

—Le gustaba Banksy. Se identificaba con él. Los dos son de Bristol.

—Pero él no era un artista del *graffiti*.

—Me parece que creía serlo. Pero no con pintura.

—¿Con qué?

—Con la historia —dijo Hollis.

Heidi no parecía convencida.

—Trabajaba con un hombre mayor, alguien con un montón de recursos. El viejo decidía lo que había que hacer, cuál tenía que ser el gesto, y luego Garreth buscaba la mejor forma de hacerlo. Sin que lo pillaran. Era el director de la obra del viejo, más o menos, pero a veces actor también.

—Entonces, ¿cuál era el problema?

—Daba miedo. No es que no aprobara lo que hacían. Pero daba más miedo que las cosas de Bigend. Necesito que el mundo tenga una superficie, la misma superficie que ve todo el mundo. No me gusta sentir que siempre estoy a punto de caer. Mira lo que te pasó a ti.

Heidi cogió un triángulo de tostada y la observó como un suicida potencial podría mirar una cuchilla.

—Has dicho que no eran mafiosos.

—Quebrantaban la ley, pero no eran delincuentes. Pero, por la misma naturaleza de lo que hacían, se creaban constantemente enemigos. Vino a Los Ángeles, salimos. Yo estaba empezando el libro. Él regresó a Europa. Lo vi de nuevo cuando estuve aquí para firmar el contrato del coche.

—Me voy haciendo a la idea. —Heidi mordió una esquina de la tostada, la masticó dubitativa.

—Quise venir aquí —Hollis sonrió—. Entonces él vino a verme, a Nueva York. No estaba trabajando. Pero luego empezaron a preparar algo otra vez. Fue en la época de la elección de Obama. Estaban preparándose para hacer algo.

—¿Qué?

—No lo sé. Si lo supiera, y mantuviera mi promesa, no podría decírtelo de todas formas. Estaba muy ocupada con el libro. Él no estaba presente gran parte del tiempo. Luego dejó de estar presente.

—¿Lo echas de menos?

Hollis se encogió de hombros.

—Eres difícil de complacer, ¿lo sabes?

Hollis asintió.

—Tienes que hacerlo más difícil. —Heidi se levantó, se llevó el whisky y el café al cuarto de baño y lo arrojó al lavabo—. ¿Sientes que estáis dándoos un tiempo?

—Definitivamente.

—Eso no está bien. Llámalo. Mira a ver qué pasa. Resuélvelo.

—No.

—¿Tienes un número?

—Para emergencias. Solamente.

—Úsalo.

—No.

—Patético —dijo Heidi—. ¿Qué coño es esto? —Estaba contemplando el cuarto de baño.

—Tu ducha.

—Estás de guasa.

—Espera a ver la mía. ¿Qué hay en estas dos cajas? —señaló el lugar donde ella las había puesto después de que Robert las dejara la noche anterior. Esperaba cambiar de tema—. ¿Un par de bloques de hormigón?

—Cenizas —respondió Heidi—. Del crematorio.

—¿Cenizas de quién?

—De Jimmy —el bajo de Toque de Queda—. No había nadie para reclamarlas. Siempre decía que quería que lo enterraran en Cornualles, ¿recuerdas?

—No —dijo Hollis—. ¿Por qué Cornualles?

—Que me zurzan si lo sé. Tal vez decidió que era todo lo contrario a Kansas.

—Son un montón de cenizas.

—También están las de mi madre.

—¿Las de tu madre?

—Nunca voy a ninguna parte sin ellas. Estaban en el sótano, con mis cosas de las giras. No podía dejarlas con el mierda pinchada en un palo, ¿no? Los llevaré a ambos a Cornualles. Jimmy nunca tuvo una madre de todas formas.

—Muy bien —contestó Hollis, incapaz de pensar qué otra cosa decir.

—¿Dónde coño está Cornualles?

—Puedo enseñártelo. En un mapa.

—Necesito una puñetera ducha —dijo Heidi.

12

Herramienta
de conformidad

El despacho de Bigend, cuando Milgrim pudo pasar por fin, era sorprendentemente pequeño, sin ventanas. Tal vez no era su despacho personal, pensó. Parecía un despacho donde podía trabajar cualquiera.

El muchacho sueco que le había acompañado puso un clasificador gris en el escritorio de teca y se marchó en silencio. No había más sobre el escritorio, excepto una pistola que parecía hecha con Pepto-Bismol solidificado.

—¿Qué es eso? —preguntó Milgrim.

—La maqueta de una de las primeras pruebas de colaboración entre Taser y Mossberg, el fabricante de escopetas.

Bigend llevaba puestos guantes de plástico desechables, de los que vienen en un rollo, como bolsas de bocadillos baratas.

—Una herramienta de conformidad.

—¿Una herramienta de conformidad?

—Así es como la llaman —dijo Bigend, recogiendo el arma con una mano y volviéndola, para que Milgrim pudiera verla desde diversos ángulos. Parecía no tener peso. Hueca, una especie de resina—. La tengo porque intento decidir si una colaboración como ésta es el equivalente de Roberto Cavalli diseñando una gabardina para H&M.

—Me han pillado —dijo Milgrim.

—¿Pillado?

—Una poli me hizo una foto esta mañana.

—¿Una poli? ¿De qué clase?

—Una chino-americana de aspecto misionero. En la sudadera llevaba bordada la bandera del estado de Carolina del Sur.

—Siéntate —dijo Bigend.

Milgrim se sentó, su bolsa de la compra de Hackett sobre el regazo.

—¿Cómo sabes que era policía? —Bigend se quitó los guantes, los arrugó.

—Lo supe sin más. No necesariamente en el sentido de que fuera una agente de la ley, pero no lo descartaría.

—Has ido de compras —dijo Bigend, mirando la bolsa de Hackett—. ¿Qué has comprado?

—Pantalones. Una camisa.

—Me han dicho que Ralph Lauren compra en Hackett —comentó Bigend—. Es un fragmento de información enormemente complejo a nivel conceptual. Sea cierto o no —sonrió—. ¿Te gusta comprar allí?

—No lo entiendo —dijo Milgrim—, pero me gustan sus pantalones. Algunas de sus camisas más sencillas.

—¿Qué no entiendes?

—Lo del fútbol inglés.

—¿Y eso?

—¿Van en serio en Hackett?

—Exactamente lo que valoro en ti. Vas directo al grano.

—Pero ¿van en serio?

—Algunos sostendrían que una noble negación equivale a una afirmación. ¿Dónde te hicieron la foto?

—En una cafetería cerca del hotel. Seven Dials.

—¿Y has informado…?

—A usted.

—No se lo menciones a nadie mas. Excepto a Pamela. Yo se lo diré.

—¿A Oliver no?

—No —dijo Bigend—, definitivamente a Oliver no. ¿Has hablado hoy con él?

—Me hizo dejar mi teléfono en la habitación, cargando y encendido. Dijo que necesitaba reprogramarlo. No he vuelto todavía.

Bigend miró la pistola rosa.

—¿Por qué es rosa? —preguntó Milgrim.

—Se imprimió en una impresora tres-D. No sé por qué usan el rosa. Parece ser el color por defecto. Esos teléfonos son un proyecto de Oliver. Cuando utilices uno, no debes considerarlo seguro, ya sea para voz, texto o *e-mail*. Pero, como estamos en Inglaterra, en realidad no debes considerar seguro ningún teléfono. ¿Entendido?

—¿No se fía de Oliver?

—No —respondió Bigend—. Lo que quiero que hagas es que sigas con tus asuntos, como si no te hubieras dado cuenta de que te fotografiaron. Así de sencillo.

—¿Cuáles son mis asuntos? —preguntó Milgrim.

—¿Te gustó Hollis Henry?

—Me pareció… ¿familiar?

—Era cantante. En un grupo. Toque de Queda.

Milgrim recordó una gran fotografía plateada en blanco y negro. Un póster. Una Hollis Henry más joven con la rodilla en alto, el pie sobre algo. Una minifalda de *tweed* que parecía haberse destejido de puro tensa. ¿Dónde había visto eso?

—Trabajarás con ella —dijo Bigend—. Un proyecto diferente.

—¿Traduciendo?

—Lo dudo. También está relacionado con la ropa.

—Allá en Vancouver… —empezó a decir Milgrim, y entonces se detuvo.

—¿Sí?

—Encontré el bolso de una mujer. Había bastante dinero dentro. Un teléfono. Una cartera con tarjetas. Llaves. Eché a un buzón el bolso y la cartera y las tarjetas y las llaves. Me quedé el dinero y el teléfono. Empezó usted a llamar. No lo conocía. Empezamos a hablar.

—Sí —dijo Bigend.

—Por eso estoy hoy aquí, ¿verdad?

—Así es —dijo Bigend.

—¿De quién era ese teléfono?

—¿Recuerdas que había algo más en ese bolso? ¿Una unidad de plástico negro, del doble del tamaño del teléfono?

Milgrim lo recordó ahora. Asintió.

—Era un codificador. Me pertenecía. La persona cuyo bolso encontraste era empleada mía. Quise saber quién tenía su teléfono. Por eso probé a llamar.

—¿Por qué siguió llamando?

—Porque sentí curiosidad. Y porque seguías respondiendo. Porque empezamos a tener una conversación que llevó a nuestro encuentro, y, como dices, a que estés hoy aquí.

—¿Costó más tenerme aquí hoy que...? —Milgrim se lo pensó—. ¿Más que el Toyota Hilux? —sentía como si su terapeuta lo estuviera vigilando.

Bigend ladeó levemente la cabeza.

—No estoy seguro, pero es probable. ¿Por qué?

—Ésa es mi pregunta —dijo Milgrim—. ¿Por qué?

—Porque me enteré de la existencia de la clínica de Basilea. Es muy controvertida, muy cara. Sentí curiosidad de si funcionaría o no contigo.

—¿Por qué? —preguntó Milgrim.

—Porque soy una persona curiosa y puedo permitirme satisfacer mi curiosidad. Los doctores que te examinaron en Vancouver no fueron optimistas, por decirlo con suavidad. Me gustan los desafíos. E incluso en el estado en que te encontré, en Vancouver, eras un traductor excepcional. Más tarde —y aquí Bigend sonrió—, quedó claro que tenías buena visión para un montón de cosas.

—Estaría muerto ya, ¿verdad?

—Tengo entendido que probablemente lo estarías si te hubieran retirado de la droga demasiado rápidamente.

—Entonces, ¿qué le debo?

Bigend extendió la mano hacia la pistola, como si estuviera a punto de darle golpecitos con el dedo, pero luego se contuvo.

—Tu vida no —dijo—. Eso es un subproducto de mi curiosidad.

—¿Todo ese dinero?

—El coste de mi curiosidad.

A Milgrim le picaron los ojos.

—Esto no es una situación donde tengas que darme las gracias —dijo Bigend—. Espero que lo comprendas.

Milgrim tragó saliva.

—Sí —dijo.

—Quiero que trabajes con Hollis en este otro proyecto. Luego ya veremos.

—¿Veremos qué?

—Lo que veamos —replicó Bigend extendiendo la mano hacia el clasificador gris—. Vuelve al hotel. Te telefonearemos.

Milgrim se levantó, bajó la bolsa de Hackett, que había estado cubriendo la sorprendida foto digital que llevaba alrededor del cuello, en su cordón de nailon amarillo verdoso.

—¿Por qué llevas eso?

—Es una exigencia —dijo Milgrim—. No trabajo aquí.

—Recuérdame que te dispense de llevarlo —dijo Bigend, abriendo el clasificador gris, que contenía un grueso fajo de lo que parecían ser recortes de revistas japonesas.

Milgrim, que ya cerraba la puerta tras él, no dijo nada.

13

Rata almizclera

—Comen ratas almizcleras —dijo Heidi mientras caminaban bajo la sucia luz hacia Selfridges, para su cita con el estilista de Hollis—, pero sólo los viernes.

—¿Quiénes?

—Los belgas. La iglesia tuvo que decir que estaba bien, porque las ratas almizcleras viven en el agua. Como los peces.

—Eso es ridículo.

—Está en la *Larousse Gastronomique* —replicó Heidi—. Búscalo. O mira a tu chico. Seguro que las ha probado.

El iPhone de Hollis sonó cuando se acercaban a Oxford Street. Miró la pantalla. Hormiga Azul.

—¿Diga?

—Hubertus.

—¿Comes rata almizclera los viernes?

—¿Por qué lo preguntas?

—Te estoy defendiendo de una difamación racial.

—¿Dónde estás?

—Camino de Selfridges con una amiga. Va a cortarse el pelo.

Conseguirle a Heidi una cita de último minuto había requerido de zalamerías de proporciones épicas, pero Hollis era una firme creyente en el poder terapéutico del corte de pelo adecuado. Y Heidi, por su parte, no parecía tener ahora ni resaca ni *jet lag*.

—¿Qué vas a hacer tú mientras? —preguntó Bigend.

Hollis dudó si decirle que ella también se iba a cortar el pelo, pero no parecía merecer la pena.

—¿Qué tienes en mente?

—El amigo con el que tomamos las tapas —dijo—. Quiero que habléis.

El traductor al que le gustaban los perros.

—¿Por qué?

—Ya saldrá eso. Habla mientras le cortan el pelo a tu amiga. Haré que Aldous lo acerque. ¿Dónde vais a veros?

—En el restaurante, supongo —dijo Hollis—. La pastelería.

Bigend colgó.

—Mierda —dijo Hollis.

—Rata almizclera —dijo Heidi, colocando a Hollis a su lado y abriéndose paso entre el implacable tráfico peatonal de Oxford Street como un rompehielos, en dirección a Selfridges.

—Estás trabajando para él de verdad.

—Eso me temo —dijo Hollis.

—¿Hollis?

Ella alzó la cabeza.

—Milgrim —dijo, recordando su nombre, que Bigend no había querido usar al teléfono. Se había afeitado y parecía descansado—. Voy a tomar una ensalada. ¿Le apetece algo?

—¿Tienen *croissants*?

—Seguro que sí.

Había algo en él que a Hollis le parecía profundamente peculiar, incluso en esta breve conversación. Parecía verdaderamente afable, amistoso, pero también singularmente alerta, de un modo retorcido, como si hubiera otra cosa más que estuviera buscando, en las esquinas, rápido y periférico.

—Creo que me tomaré uno —dijo con seriedad, y ella lo vio dirigirse al mostrador cercano. Llevaba pantalones más oscuros hoy, la misma fina camisa informal de algodón.

—¿Es usted traductor ruso, señor Milgrim? —preguntó ella mientras él depositaba la bandeja sobre la mesa y tomaba asiento.

—Sólo Milgrim —dijo—. No soy ruso.

—Pero ¿traduces del ruso?

—Sí.

—¿Lo haces para Hubertus? ¿Para Hormiga Azul?

—No soy empleado de Hormiga Azul. Supongo que soy *freelance*. He hecho algunas traducciones para Hubertus. Literarias, principalmente —miró su bandeja, hambriento.

—Por favor —dijo ella, cogiendo su tenedor—. Adelante. Podemos hablar después.

—Me perdí el almuerzo —confesó él—. Tengo que comer, con mi medicación.

—Hubertus mencionó que te estabas recuperando de algo.

—Drogas —dijo él—. Soy adicto. Me estoy recuperando.

Y aquella cosa periférica apareció allí, asomándose a algún ángulo interior, tomándole medida.

—¿Qué drogas?

—Tranquilizantes recetados. Eso parece respetable, ¿no?

—Supongo que sí, aunque supongo que no lo hará más fácil.

—No lo hace —dijo él—, pero hace mucho tiempo que no me recetan nada. Era un adicto a la calle —cortó un trozo de un extremo de su pastel de carne.

—Yo tenía un amigo que era adicto a la heroína —dijo Hollis—. Murió.

—Lo siento —respondió él. Empezó a comer.

—Fue hace años —ella picoteó su ensalada.

—¿Qué haces para Hubertus?

—También soy *freelance*. Pero no estoy segura de lo que hago. Todavía no.

—Él es así —repuso Milgrim. Algo llamó su atención, al otro lado del salón—. Verde follaje, esos pantalones.

—¿Los de quién?

—Se ha ido. ¿Conoces el marrón coyote?

—¿Qué?

—Era el color de moda en la indumentaria militar norteamericana. El verde follaje es más nuevo, el que se lleva ahora. Verde alfa estuvo en alza brevemente, pero el verde follaje es lo máximo ahora.

—¿La indumentaria militar norteamericana tiene colores de moda?

—Pues claro —dijo Milgrim—. ¿Hubertus no habla de eso contigo?

—No.

Él seguía intentando localizar los pantalones que había visto, en la distancia.

—No es un color que se venda mucho este año. El año que viene, lo más probable es que sí. Ni siquiera conozco el número Pantone —devolvió su atención al pastel de carne. Lo terminó rápidamente—. Lo siento —dijo—. No soy muy bueno con la gente nueva. Al principio.

—Yo no diría eso. Me parece que vas directo al grano.

—Eso es lo que él dice —contestó Milgrim, parpadeando, y Hollis supuso que se refería a Bigend—. Vi tu foto. Un póster tuyo. Creo que en la plaza de San Marcos. En una tienda de discos usados.

—Es una foto muy antigua.

Milgrim asintió, partió el *croissant* por la mitad, empezó a untarlo de mantequilla.

—¿Te habla de tejidos vaqueros?

Él alzó la cabeza, la boca llena de *croissant*, negó.

—¿Sabuesos de Gabriel?

Milgrim tragó.

—¿Quién?

—Una línea de ropa vaquera muy secreta. Parece que eso es lo que hago para Hubertus.

—Pero ¿qué haces?

—Investigo. Trato de averiguar de dónde vienen. Quién los fabrica. Por qué les gusta a la gente.

—¿Por qué les gusta a la gente?

—Probablemente porque son casi imposibles de encontrar.

—¿Es esto? —preguntó Milgrim, mirando su chaqueta.

—Sí.

—Bien hecho. Pero no es militar.

—No que yo sepa. ¿Por qué está interesado en la moda ahora?

—No lo está. En ningún sentido corriente. Que yo sepa.

Y aquella cosa oblicua volvió a aparecer, alrededor de aquella esquina interior, y ella sintió su inteligencia.

—¿Sabes que hay una feria industrial específicamente para fabricantes que esperan producir equipo para el Cuerpo de Marines?

—No lo sabía. ¿Has asistido a alguna?

—No —dijo Milgrim—. Me lo perdí. Es en Carolina del Sur. Acabo de estar allí. En Carolina del Sur.

—¿Qué es lo que haces exactamente para Hubertus, respecto a la ropa? ¿Eres diseñador? ¿Promotor?

—No. Me fijo en las cosas. Soy bueno con los detalles. No lo sabía. Fue algo que él me señaló en Vancouver.

—¿Te alojaste con él? ¿En ese ático?

Milgrim asintió.

—¿En la habitación con la cama de levitación magnética?

—No —dijo él—. Estuve en una habitación pequeña. Necesitaba... concentrarme —terminó el *croissant*, tomó un sorbo de café—. Estuve... creo que la palabra es «ingresado». No me sentía cómodo con demasiado espacio. Demasiadas opciones. Entonces él me envió a Basilea.

—¿A Suiza?

—A iniciar mi recuperación. Si no te importa que lo pregunte, ¿por qué estás trabajando para él ahora?

—Yo misma me lo pregunto. No es la primera vez, y después de la primera vez, desde luego no quise que hubiera una segunda vez. Pero resultó ser extrañamente lucrativa, aquella primera vez, de un modo muy retorcido, un modo que no tenía nada que ver con lo que en teoría hacía para él. Luego perdí un montón de dinero con la crisis, no encontré otra cosa que hacer, y de repente él insistió en que hiciera esto. No me siento del todo cómoda.

—Lo sé.

—¿Y eso?

—Lo noto —dijo Milgrim.

—¿Por qué trabajas para él?

—Necesito un empleo. Y porque… él me pagó la clínica en Basilea. Mi recuperación.

—¿Te envió a desintoxicación?

—Fue muy caro. Más que un blindado. Tipo cártel —enderezó su cuchillo y su tenedor en el plato blanco, entre las migajas—. Es confuso —dijo—. Ahora quiere que trabaje contigo.

Milgrim alzó la vista, ambos elementos de su naturaleza extrañamente fragmentada parecieron verla por primera vez al mismo tiempo.

—¿Por qué no cantas?

—Porque no canto —respondió ella.

—Pero eras famosa. Debiste hacerlo. Había un póster.

—No se trata realmente de eso.

—Parece que podría ser más fácil. Para ti, quiero decir.

—No lo sería.

—Lo siento —dijo él.

14

Casco amarillo

En Shaftesbury Avenue, de vuelta al hotel de Milgrim, bajo una suave lluvia, un mensajero en una sucia motocicleta gris alcanzó el Hilux en un paso de peatones. Aldous bajó la ventanilla del lado de pasajeros, espantando las gotas de lluvia del cristal a prueba de balas, mientras el motorista, cubierto por su casco, sacó un sobre de su chaqueta y se lo pasó a Milgrim, el guante como la mano de un robot acorazado de Kevlar. La ventanilla volvió a subir mientras la moto se marchaba entre los carriles de tráfico ante ellos, el casco amarillo del piloto haciéndose cada vez más pequeño. Tenía la parte posterior dañada, como arañada por el roce de una gran zarpa, revelando un sustrato blanco.

Miró el sobre. MILGRIM, centrado, en letras mayúsculas como de tira cómica; PM, en la parte inferior izquierda. Pamela. Parecía vacío, o casi, mientras lo abría. Una flácida hoja de clasificador transparente con la imagen de impresora de tinta de la policía del Caffè Nero. Aunque no en el Caffè Nero, en la foto. Tras ella, bien enfocados, los ángeles con cabeza de perro de la tienda de regalo de Gay Dolphin. Y allí la sudadera era roja, aunque pudo distinguir el mismo logotipo con la luna blanca y la palmera. Un tono diferente. ¿La había sacado Sleight? Parecía una foto improvisada. La imaginó durmiendo, allá en la clase turista de su vuelo de British Midlands.

El taxi se llenó con los primeros acordes de «Draw your Brakes», de Toots y los Maytals.

—Aldous —dijo Aldous a su iPhone—. Por supuesto.

Se lo pasó a Milgrim.

—Ahí tienes —dijo Bigend.

—Es ella —dijo Milgrim—. ¿De cuando estuve allí?

Recordando el consejo de Bigend sobre los teléfonos, no preguntó dónde habían encontrado la imagen, ni cómo.

—Más o menos —dijo Bigend, y colgó.

Milgrim le devolvió el teléfono a la mano hermosamente cuidada de Aldous, a la espera.

15
La suelta

—Fitzroy —dijo Clammy al iPhone de Hollis. Ella estaba mirando el fondo redondo de la jaula de pájaros de la habitación Número Cuatro, tras haber dejado a una recién peinada Heidi en Selfridges, preparándose para probar la viabilidad residual de varias tarjetas de crédito del mierda pinchada en un palo.

—¿Fitzroy?

—Ese barrio —dijo Clammy—. Melbourne. Cerca de Brunswick Street. Rose Street, al salir de Brunswick. Rose Street tiene un mercado de artistas. Mere me llevó. Meredith. Ol' George la conocía.

Ése debía ser «Olduvai» George, el brillante teclista de los Bollards, virtualmente sin frente, de quien Inchmale decía que tenía más cerebro en el meñique que todos los demás juntos. Un pelado al dos que parecía un gorro de piel muy ajustado. Como uno de los sombreritos negros de cachemira de Clammy, excepto que él nunca se lo quitaba. Grandes pómulos y mandíbula, barba sin afeitar permanentemente brillante, ojos grandes e inteligentes.

—Lo primero que vi fueron sus Sabuesos, Sabuesos de chica —continuó Clammy.

—¿Parecían buenos?

—Me di cuenta al momento.

Lo que significaba que no había sido así, sino poco después. En teoría, al menos.

—¿Y tú tenías unos Sabuesos también?

—Los quería con todas mis ganas —dijo Clammy—. Había visto a esa gili de Burton con un par. Culo gordo.

Todavía no se le había contagiado del todo el acento inglés. Burton, cuyo gordo trasero Hollis pensaba que ya había citado antes, hacía algo en un grupo que Clammy detestaba. La intensidad del odio que un músico profesional podía manifestar hacia otro era una de las cosas que menos le gustaban del negocio. Lo había superado, supuso, evitando generalmente la compañía de músicos profesionales. No todos eran así, en modo alguno, pero más valía prevenir que curar.

—¿Así que admiraste sus vaqueros?

—Dejé claro que sabía lo que eran.

—¿Y?

—Ella me preguntó si querría un par. Me dijo que conocía una suelta.

—¿Una suelta?

—Un envío.

—¿De dónde?

—No quise preguntarlo —respondió él con gravedad—. Quería unos Sabuesos. Al día siguiente, dijo ella. Dijo que me llevaría.

Fuera empezaba a oscurecer, contagiando a la habitación Número Cuatro. El fondo de la jaula colgaba sobre Hollis, la sombra de una nave nodriza, redonda, como penumbra solidificada. Esperando a irradiar alguna energía, marcarla con círculos de cosecha, tal vez. Hollis fue momentáneamente consciente de un susurro, el mar del tráfico de Londres. Los dedos de su mano libre en el marfil de morsa tallada de la cama Piblokto Madness.

—¿Y?

—Los demás creyeron que estábamos ligando. Excepto George. Él la conocía.

—¿De dónde?

—Cordwainers. La Escuela de Moda de Londres. Ella había estudiado diseño de calzado. Había sacado dos colecciones propias. Volvió a Melbourne después de eso, para hacer cinturones y bolsos. George dijo que era una chica seria.

—¿Él estuvo en Cordwainers?

—¿George? En el puñetero Oxford. Salía con otra chica de Cordwainers, amiga de ella.

Hollis advirtió que estaba enmarcando todo esto, visualizándolo, en una Melbourne que casi no tenía nada que ver con ninguna ciudad real. Habían tocado dos veces en Melbourne y Sydney, de gira, y en cada ocasión el *jet lag* era tan grande, y estaba tan liada con los problemas del grupo, que apenas le prestó atención a ninguna de las dos ciudades. Su Melbourne era un *collage*, una macedonia, como un Los Ángeles canadiensizado, victoriano anglocolonial entre una extensión terraformada de barrios periféricos. Todos los árboles grandes de Los Ángeles, le había dicho Inchmale, eran australianos. Hollis suponía que los de Melbourne también. La ciudad en la que imaginaba ahora a Clammy no era real. Un recortable, algo montado a partir de lo poco que tenía disponible. Sintió una súbita e intensa urgencia por ir allí. No a lo que fuera la Melbourne real, sino a esta imitación soleada y aproximada.

—Vino por la mañana. Me llevó a Brunswick Street. Huevos y beicon en una cafetería lesbiana vegetariana.

—¿Beicon vegetariano?

—Abierta de miras. Hablamos de los Sabuesos. Tuve la impresión de que ella había conocido a alguien aquí, en Londres, cuando estuvo en Cordwainers, que estuvo al inicio de los Sabuesos.

—¿Empezaron aquí?

—No dijo eso. Pero alguien de aquí conoció a alguien en las primeras fases.

El fondo de la jaula estaba ahora completamente oscuro, el papel de pared insectoide tenuemente floral.

—Tenemos un trato —le recordó.

—Lo tenemos —reconoció él—. Pero puede que haya menos de lo que esperas ahora que he tenido tiempo de pensármelo.

—Déjame que sea yo quien juzgue eso.

—Pues desayunamos, y hablamos, y fuimos al mercado. Yo pensaba que sería más bien como la sección de ropa de Portobello, o Camdem Lock. Pero era más bien cosas artísticas, de artesanía.

Grabados japoneses, cuadros, joyas. Cosas hechas por los propios vendedores.

—¿Cuándo fue eso?

—En marzo pasado. Todavía hacía calor. La gente había estado formando cola por los Sabuesos mientras comíamos. El mercado no es muy grande. Mere me metió directamente en la cola, donde habría unas veinte personas más detrás. En un patio. Y yo me pongo a pensar, esto no es para nosotros, pero ella dice que sí, que tenemos que guardar cola también.

—¿Qué aspecto tenía la otra gente que esperaba?

—Concentrados —dijo él—. No charlaban. Y todos parecían estar solos. Trataban de parecer indiferentes.

—¿Hombres? ¿Mujeres?

—Más hombres.

—¿Edad?

—Variopinta.

Ella se preguntó qué significaba «variopinta», para Clammy.

—¿Y estaban esperando a…?

—Había una mesa bajo una vieja sombrilla de playa. Nosotros estábamos al sol, cada vez más sofocados. Él está sentado allí, detrás de la mesa.

—¿Él?

—Blanco. Unos treinta años. Americano.

Ella supuso que tal vez Clammy no era capaz de calcular bien la edad en cuanto alguien tuviera más de veinte años.

—¿Cómo lo sabes?

—Hablé con él cuando llegué, ¿no?

—¿De qué?

—De si encogían —dijo Clammy— las tallas. Los Sabuesos tienden a apretar por la parte de la etiqueta. Justo debajo, en la cintura, y luego se estiran un poco. Son tallas de verdad, no tallas para alabar la vanidad de nadie.

—¿Algo más?

—Sólo quiso venderme un par. Tenía tres de mi talla. Le mostré la pasta. Dijo que no podía. Uno por cliente. Y que me apartara. Otras veinte, treinta personas detrás de nosotros.

—¿Qué aspecto tenía?

—Pelo rojizo, pecas. Una camisa blanca que me hizo cavilar.

—¿Por qué?

—Pensé si sería marca Sabuesos. Sencilla, pero no tanto. Como los Sabuesos. Tenía los billetes doblados en una mano. Nada de monedas. Sólo billetes.

—¿Cuánto?

—Doscientas australianas.

—¿Estaba solo?

—Dos chicas australianas. Amigas de Mere. Estaba usando su patio. Venden los cinturones de Mere, las camisetas que imprimen, joyas.

—¿Nombres?

—No. Mere los sabrá.

—¿Está en Melbourne?

—No. París.

Hollis dejó que la oscuridad del casco de la nave nodriza llenara su campo de visión.

—¿París?

—Es lo que he dicho.

—¿Sabes cómo contactar con ella?

—Está en una feria de ropa *vintage*. Dos días. Empieza mañana. Ol' George está allí con ella. Inchmale está cabreado porque se marchó mientras estamos grabando.

—Tengo que verla. Mañana o pasado. ¿Puedes encargarte de eso?

—¿Recuerdas nuestro trato?

—Por supuesto. Ponte en marcha. Llámame.

—De acuerdo —dijo Clammy, y colgó, el iPhone súbitamente inerte, vacío.

16
El bar de la honradez

Ella estaba esperando a Milgrim cuando volvió al hotel. En el banco tapizado donde prestaban los MacBooks de cortesía, a la izquierda del bar del vestíbulo en forma de T, frente al mostrador de recepción.

No la había visto cuando le pidió la llave de su habitación a la muchacha canadiense.

—Alguien le está esperando, señor Milgrim.

—¿Señor Milgrim?

Se dio media vuelta. Ella siguió sentada allí, cerrando el Mac-Book, vestida con la sudadera negra. En el banco, a su lado, tenía el gran bolso blanco y una bolsa de Waterstone más grande. Se levantó, se colgó el bolso del hombro derecho y recogió la bolsa de Waterstone. Debía tener la tarjeta fuera, preparada, porque él la vio en su mano derecha cuando se le acercó.

—Winnie Whitaker, señor Milgrim —le tendió la tarjeta. Emblema en forma de placa dorada, esquina superior izquierda. WINNIE TUNG WHITAKER.

Milgrim parpadeó. AGENTE ESPECIAL. Buscó desesperadamente un medio de escape, pero sólo vio al menos dos muñecos de peluche del Oso Paddington en la bolsa de Waterstone, con sus icónicos sombreros amarillos. Luego leyó lo que ponía la tarjeta. DEPARTAMENTO DE DEFENSA. OFICINA DEL INSPECTOR GENERAL. SERVICIO DE INVESTIGACIÓN CRIMINAL DE DEFENSA .

—SICD —deletreó las letras individuales del acrónimo, y luego lo pronunció entero, recalcando la última.

—Me hizo una foto —se quejó él.

—En efecto. Tengo que hablar con usted, señor Milgrim. ¿Hay algún sitio donde podamos estar a solas?

—Mi habitación es muy pequeña —dijo él. Lo cual era cierto, aunque mientras lo decía advirtió que no había absolutamente nada en ella que tuviera que ocultar—. El bar de la honradez* —dijo—. Está ahí mismo.

—Gracias —contestó ella, e hizo un gesto con la bolsa de Waterstone para que la guiase.

—¿Lleva mucho tiempo esperando? —preguntó Milgrim mientras empezaba a subir el tramo de escaleras, oyendo su propia voz como si perteneciera a un robot.

—Más de una hora, pero tuiteé a mis hijos —dijo ella.

Milgrim no entendió a qué se refería, y nunca había llegado a tomar la medida del bar de la honradez, y no estaba seguro de cuántas habitaciones podía constar. En la que entraron ahora era como uno de esos rincones educativos de una tienda de Ralph Lauren, cuya intención era sugerir cómo había vivido alguna otra mitad semimítica, pero convertida aquí en algo completamente distinto, metastasiado, aterradoramente hiperreal.

—Guau —dijo ella, mientras él observaba la tarjeta, esperando que se hubiera convertido en otra cosa—. Como el Ritz-Carlton con esteroides. Pero en miniatura —depositó con cuidado la bolsa de osos Paddingtons en un sofá de cuero.

—¿Puedo ofrecerle algo de beber? —preguntó la voz robótica de Milgrim. Miró de nuevo la horrible tarjeta y luego se la guardó en el bolsillo del pecho de su chaqueta.

—¿Tienen cerveza?

—Estoy seguro de que sí.

Con cierta dificultad, localizó un frigorífico panelado, la puerta cubierta de caoba roja.

---

* Equivalente al minibar de las habitaciones de hotel, pero en un lugar reservado en el vestíbulo. Sin camarero que atienda, se confía en la honradez de los clientes para que anoten la factura de lo consumido. Al parecer, funciona. *(N. del T.)*

—¿Cuál prefiere?

Ella se asomó al frío interior de plata mate.

—No conozco ninguna marca.

—Una Beck's —sugirió el robot—. No la que tienen en América.

—¿Y usted?

—No bebo alcohol —dijo él, pasándole una botella de Beck's y eligiendo una lata de refresco al azar. Ella abrió la botella, usando algo plateado, con un grueso mango de asta de ciervo, y dio un sorbo directamente de la botella.

—¿Por qué me hizo la foto? —preguntó Milgrim, venciendo inesperadamente a su voz robótica y hablando como una persona completamente distinta, a la que se arresta de manera automática e inmediata.

—Soy obsesiva —dijo ella.

Milgrim parpadeó, se estremeció.

—Básicamente, colecciono cosas —continuó—. En archivos de acordeón, principalmente. Papeles. Fotografías. A veces los cuelgo en la pared de mi oficina. Tengo una foto de su ficha, de una detención de la brigada de narcóticos en Nueva York, en 1997.

—No se presentaron cargos —dijo Milgrim.

—No —reconoció ella—, no los hubo —dio un sorbo de Beck's—. Y tengo una copia de la foto de su pasaporte, que naturalmente es mucho más reciente. Pero esta mañana, al seguirle, decidí que iba a hablar con usted esta tarde. Así que quise tener una foto suya antes de hacerlo. In situ, más o menos. Lo cierto es que soy una obsesa de las fotos. No estoy segura ahora de si decidí hablar con usted esta tarde, primero, o si decidí hacerle la foto, lo que implicaría que hablaría con usted esta tarde —sonrió—. ¿No se va a tomar su bebida?

Milgrim miró la latita, la abrió y sirvió algo amarillento y carbónico en una copa grande.

—Sentémonos —dijo ella, y se acomodó en un sillón de cuero. Él se sentó enfrente.

—¿Qué he hecho?

—No soy vidente —contestó ella.

—¿Disculpe?

—Bueno, no ha presentado la declaración de Hacienda desde hace cosa de una década. Pero tal vez no haya ganado suficiente dinero para necesitar hacerla.

—Creo que no.

—Pero ¿ahora tiene trabajo?

—Digamos que percibo honorarios —dijo Milgrim, como pidiendo disculpas—. Más los gastos.

—Algunos gastos importantes —puntualizó ella, mirando el bar de la honradez—. ¿Con esa agencia de publicidad, Hormiga Azul?

—No formalmente, no —dijo Milgrim, y no le gustó cómo sonaba aquello—. Trabajo para el fundador y presidente.

Advirtió, al decirlo, que aquello de presidente había sonado algo sórdido.

Ella asintió y lo miró de nuevo a los ojos.

—Parece que no ha dejado mucho rastro, señor Milgrim. ¿Columbia? ¿Lenguas eslavas? ¿Traducción? ¿Algún trabajo gubernamental?

—Sí.

—Historia cero en lo que se refiere a ChoicePoint. Lo que significa que hace diez años que no tiene una tarjeta de crédito. Significa que no tiene historial de direcciones. Si tuviera que hacer alguna conjetura, señor Milgrim, diría que ha tenido un problema con las drogas.

—Bueno, sí.

—No me parece que lo tenga ahora.

—¿No?

—No. Parece que sigue teniendo una serie de reflejos residuales de haber tenido un problema con las drogas. Y que tiene un problema con la compañía que frecuenta. Pero de eso he venido a hablarle.

Milgrim dio un sorbo a lo que fuera que había en la copa. Un refresco de limón italiano corrosivamente amargo. Se le saltaron las lágrimas.

—¿Por qué fue a Myrtle Beach, señor Milgrim? ¿Conocía al hombre que encontró allí?

—Sus pantalones.

—¿Sus pantalones?

—Yo hacía seguimientos —dijo Milgrim—. Los fotografiaba. A él le pagaban por eso.

—¿Sabe cuánto?

—No. Miles —hizo un gesto con el pulgar y el índice, indicando de manera inconsciente cierto grosor de billetes de cien dólares—. ¿Digamos diez mil, como máximo?

—¿Y eran propiedad del Departamento de Defensa esos pantalones? —preguntó ella, mirándolo directamente.

—Espero que no —respondió Milgrim, sintiéndose profundamente deprimido.

Ella dio un trago más largo a su cerveza. Siguió mirándolo de aquella manera. Alguien se rió en uno de los bares de la honradez de al lado, desde detrás de unas puertas correderas de la misma caoba roja. La risa parecía hacer juego con el decorado.

—Puedo decirle que no lo eran —dijo ella.

Milgrim tragó saliva, con muchísima dificultad.

—¿No lo eran?

—Pero les gustaría que lo fueran. Eso podría ser un problema. Hábleme del hombre que le permitió verlos.

—Tenía un corte de pelo *mullet* años ochenta. Y llevaba zahones Blackie Collins.

—¿Llevaba…?

—Zahones —dijo Milgrim—. Lo busqué en Google. Tienen por dentro bolsillos Cordura Plus de lino, para las pistolas y eso. Y bolsillos externos para los cuchillos y las linternas.

—Oh —exclamó ella, sonriendo levemente—, claro.

—Sleight dijo que era de… no sé qué especiales.

—Seguro que sí.

—¿Fuerzas especiales? ¿Es eso?

—Sleight —dijo ella—. Oliver. Nacionalidad británica, residente en Canadá. Trabaja para Hormiga Azul.

—Sí —contestó Milgrim, imaginando la foto de Sleight en la pared—. Por lo demás, casi no dijo nada. Dijo que necesitaban un escudete.

—¿Un escudete?

—Los pantalones —entonces recordó—. La mejor analista de diseño de Hormiga Azul cree que no son militares. Cree que son ropa de estilo *streetwear*. Para mí que tiene razón.

—¿Por qué?

—Marrón coyote —Milgrim se encogió de hombros—. El año pasado. Irak.

—Yo estuve en Irak —dijo ella—. Tres meses. En la Zona Verde. Me cansé también de ese color.

A Milgrim no se le ocurrió nada que decir.

—¿Fue peligroso? —preguntó su robot.

—Tenían un Cinnabon* —dijo ella—. Eché mucho de menos a mis hijos.

Apuró la cerveza y puso la botella en un posavasos de borde plateado.

—La que vio usted en la tienda de regalos era su esposa. Él también ha estado en Irak. Primero en una unidad de élite, más tarde como contratista.

—Me dio miedo —dijo Milgrim.

—Imagino que es bastante disfuncional —comentó ella, como si eso no fuera algo que garantizara ninguna sorpresa—. ¿Qué pasa con ese Toyota?

—¿El Hilux?

---

* Multinacional de repostería cuya especialidad son los rollos de canela. (*N. del T.*)

—La cooperación local que tengo es a través del agregado legal del FBI. Los británicos estuvieron dispuestos a seguirle desde el aeropuerto y a permitirme saber dónde se alojaba usted. Pero sienten curiosidad por el vehículo.

—Es de Bigend —dijo Milgrim—. Tiene un blindaje proporcionado por una empresa llamada Jankel, un motor especial, neumáticos que no se desinflan aunque les disparen —no añadió que era de grado cártel.

—¿Ése es su nombre de verdad?

—La pronunciación francesa sería «bai-yán», creo. Pero parece que le gusta más la otra.

—¿Por qué necesita un coche como ése?

—No necesita necesitarlo. Sólo necesita sentir curiosidad por ello.

—Debe ser simpático.

—No sé si lo describiría de esa forma —dijo Milgrim—. Pero desde luego es curioso.

—Y enormemente bien conectado aquí. Cuando mis británicos cotejaron los datos, tengo la sensación de que decidieron que seguirle desde el aeropuerto y el nombre de su hotel era todo lo que iban a proporcionarme. Aunque eso tal vez hubiera sido todo lo que iban a darme. Pero entonces preguntaron por el vehículo.

—No hay tanta gente rica verdaderamente excéntrica —dijo Milgrim—. Eso es evidente. Ni siquiera aquí.

—No podrían demostrarlo conmigo.

—No —reconoció él, y dio un cuidadoso sorbito a su amargo refresco de limón.

—¿Por qué quieren los datos técnicos de esos pantalones?

—Les interesan los contratos militares —respondió Milgrim—. El diseño. La ropa y el equipo tienen que ser fabricados en Estados Unidos. Hay una ley.

—No me fastidie.

—Es lo que me han dicho.

—No —dijo ella—. Quiero decir que no me diga que pretenden conseguir un contrato.

—Pues sí. Es un proyecto importante que tienen entre manos.

—Para partirse de risa.

Milgrim miró su refresco de limón, confundido.

—¿Tiene un número de teléfono?

—Sí —respondió, sacando el Neo y enseñándoselo—. Pero Bigend dice que está intervenido.

—Olvídelo, entonces. Arresté a un capullo integral que tenía uno de ésos.

Milgrim se estremeció.

—No porque lo tuviera. Por otra cosa. ¿Tiene una dirección de correo electrónico?

—Una dirección de Hormiga Azul.

—¿Y una cuenta en Twitter?

—¿Una qué?

—Ábrase una —dijo ella—. A nombre de Gay Dolphin Dos, todo en mayúscula, sin espacios. Número dos. Desde el portátil de este vestíbulo. En cuanto termine su bebida. Haga sus actualizaciones en privado. Pediré seguirle. Yo seré Gay Dolphin Uno. Permítame seguirlo, niegue el permiso a todos los demás. Serán *bots* porno en su mayoría de todas formas.

—¿*Bots* porno? ¿Qué es eso?

—Así es como hablo con mis hijos. Regístrese. De esta forma nos mantendremos en contacto. Intentemos mantenerlo alejado de los problemas.

Él dio un respingo.

—No se le ocurra salir de la ciudad sin comunicármelo. Ni cambiar de hotel.

—Tengo que ir adonde me envíen —dijo Milgrim—. Es lo que hago.

—Perfecto. Estaré en contacto —se levantó—. Gracias por la cerveza. No se olvide de abrir esa cuenta. Gay Dolphin Dos. Número dos. Todo mayúsculas. Sin espacios.

Cuando ella se marchó, Milgrim continuó sentado allí, en el sillón. Sacó la tarjeta del bolsillo. La sostuvo sin mirarla, los dedos en sus afilados bordes.

—Sin espacios —dijo su robot.

17

Homúnculos

Encontró a Heidi en el bar del Gabinete, monocromáticamente resplandeciente con una especie de chaqueta de *majorette* postholocausto, hecha con diferentes tonos y texturas de casi-negro.

—¿Las tarjetas del mierda pinchada en un palo funcionaban?

—Dos sí —contestó Heidi, alzando un borboteante vaso de líquido transparente. Se había teñido de negro su pelo recién cortado, igualmente en diversos tonos, y parecía haber asaltado también la sección de maquillaje.

—¿Qué es eso? —preguntó Hollis, señalando el vaso.

—Agua —respondió Heidi, y bebió.

—¿Quieres venir a París conmigo mañana por la mañana?

—¿Para qué?

—Mi trabajo. Hay una feria de ropa *vintage*. Puede que haya encontrado a alguien que sepa lo que Bigend quiere que descubra. Parte, al menos.

—¿Cómo lo encontraste?

—Creo que está saliendo con el teclista de los Bollards.

—El mundo es un pañuelo —dijo Heidi—. Y es el único guapo. Los demás son homuncúleos.

—Homúnculos.

—Gilipuertas —volvió a especificar Heidi—. Paso. Me duele la garganta. Puñeteros aviones.

—No, en Eurostar.

—Me refiero al avión en el que vine. ¿Cuándo regresas?

—Pasado mañana, si puedo encontrarla mañana. Supongo que entonces me llevaré a Milgrim.

—¿Cómo estaba?

—Profunda y jodidamente peculiar.

Hollis sopló con suavidad la fina islita parda de espuma que flotaba en su media pinta de Guinness para verla moverse y luego bebió un poco. Siempre le resultaba una bebida misteriosa. No estaba segura de por qué la había pedido. Le gustaba más su aspecto que su sabor. ¿Qué sabor tendría, se preguntó, si supiera como le parecía su aspecto? Ni idea.

—Aunque tal vez no tan mal. No es culpa suya que Bigend lo encontrara. Ya sabemos lo que es eso.

—Robert me ha encontrado un gimnasio. Vieja escuela. East Side.

—East End. No East Side.

—Es guapo.

—Ni te atrevas. «Nada de civiles», ¿recuerdas? Si hubieras cumplido la norma, no tendrías que andar divorciándote del mierda pinchada en un palo.

—¿Y tú? El cabroncete está en YouTube, saltando de rascacielos en rascacielos con un traje de ardilla voladora.

—Pero la regla la impusiste tú, ¿te acuerdas? No yo. Después de los boxeadores, empezaste con los músicos.

—Homuncúleos —dijo Heidi, asintiendo—, gilipuertas.

—Podría habértelo dicho.

—Lo hiciste.

El nivel de ruido de la multitud de primeras horas de la tarde que bebía en el bar cambió de pronto. Hollis alzó la cabeza y vio a las gemelas islandesas, sus idénticas pieles heladas brillantes. Tras ellas, de algún modo preocupantemente paternal, apareció Bigend.

—Mierda —dijo.

—Me largo de aquí —anunció Heidi, soltando su vaso de agua y poniéndose en pie. Se encogió de hombros, irritada.

Hollis se levantó también, la media pinta en la mano.

—Tendré que hablar con él —dijo— de París.

—El trabajo es tuyo.

—Hollis —saludó Bigend—. Y Heidi. Encantado.

—Señor Bellend —dijo la ex batería.

—Permítanme que les presente a Eydis y Fridrika Brandsdottir. Hollis Henry y Heidi Hyde.

Eydis y Fridrika sonrieron idénticamente, en extraño unísono.

—Un placer —dijo una.

—Sí —dijo la otra.

—Me marcho —anunció Heidi, y lo hizo. Los hombres la siguieron con la mirada mientras atravesaba el bar.

—No se encuentra bien —excusó Hollis—. El vuelo le ha afectado la garganta.

—¿Es cantante? —preguntó Eydis o Fridrika.

—Batería —dijo la otra.

—¿Puedo hablar contigo un momento, Hubertus? —Hollis se volvió hacia las gemelas—. Por favor, discúlpennos. Tomen asiento.

Mientras se sentaban en los sillones que las dos amigas habían dejado libres, Hollis se acercó más a Bigend. Esta noche él se había cambiado el traje azul y llevaba puesto uno de tejido negro extrañamente absorbente a la luz que de algún modo parecía como si no tuviera superficie. Era más bien como una ausencia, una apertura hacia otra cosa, antimateria mezclada con angora.

—No sabía que Heidi estaba aquí —dijo.

—Todos nos hemos llevado una sorpresa. Pero quería decirte que me voy a París mañana, para intentar hablar con alguien que tal vez sepa algo de los Sabuesos. Creo que me llevaré a Milgrim.

—¿Os lleváis bien?

—Bastante bien, considerando las circunstancias.

—Haré que Pamela te envíe un correo electrónico dentro de unos minutos. Ella puede encargarse de las reservas.

—No te molestes. Llevaré la cuenta de gastos. Pero no quiero renunciar a mi habitación aquí, así que la conservaré y tú puedes cubrirla.

—Ya lo hago —dijo Bigend—, más los extras. ¿Puedes decirme algo sobre París?

—Puede que haya encontrado a alguien que estuvo relacionado con los comienzos de los Sabuesos. «Puede.» Es todo lo que sé. Y puede que no sea cierto. Te llamaré desde allí. De todas formas, tienes compañía —sonrió en dirección de Eydis y Fridrika, ahora enroscadas como esbeltos animales árticos de color platino en sus sillones a juego—. Buenas noches.

18
140

El Neo sonó mientras todavía intentaba entender el Twitter. Se había registrado ya, como GAYDOLPHIN2. Ningún seguidor, no seguía a nadie. Significara aquello lo que significase. Y sus actualizaciones, fuera lo que fuera eso, estaban protegidas.

El áspero sonido seudomécanico del tono de llamada había atraído la atención de la chica del mostrador. Sonrió ansiosamente, como pidiendo disculpas, desde su asiento en el banco forrado de cuero donde estaba el portátil y respondió apretando torpemente el Neo contra su oído.

—¿Sí?

—¿Milgrim?

—Al habla.

—Hollis. ¿Cómo estás?

—Bien —dijo él, automáticamente—. ¿Cómo estás tú?

—Preguntándome si estás dispuesto a venir a París mañana. Tomaríamos un Eurostar temprano.

—¿Qué es eso?

—El tren —respondió ella—. Pasa por el túnel. Es más rápido.

—¿Para qué? —Milgrim pensó que hablaba como un niño receloso.

—He encontrado a alguien con quien tenemos que hablar. Estará allí mañana y pasado. Después de eso, no lo sé.

—¿Estaremos fuera mucho tiempo?

—Pasaremos la noche, si tenemos suerte. A las siete y media en Saint Pancras. Me encargaré de que alguien de Hormiga Azul te recoja en el hotel.

—¿Lo sabe Hubertus?

—Sí. Acabo de encontrarme con él.

—Muy bien. Gracias.

—Le diré al coche que llame a tu habitación.

—Gracias.

Milgrim guardó el Neo y volvió al correo electrónico y al Twitter. Acababa de recibir noticias de Twitter, preguntando si estaba dispuesto a que GAYDOLPHIN1 lo siguiera. Lo estaba. Y ahora tendría que decirle lo de París. En ráfagas de ciento cuarenta caracteres, al parecer.

Mientras terminaba con eso, alguien llamado CyndiBrown32 preguntó si estaba dispuesto a que lo siguiera.

Recordando las instrucciones de Winnie, no lo estuvo. Cerró Twitter y salió del correo. Cerró el MacBook.

—Buenas noches, señor Milgrim —dijo la chica de recepción cuando él se dirigía al ascensor.

Sintió como si algo nuevo y demasiado grande estuviera intentando encajar en su interior. Había cambiado de alianzas o adquirido una nueva. ¿O simplemente le tenía más miedo a Winnie que a Bigend? ¿O era que tenía miedo de la posibilidad de la ausencia de Bigend?

—Ingresado —le dijo al pulido e inmaculado interior del ascensor Hitachi mientras la puerta se cerraba.

Había pasado de donde había estado antes, un lugar que consideraba extremadamente pequeño y muy duro, a este espacio más amplio, a hacer encargos que no llegaban a ser trabajos para Bigend, pero de pronto aquello ya no parecía tan amplio. Esta sucesión de habitaciones en hoteles que él nunca escogía. Misiones sencillas, donde había que viajar. Análisis de orina. Siempre otra caja de medicinas.

Recordando su medicación, hizo cálculos. Tenía suficiente para dos noches fuera. Fuera lo que fuese.

La puerta se abrió en el pasillo de la segunda planta.

Toma tu medicina. Límpiate los dientes. Haz el equipaje para ir a París.

¿Cuándo había estado en París por última vez? Parecía como si no lo hubiera hecho nunca. Otra persona distinta había estado, cuando tenía veintipocos años. Aquella iteración misteriosamente previa que tan implacablemente interesaba a su terapeuta de Basilea. Un yo más joven e hipotético. Antes de que las cosas hubieran empezado a no ir tan bien, luego a peor, luego a mucho peor, aunque al final había conseguido estar ausente gran parte del tiempo. Tanto tiempo como fuera posible.

—Deja de mirar —le dijo al maniquí cuando entró en su habitación—. Ojalá tuviera un libro.

Hacía tiempo que no encontraba nada que leer por placer. Había unos cuantos libros de revistas caramente encuadernados y extrañamente asépticos aquí, reagrupados diariamente por los encargados, pero supo nada más mirarlos que eran tontos anuncios para ser rica, sana, profunda y abrasadoramente falto de imaginación.

Buscaría un libro en París.

Su terapeuta había sugerido que leer había sido probablemente su primera droga.

19

Presencias

Al guardar los útiles de maquillaje y aseo en una bolsa, advirtió que la figurita de la Hormiga Azul, su fallido tótem para evitar trabajar, no estaba en la repisa. Había sido cambiada de sitio por los del servicio de limpieza de habitaciones de ayer, supuso, pero cosa rara en ellos. Cerró la bolsa del maquillaje. Comprobó su pelo en el espejo. Una voz con acento de la BBC fluía suavemente, sin significado, en la ornamentada rejilla de la pared.

Dejó atrás las empañadas placas de cristal y los grifos niquelados de la ducha H. G. Wells, donde las múltiples toallas estaban colgadas ahora.

Al contemplar la habitación Número Cuatro con la esperanza de encontrar algo que se hubiera olvidado guardar, vio tres cajas sin abrir con la edición británica de su libro. Se acordó que Milgrim, cuando lo conoció, en el camino del bar de tapas, había expresado interés. Bigend, naturalmente, había sacado el tema. Milgrim pareció sorprendido, durante unos pocos segundos, por la idea de que ella hubiera escrito un libro.

Le llevaría uno, decidió.

Llevó una caja ridículamente pesada hasta la cama desecha y usó la punta del sacacorchos victoriano para romper la cinta de plástico transparente. Cuando abrió la caja, liberó un olor a librería, pero desagradable. Seco, químico. Y allí estaban, cuadrados y envueltos individualmente en celofán, *Presencias*, de Hollis Henry. Cogió uno de la parte de arriba, lo guardó en el bolsillo lateral de la maleta con ruedas.

Luego salió y, atravesando los pasillos verdes, llegó al ascensor, bajó y llegó al vestíbulo que olía a café, donde un joven con gafas de carey le ofreció un café cortado largo en un vaso de papel blanco, con tapa de plástico blanco, y le ofreció un paraguas del Gabinete.

—¿Ha llegado ya el coche?

—Sí.

—No necesitaré el paraguas, gracias.

Él la ayudó con la maleta y la metió en el maletero de un BMW negro que conducía el joven barbudo que la había dejado entrar en Hormiga Azul.

—Jacob —dijo éste sonriendo. Llevaba una gastada chaqueta de motorista de algodón. Eso le daba un cierto aire postapocalíptico, pensó ella, con la lluvia de la mañana. Los de atrezo tendrían que haberle dado una pistola Sten o algún arma que pareciera una tubería.

—Naturalmente —dijo ella—. Gracias por recogerme.

—El tráfico no es terrible —le abrió la puerta.

—¿Vamos a reunirnos con el señor Milgrim? —mientras él se deslizaba al volante, ella advirtió el auricular que llevaba.

—Está ya resuelto. Lo han recogido. ¿Preparada para París?

—Eso espero —respondió ella mientras el coche arrancaba.

Luego Gloucester Place. Si hubiera ido caminando habría optado por tomar Baker Street, con la que soñaba de niña, y que conservaba, incluso en esta etapa de supuesta adultez, cierta pequeña sensación de decepción. Aunque quizás el juego comenzaba en París, pensó, y ahora estaba a un largo viaje en metro desde aquí.

En el tráfico de Marylebone Road, entre paradas y avances, advirtió a un motorista mensajero, armado con plásticos de samurái, la parte trasera de su casco amarillo lastimada como si algo felino y enorme le hubiera dado un zarpazo y hubiera fallado por poco, su zafio carenado de fibra de vidrio reparado con cinta plateada que se deshilachaba. Parecía seguir pasando entre ellos, de algún modo, avanzando entre carriles. Nunca había comprendido cómo funcionaba eso aquí.

—Espero poder encontrar a Milgrim en la estación.

—No se preocupe —dijo Jacob—. Eso está hecho.

Inmensidad de vigas de acero celestes. Atronador volumen de sonido. Palomas de aspecto confundido, dedicadas a sus cosas de palomas. Nadie hacía las estaciones de tren como los europeos, y los británicos, pensó Hollis, mejor que ninguno. Fe en la infraestructura, junto con un don impulsado por la necesidad para encajar retrospectivamente.

Uno de los larguiruchos y elegantes conductores de Bigend, la mano en el auricular, avanzó hacia ella entre la multitud, seguido por Milgrim como una barquita a remolque. Mirando alrededor como un niño, Milgrim, el rostro iluminado con deleite infantil por el drama de las vigas azules, la grandiosidad de hojalata de la gran estación.

Una de las ruedas de la maleta de Hollis empezó a chasquear cuando se encaminó hacia ellos.

20

Aumentado

Milgrim alzó la mirada de las páginas cuadradas y satinadas de *Presencias: arte locativo en América*, y vio que Hollis estaba leyendo también. Algo en tapa dura, negro, sin solapa.

Ahora se encontraban en algún lugar bajo el Canal, sentados en clase premier, que tenía wifi y servían *croissants* para desayunar. O no wifi, sino algo celular, que requería lo que ella llamó un «módem USB», y que había enchufado por él en una ranura de su MacBook. Milgrim lo había tomado prestado antes, un aparato extrañamente delgado, el modelo Air, y había entrado en Twitter, para ver si Winnie había dicho algo, pero no lo había hecho. «Vamos por Kent ahora», había escrito, pero luego lo borró. Después buscó «Hollis Henry» en Google y halló su entrada en la Wikipedia. Cosa que le hizo sentirse raro, ya que la tenía sentada justo al otro lado de la mesita, aunque ella no podía ver lo que estaba leyendo. Ahora que estaban dentro del túnel, tampoco había cobertura.

La describían, en aquel artículo retrospectivo escrito en 2004, como alguien que, mientras actuaba, parecía «una versión armada de Françoise Hardy». Milgrim no estaba seguro de poder verlo así, exactamente, y tuvo que buscar a Françoise Hardy en Google para hacer la comparación. Françoise Hardy era más convencionalmente bonita, pensó, y no estaba seguro de lo que significaba «armada» en ese contexto. Supuso que el escritor del artículo había intentado capturar algo de lo que ella proyectaba en las actuaciones en directo.

Hollis no se parecía a la idea que Milgrim tenía de una cantante de rock, o al menos hasta el grado en que tenía idea del tema. Parecía alguien que tenía un trabajo que le permitía ir a la oficina vestida como quisiera. Cosa que ella hacía, supuso, con Bigend.

Cuando terminó de usar el ordenador, ella le ofreció este ejemplar del libro que había escrito.

—Me temo que son casi todo fotografías —dijo, abriendo un bolsillo lateral de su maletín negro y sacando un brillante ladrillo cuadrado envuelto en celofán. La portada era una foto en color de altas estatuas desnudas de varias mujeres muy delgadas y de pechos pequeños, con idénticos peinados que parecían cascos y brazaletes a juego, surgiendo de lo que parecía ser un lecho de flores bastante pequeño. Estaban hechas de algo que se le antojó mercurio solidificado, reflejando a la perfección todo cuanto las rodeaba. La contraportada era la misma imagen, pero sin las heroicamente eróticas estatuas de cromo líquido, lo que permitía leer un cartel que antes ocultaban: Château Marmont.

—Es un monumento a Helmut Newton —dijo ella—. Vivió allí, parte del tiempo.

—¿La contraportada es «antes»? —preguntó Milgrim.

—No, es lo que se ve allí, sin aumentar. La portada es lo que ves aumentado. La construcción está unida al tejido GPS. Para verlo, tienes que ir allí, usar realidad aumentada.

—Nunca he oído hablar de eso —comentó él, mirando la contraportada, luego la portada.

—Cuando escribí el libro, no había *hardware* comercial. La gente construía los suyos propios. Ahora todo son aplicaciones para iPhone. Entonces había un montón de obras que intentaban crear las piezas de manera efectiva. Tuvimos que tomar fotos de alta resolución del sitio, desde todos los ángulos posibles, y luego emparejarlos con el ángulo exacto que pudiera tener la construcción, para elegir entre ellos.

—¿Lo hiciste tú sola?

—Yo elegía, pero Alberto hizo las fotos y las imágenes. Ese memorial Newton es una de sus obras, pero se encargó de tomar todas las otras —se apartó del ojo un mechón de pelo negro—. El arte locativo probablemente empezó en Londres, y hay un montón, pero no he visto gran cosa. Decidí ceñirme a los artistas americanos. Menos para elegir, pero también porque todo tiene cierto sentido peculiarmente literal del lugar. Creí que tendría una posibilidad marginalmente menor de comprenderlo allí.

—Debes saber mucho de arte.

—Pues no. Me encontré con esto. Bueno, no es cierto. Bigend me sugirió que le echara un vistazo. Aunque en aquel momento no tenía ni idea de que era él quien me hacía la sugerencia.

Milgrim había metido la esquina de la uña bajo el envoltorio de celofán.

—Gracias —dijo—, parece muy interesante.

Ella cerró el libro negro, lo vio mirándola. Sonrió.

—¿Qué estás leyendo? —preguntó él.

—*Animal acorralado*, de Geoffrey Household. Trata de un hombre que intenta asesinar a Hitler, o a alguien que es igual que Hitler.

—¿Es bueno?

—Muy bueno, aunque en realidad parce tratar de cómo internarse en el corazón del paisaje inglés. El tercer acto parece tener lugar dentro de un seto, en la madriguera de un tejón.

—Me gusta tu libro. Es como si la gente fuera capaz de congelar sus sueños, dejarles sitio, y uno pudiera ir a verlos, si supiera cómo.

—Gracias —respondió ella, depositando *Animal acorralado* sobre la mesita, sin molestarse en marcar por dónde iba leyendo.

—¿Los has visto todos?

—Sí que los he visto.

—¿Cuál es tu favorito?

—River Phoenix, en la acera. Fue el primero que vi. Nunca he regresado. Nunca lo he vuelto a ver. Me causó una impresión tan potente… Supongo que por eso decidí intentar hacer un libro, por esa impresión.

Milgrim cerró *Presencias*. Lo puso sobre la mesa, junto a *Animal acorralado*.

—¿A quién vamos a ver en París?

—A Meredith Overton. Estudió en Cordwainers, diseño de calzado, cuero. Vive en Melbourne. O vivía. Está en París para el Salon du Vintage, vendiendo algo. La acompaña un teclista llamado George, que está en un grupo llamado los Bollards. ¿Los conoces?

—No —dijo Milgrim.

—Yo conozco a otro de los Bollards, y además al hombre que ahora mismo les produce los discos.

—¿Ella sabe algo de los Sabuesos de Gabriel?

—Mi otro Bollard dice que ella conoció a alguien en Londres, cuando estuvo en Cordwainers, que conocía a alguien relacionado con los comienzos de los Sabuesos.

—¿Comenzaron en Londres?

—No lo sé. Clammy la conoció en Melbourne. Llevaba puestos unos Sabuesos, y él quería unos Sabuesos. Sabía de los Sabuesos a nivel local. Vendieron algunos en una especie de feria. Él la acompañó y compró unos vaqueros. Dice que había un americano vendiéndolos.

—¿Por qué crees que hablará con nosotros?

—No lo creo —dijo ella—. Pero podemos intentarlo.

—¿Por qué le importa a la gente? ¿Por qué crees que le importa a Bigend?

—Cree que alguien está copiando algunas de sus estrategias de mercado más raras, mejorándolas.

—¿Y piensas que querrán esta marca porque no pueden tenerla?

—En parte.

—Las drogas son valiosas porque no puedes conseguirlas sin quebrantar la ley —dijo Milgrim.

—Creía que eran valiosas porque funcionaban.

—Tienen que funcionar —dijo él—, pero el valor de mercado es la prohibición. A menudo casi no cuesta nada fabricarlas. Todo gira sobre eso. Funcionan, las necesitas, las prohíben.

—¿Cómo saliste de eso, Milgrim?

—Me cambiaron la sangre. La sustituyeron. Y mientras lo hacían, redujeron la dosis. Y hubo un antagonista paradójico.

—¿Qué es eso?

—No estoy seguro —respondió—. Otra droga. Y terapia cognitiva.

—Eso suena fatal.

—Me gustó la terapia —contestó Milgrim. Podía sentir su pasaporte contra el pecho, guardado a salvo en su bolsa Faraday.

El lluvioso paisaje francés saltó a la vista en las ventanas del vagón, pasando a toda velocidad, como si hubieran conectado un interruptor.

21
Menos uno

—Verde follaje —oyó decir a Milgrim, sin fuerza, mientras le pagaba al conductor con euros que había sacado de un cajero automático de la Gare du Nord.

Se dio media vuelta.

—¿Qué?

Él había salido a medias del taxi, agarrando su bolsa.

—Esos grandes almacenes, Oxford Street —dijo—. Pantalones verde follaje. El mismo hombre, acaba de entrar. Donde íbamos.

Aquella cosa aguda y nerviosa estaba ahora plenamente presente, la semiconvalecencia medio confusa desaparecida del todo. Parecía que Milgrim olfateaba el aire.

—Quédese el cambio —le dijo Hollis al conductor, apartando a Milgrim y tirando de su maleta con ruedas. Cerró la puerta y el taxi se marchó, dejándolos en la acera—. ¿Estás seguro?

—Alguien nos está vigilando.

—¿Bigend?

—No lo sé. Entra tú.

—¿Qué vas a hacer?

—Ya veré.

—¿Estás seguro?

—Préstame tu ordenador.

Hollis se agachó, descorrió la cremallera del lado de la maleta y sacó su Mac. Él se lo puso bajo el brazo, como si fuera una carpeta. Ella vio que aquella vaguedad regresaba, la parpadeante timidez. Se está agazapando, pensó, y luego se preguntó qué significaba eso.

—Entra ahora —dijo él—, por favor.

—Euros —repuso ella, pasándole algunos billetes.

Se dio la vuelta y tiró de su maleta por la acera y se mezcló con la multitud de la calle. ¿Estaba Milgrim imaginando cosas? Posiblemente, aunque estaba la tendencia de Bigend por atraer las formas de atención menos deseadas y luego seguir a los seguidores que aparecieran. Exactamente lo que Milgrim había dicho que iba a hacer. Hollis miró hacia atrás, esperando verlo, pero ya no estaba.

Pagó una entrada de cinco euros a una chica japonesa y le pidieron que dejara su maleta en consigna.

Un patio de adoquines era visible a través de unos arcos. Unas jóvenes fumaban cigarrillos, haciendo que pareciera algo a la vez natural y profundamente atractivo.

El Salon du Vintage propiamente dicho tenía lugar dentro del edificio del siglo XVII actualizado al que pertenecía el patio, la idea de una década anterior de lo que era la modernidad elegante marcada en su diseño.

Un tercio de las personas que veía eran japonesas, y muchas se dirigían aproximadamente en una dirección. Las siguió, subió unas escaleras minimalistas de pálida madera escandinava y salió a la primera de dos salas iluminadas, con lámparas colgando sobre percheros de ropa cuidadosamente colocados, mesas con vitrinas de cristal y muebles de época.

La edición de este año del Salon du Vintage estaba dedicada a los ochenta. Hollis lo sabía porque lo había buscado en Google. Siempre le parecía curioso encontrar una época que había vivido convertida en pieza de exposición. Le hacía preguntarse si estaba viviendo a través de otra, y si era así, cómo se llamaría. Las primeras décadas del siglo actual aún no habían adquirido una nomenclatura muy sólida, según le parecía. Ver ropas relativamente recientes, sobre todo, le producía una sensación extraña. Supuso que de forma inconsciente revisaba la moda de su propio pasado, convirtiéndola en algo más contemporáneo. Nunca era como lo recordaba. Los hombros tendían a ser peculiares, las cinturas y largos no eran lo que esperaba que fueran.

No es que sus propios ochenta hubieran sido nada de Gaultier, Mugler, Alaïa y Montana, que era ahora lo que más se presentaba aquí.

Comprobó la etiqueta escrita a mano de una chaqueta de algodón Mugler de color morado. Si Heidi estuviera aquí, decidió, y le fueran estas cosas, que no le iban, las restantes tarjetas de crédito del mierda pinchada en un palo podrían exhalar su último suspiro en una hora, con la compra resultante capaz de caber fácilmente en un solo taxi.

Alzó la mirada, entonces, y se guiñó a sí misma en un retrato de Anton Corbijn de 1996, ampliado y laminado, suspendido con sedales transparentes sobre el perchero de Mugler. Un anacronismo, pensó. Ni siquiera de su época.

Ansiosa por escapar del retrato, rechazó una oferta para probarse la Mugler. Se dio media vuelta y sacó su iPhone. Bigend pareció responder antes de que hubiera tenido una oportunidad de sonar.

—¿Tienes a alguien más aquí, Hubertus?

—No —respondió él—. ¿Debería?

—¿No mandaste a nadie a vigilarnos, en Selfridges?

—No.

—Milgrim cree haber visto a alguien, alguien a quien vio allí.

—Siempre existe la posibilidad, supongo. No se ha informado a la oficina de París de que estáis allí. ¿Quieres compañía?

—No. Sólo comprobaba.

—¿Tienes algo para mí?

—Todavía no. Acabo de llegar. Gracias.

Colgó antes de que él pudiera despedirse. Se quedó allí con el brazo doblado, el teléfono en la oreja, súbitamente consciente de la naturaleza icónica de su pose inconsciente. Una parte muy considerable del lenguaje gestual de los lugares públicos, que antes había pertenecido a los cigarrillos, pertenecía ahora a los teléfonos. Las figuras humanas, a una manzana de distancia en la calle, en posturas completamente familiares, ya no fumaban. La mujer del retrato de Corbijn nunca había visto eso.

El número que Clammy le había dado la noche anterior sonó varias veces antes de que lo atendieran.

—¿Sí?

—¿George? Soy Hollis Henry. Nos conocimos en el Gabinete, cuando Reg estaba todavía allí.

—Sí —dijo él—. Me llamó Clammy. Quieres hablar con Mere.

—Me gustaría, sí.

—¿Y estás aquí?

—Sí.

—Me temo que no es posible. —George parecía más un abogado joven que el teclista de los Bollard.

—¿Ella no quiere discutirlo?

—Para nada.

—Lo siento —dijo ella.

—No, de veras, para nada. Está cerrando un trato con el Chanel que trajo de Melbourne. Comerciantes de Tokio. La han invitado a almorzar. Me dejó al cargo de la tienda.

Hollis apartó el iPhone y suspiró aliviada. Luego volvió a acercárselo a la oreja.

—¿No le importará hablar conmigo entonces?

—Para nada. Le encanta tu música. Su madre es una gran fan. ¿Dónde estás?

—En el primer piso. No lejos de las escaleras.

—¿Has visto una foto tuya que tienen allí?

—Sí. Me he fijado.

—Estamos al fondo del todo. Te buscaré.

—Gracias.

Hollis echó a andar, dejando atrás una muestra de ropa vaquera que dudó fuera de los ochenta. Toda más vieja que el vendedor, pensó, y le echó unos cuarenta y tantos años. El hombre la miró con mala cara al pasar: la chaqueta Sabuesos, pensó.

Encontró a Olduvai George tras un archipiélago de muebles inflables transparentes de color naranja que tampoco le parecieron propios de los ochenta. Sonreía, acicalado y atractivamente simiesco, con vaqueros y una gabardina caqui.

—¿Cómo estás?

—Bien, gracias —respondió ella estrechándole la mano—. ¿Qué tal?

—No me he comido una rosca desde que la gente de Tokio se llevó a Mere. Creo que no tengo gen de ventas.

Oxford, había dicho Inchmale de George, cuando le preguntó la noche anterior. Balliol, graduado con un laureado PPE. Cosa que ella supuso que recordaba perfectamente ahora, porque no tenía ni idea de lo que podía significar, aparte de que se suponía que George tenía una educación que superaba monstruosamente su actual empleo. «Y, por favor, no se lo digas a nadie», había añadido Inchmale.

—Menos mal que no lo necesitas —dijo ella, examinando ocho diminutos trajes de Chanel idénticamente cortados, mostrados en austeros bustos gris pizarra que parecían ser todo el material de Meredith Overton. Todos hechos con el mismo tejido grueso que parecía una cinoglosa enormemente ampliada, en combinaciones de colores de naranja fuerte y mostaza. Hollis recordó vagamente manoplas de cocina hechas de un material similar, igualmente gruesas. De hecho, había visto lucir trajes así una vez, pero sólo una, y en Cannes. Todo dependía, pensó en aquel momento, de la forma en que las dos piezas se negaban a ajustarse al cuerpo. Ahora vio que cada prenda había sido sujeta con un fino cable de acero, envuelto en plástico transparente.

—¿Son muy caros?

—Eso esperamos. Ella los encontró en unos saldos en Sydney. Los hicieron a principios de los ochenta, para la esposa de un promotor inmobiliario de éxito. Alta costura, tejidos exclusivos. Los vendedores no tenían ni idea, pero para sacarles rendimiento, hay que aprovechar el tirón, aquí, ahora, o en Tokio. Y todos los compradores japoneses significativos están aquí, hoy, y París añade cierto equilibrio simbólico. Todos se fabricaron aquí.

—Era pequeñita —dijo Hollis, extendiendo la mano para tocar un botón cubierto de tela, pero se detuvo.

—¿Te gustaría ver una foto donde lleva puesto uno?

—¿De veras?

—Merle las encontró en las revistas del corazón australianas. Incluso un fragmento de vídeo.

—No, gracias —dijo Hollis, los ocho brillantes bustos parecieron de repente estatuas de tumbas, objetos de poder, los fetiches de una hechicera ausente, ocultamente montados y preparados.

—También hay bolsos. Como nuevos. Los ha traído, pero decidió no mostrarlos. Como son un poco más asequibles, tendrá que mostrarlos varias veces. No quiere que los clientes los manoseen.

—¿Te dijo Clammy lo que ando buscando, George?

—No exactamente, pero ahora que estás aquí, deduzco que tiene que ver con tu chaqueta.

Le pareció raro oír a alguien de fuera del círculo de Bigend, aparte de Clammy, hacer referencia a los Sabuesos.

—¿Qué sabes de eso?

—No más que Clammy, imagino. Mere es muy reservada. Un negocio como éste se basa más en guardar secretos que en publicarlos.

—¿Y eso?

—No hay tantos compradores serios. Pero sí unos cuantos marchantes serios.

A ella le había caído bien, cuando se conocieron en el Gabinete, y descubrió que ahora le seguía agradando.

—Clammy dice que Mere conoció a alguien cuando estuvo en la escuela de calzado en Londres —dijo Hollis, decidiendo confiar en él. Como de costumbre, se sorprendió por hacerlo, pero una vez dentro, había que seguir adelante—. Alguien asociado con los Sabuesos de Gabriel.

—Es posible —respondió George sonriendo. Las proporciones de su cráneo eran extrañamente inversas, la mandíbula y los pómulos enormes, las cejas tupidas, la frente con apenas dos dedos de ancho, entre una ceja única y su corte de pelo casi rapado—. Pero mejor no hablar de ello.

—¿Cuánto tiempo lleváis juntos?

—Desde un poco antes de que Clammy la conociera en Melbourne. Bueno, eso no es cierto, pero entonces ya me gustaba. Ella dice que entonces no era algo mutuo, pero tengo mis dudas —sonrió.

—¿Ella vivía en Londres? ¿Aquí?

—En Melbourne.

—Sí que está lejos.

—Lo está —él frunció el ceño—. Inchmale, ahora que te tengo aquí.

—¿Sí?

—Es muy duro con Clammy, con eso de las mezclas de las pistas. Me he mantenido al margen.

—¿Sí?

—¿Puedes darme algún consejo? ¿Algo que pueda hacer más fácil trabajar con él?

—Pronto iréis a Arizona —dijo ella—. A Tucson. Allí hay un estudio pequeñito, del ingeniero favorito de Inchmale. Al principio harán cosas muy alarmantes con las pistas de Londres. Déjalos. Luego básicamente volveréis a grabar todo el álbum. Pero en muy poco tiempo, casi sin dolor, e imagino que os sentiréis enormemente satisfechos con el resultado. Ya se lo he dicho a Clammy, pero no estoy seguro de que lo haya comunicado.

—No hizo eso con el primer álbum que produjo para nosotros, y estábamos mucho más cerca de Tucson entonces.

—No estabais allí todavía. En términos de proceso. Ahora sí. O casi, diría yo.

—Gracias —dijo él—. Es bueno saberlo.

—Llámame, si os exaspera. Te pasará. O le pasará a Clammy, en cualquier caso. Pero habéis saltado con él, y si lo dejáis, aterrizará de pie y el álbum con él. No es muy diplomático en el mejor de los casos, y cada vez menos a medida que avanza el proceso. ¿Alguna idea de dónde estará Mere?

Él consultó un enorme reloj de pulsera, del color de un camión de bomberos de juguete.

—Se fue hace ya una hora, pero en realidad no tengo ni idea —contestó—. Desearía que volviera. Me muero por un café.

—¿Hay café en el patio?

—Claro. ¿Grande, solo?

—Acertaste.

—Puedes coger el ascensor —dijo él, señalando.

—Gracias.

Era alemán, con un interior de acero pulido, la filosofía opuesta al del Gabinete, pero no mucho más grande. Pulsó el uno, pero cuando pasó el cero, advirtió que había pulsado menos uno.

La puerta se abrió en medio de un tenue vacío iluminado de azul, y en completo silencio.

Hollis salió del ascensor.

Antiguas bóvedas de piedra, extendiéndose hacia la calle, iluminadas por reflectores de discoteca ocultos, apuntando bajo. Un pequeño corral improvisado de lo que ella consideró repuestos del Salon du Vintage, en el pelado suelo de piedra, empequeñecidos por los arcos. Percheros de cromo plegados, unos cuantos bustos de aspecto daliniano con esta luz.

Todo maravillosamente inesperado.

Y entonces, al fondo de los arcos azules, bajando unas escaleras, una figura. Tal como la había descrito Milgrim. La gorra de visera corta, chaquetilla corta negra, cerrada hasta arriba.

El hombre la vio.

Hollis retrocedió hacia el interior del ascensor. Pulsó cero.

22
Foley

Milgrim, con el portátil de Hollis sujeto con fuerza bajo el brazo, la mochila en el otro hombro, caminaba rápidamente por una calle más pequeña, apartada del lugar donde se estaba celebrando la feria de ropa *vintage*.

Necesitaba una conexión wifi. Lamentó no haber tomado prestado el módem USB.

Ahora se acercaba a un lugar llamado Bless, que al principio confundió con un bar. No, vio que era un lugar que vendía ropa. Tal vez allí dentro habría alguien, supuso, tras asomarse al escaparate, que supiera o fingiera saber algo sobre la línea de vaqueros fantasma de Hollis.

Siguió caminando, manteniendo al mismo tiempo una conversación imaginaria con su terapeuta, donde dilucidaban lo que estaba sintiendo. Tras haber trabajado muy duro para evitar sentir mucho de nada, durante la mayor parte de su vida adulta, reconocer incluso la más simple de las emociones podía requerir esfuerzos de rehabilitación.

Furioso, decidió. Estaba furioso, aunque no sabía aún con qué o con quién. Si Winnie Tung Whitaker, agente especial, había enviado al hombre de los pantalones verde follaje y no se lo había dicho, pensaba que tendría que estar furioso con ella. Decepcionado, al menos. Eso no sería empezar con buen pie, en lo que consideraba una nueva relación profesional. O tal vez, sugirió su terapeuta, estaba furioso consigo mismo. Eso sería más complicado, menos susceptible al autoanálisis, pero más familiar.

Era mejor enfadarse con el hombre de los pantalones verde fo-

llaje, pensó. El señor Verde Follaje. Foley. No se sentía muy animo-
so hacia Foley. Aunque no tenía ninguna idea de quién podría ser,
qué pretendía, o si le seguía a él, a Hollis, o a ambos. Si Foley no
trabajaba para o con Winnie, podría estar trabajando para Hormiga
Azul, o para Bigend más privadamente o, dada la aparente nueva
actitud de Bigend hacia Sleight, para Sleight. O para ninguno de los
mencionados. Podía ser una parte completamente nueva de la ecuación.

—Pero ¿hay una ecuación? —se preguntó a sí mismo, o a su
terapeuta. Aunque ella parecía no responder ahora.

Rue du Temple, le informó una placa en la pared de la esquina,
en un edificio que parecía haber sido dibujado por el doctor Seuss.
Una calle más grande, Temple. Giró a la derecha. Pasó ante un ornamentado restaurante chino de aspecto victoriano. Descubrió un
estanco que también ofrecía café, su signo oficial de TABAC, iluminado en rojo y con forma de huso presentando el mono de nicotina
como una emergencia médica. Sin detenerse, entró.

—¿Wifi?

—*Oui*.

—*Espresso*, por favor.

Se sentó ante un mostrador de zinc no reflectante. Había un
leve pero claro olor a humo de cigarrillos, aunque no había nadie
fumando. De hecho, era el único cliente.

Su terapeuta había sospechado que su ineptitud con las lenguas
romances era demasiado concienzuda, demasiado ordenadamente
incompleta, y por tanto estaba basada de algún modo en lo emocional, pero no habían podido llegar al fondo de la cuestión.

Tras obtener la contraseña («dutemple») del tendero, conectó
con Twitter, donde su clave era una traducción al ruso de «gay
dolphin», en cirílico más o menos aproximado en el teclado ro-
mano.

El «Dnde sts ahora?» de ella había sido enviado «hace unas 2
horas desde TweetDeck».

«París», tecleó Milgrim, «hombre siguiéndonos, visto ayer en

Londres. ¿Es tuyo?» Pulsó el botón de envío. Bebió su *espresso*. Actualizó la ventana.

«Describe.» Esto, hacía menos de cinco segundos a través de TweetDeck.

«Blanco, pelo muy corto, gafas de sol, veintitantos, altura media, atlético.» Actualizó. Vio gente pasar por la calle, a través del escaparate.

Actualizó la ventana. Nada más que una breve URL, enviada cuarenta segundos antes desde TweetDeck, fuera lo que fuera eso. Hizo clic. Y allí estaba Foley, vistiendo lo que podía ser la versión verde oliva de la chaqueta negra, con una gorra de lana negra, en vez de la gorra de campaña. Extrañamente, sus ojos quedaban ocultos por un rectángulo negro Photoshopeado, como en el antiguo porno.

Milgrim miró el encabezado de la página y el texto de la imagen, algo sobre «equipo de operario de élite». Se concentró en la fotografía, asegurándose a sí mismo que se trataba de su hombre.

«Sí», escribió. «¿Quién es?»

Cuando actualizó, la respuesta de ella tenía ya treinta segundos.

«No importa e intnta q no sepa q lo has visto», había escrito ella.

Lo sé, pensó él, y entonces tecleó: «¿Bigend?»

«Cuándo vuelves?»

«Hollis cree que mañana.»

«Tienes suerte de estar en París.»

«Corto», escribió él, aunque no estaba seguro de que así se pusiera fin a una conversación. Guardó la URL de la página del operario de élite en favoritos, luego salió de Twitter, de su cuenta de correo, y cerró el ordenador. Su Neo empezó a sonar, su arcaico tono de teléfono llenó el estanco. El hombre tras el mostrador frunció el ceño.

—¿Sí?

—Tienes suerte de estar en París —era Pamela Mainwaring—. No es nuestro.

Lo primero que Milgrim pensó fue que, de algún modo, ella había espiado su conversación vía Twitter con Winnie.

—¿No?

—Ella nos llamó. Definitivamente, no. Sé amable y trae una foto de París.

Hollis. Pamela abrevió su llamada por el recelo de Bigend hacia Sleight y el Neo.

—Lo intentaré —respondió él.

—Que lo pases bien —dijo ella, y colgó.

Milgrim depositó su mochila en el mostrador de zinc, descorrió la cremallera, sacó su cámara. La cargó con una tarjeta nueva, pues Hormiga Azul se había quedado con la que había usado en Myrtle Beach. Lo hacían siempre. Comprobó la batería, luego se la guardó en el bolsillo de la chaqueta. Metió el portátil de Hollis en su bolsa y la cerró. Tras dejar unas cuantas monedas en el mostrador de zinc, salió del establecimiento y regresó al Salon du Vintage, caminando de nuevo con rapidez.

¿Seguía furioso?, se preguntó. Ahora estaba más tranquilo, decidió. Sabía que no debería hablarle a Bigend de Winnie. No, si podía evitarlo, al menos.

Hacía más calor, las nubes se dispersaban. París parecía ligeramente irreal, como parecía Londres siempre cuando llegaba. Qué curioso que estos lugares siempre hubieran existido uno al lado del otro, tan juntos y tan separados como las dos caras de una moneda, pero unidos ahora por un tren veloz y unos treinta kilómetros de túnel.

En el Salon du Vintage, después de pagar cinco euros de entrada, dejó su bolsa en consigna, algo que nunca le gustaba hacer. Había robado suficiente equipaje en sus tiempos para saber que eran presa fácil. Por otro lado, podría moverse mejor sin la bolsa. Le sonrió a la muchacha japonesa, se guardó el comprobante y entró.

Su terapeuta decía que se sentía más a gusto en el mundo de los objetos que en el mundo de las personas. El Salon du Vintage, se aseguró a sí mismo, estaba lleno de objetos. Deseando convertirse en la persona que el Salon du Vintage querría que fuera, y por tanto menos visible, subió unas bellas escaleras remodeladas hasta la primera planta.

Lo primero que vio allí fue un póster de una Hollis más joven, con aspecto a la vez nervioso y arrogante. No se trataba del póster auténtico, juzgó, sino de una reproducción de aficionado, ampliada y carente de detalles. Se preguntó qué habría sentido ella al verlo.

Milgrim había dejado pocas imágenes de sí mismo en la última década, y probablemente Winnie había visto la mayoría. Quizá las tenía preparadas para enviárselas a alguien que quería que lo reconociera. La mayoría de aquellas fotos las había tomado la policía, y se preguntó si él mismo las reconocería. Sin duda reconocería la que ella le había sacado en el Caffè Nero de Seven Dials, y ésa sería la que utilizaría.

El joven de la gorra de campaña y los pantalones verde follaje, la chaqueta negra todavía cerrada hasta arriba, salió de un pasillo lateral de perchas, su atención capturada por un veloz grupo de jóvenes japonesas. Se había quitado las gafas de espejo. Milgrim se hizo a un lado y se colocó detrás de un maniquí con un delirante vestido foto-impreso, manteniendo a su hombre a la vista por encima de la enorme hombrera, y se preguntó qué hacer. Si Foley no sabía ya que estaba aquí, y lo veía, lo reconocería de Selfridges. Si no, supuso, de Carolina del Sur. Winnie había estado allí, observándolo, y alguien, él había supuesto que Sleight, la había fotografiado allí. ¿Debería decírselo? Decidió aparcarlo para considerarlo luego. Foley se alejaba, dirigiéndose al fondo del edificio. Milgrim recordó al hombre del peinado raro en el restaurante lleno de motas de polvo. Foley no tenía aquello, decidió, fuera lo que fuese, y eso era muy buena cosa. Salió de detrás de los Gaultier y lo siguió, dispuesto simplemente a seguir caminando si lo descubría. Si Foley no reparaba en él, tanto mejor, pero lo principal ahora para Milgrim era que no pensara que lo estaba siguiendo. La mano en el bolsillo de la chaqueta, sobre la cámara.

Ahora le tocó a Foley el turno de hacerse a un lado, tras un maniquí vestido de neón. Milgrim se giró hacia un mostrador cercano de joyas y complementos, y encontró convenientemente a Foley reflejado, a lo lejos, en el espejo del puesto.

Una muchacha pelirroja se ofreció a ayudarle, en francés.

—No, gracias —dijo él, viendo a Foley, en el espejo, salir de detrás del maniquí. Se dio la vuelta, pulsó el botón que desplegaba la lente de la cámara, la alzó y sacó dos fotos de Foley de espaldas. La muchacha pelirroja lo miraba. Milgrim sonrió y continuó caminando. Se guardó la cámara en el bolsillo.

23
Meredith

Tal vez Milgrim era el que estaba alucinando, pensó Hollis, mientras subía de nuevo las escaleras escandinavas, sosteniendo torpemente en cada mano un alto vaso de papel de café americano cuádruple. El café abrasaba; si el acechante posiblemente imaginario de Milgrim se manifestaba de repente, pensó, podría lanzarle el contenido de ambos vasos.

No importaba lo que pudiera haber sucedido allá abajo en la discoteca desierta iluminada de azul, si es que había sucedido algo, ahora parecía la pantalla partida de la película de otra persona: de Milgrim, de Bigend, de cualquiera menos de ella. Pero había evitado el ascensor, por si acaso, y seguía ojo avizor en busca de gorras vagamente nazis.

Milgrim tenía problemas, eso estaba claro. De hecho, era profundamente peculiar. Apenas lo conocía. Bien podía estar viendo cosas. Parecía estar viendo cosas, de manera casi constante.

Tuvo cuidado de mantener el retrato ampliado de Corbijn fuera de su campo de visión mientras llegaba a la primera planta y el Salon du Vintage. Manteniendo también el sótano fuera de su mente, se preguntó desde cuándo el café se había vuelto ambulante en Francia. La primera vez que estuvo aquí, beber café no era una actividad peatonal. Había que sentarse, en cafeterías o restaurantes, o tomarlo de pie, en bares o andenes, y beberlo en recias tazas, de porcelana o cristal, fabricadas en Francia. ¿Había creado Starbucks la taza para llevar?, se preguntó. Lo dudó. No habían tenido tiempo. Lo más probable era que hubiera sido idea de McDonald's.

Su antiguo marchante de ropa vaquera, concentrado y con coleta, estaba ocupado con un cliente, mostrando un mono antiguo que parecía tener más agujeros que tejido. Parecía como si necesitara lentes complementarias atornilladas en los bordes de sus gafas rectangulares sin marco. No la vio pasar.

Y aquí, después de pasar los muebles inflables de color naranja, se topó con un funeral, y Olduvai George marchaba a trompicones junto a ellos, sonriendo.

Cuatro japoneses con trajes oscuros, sin sonreír, un ataúd negro o una bolsa de cadáveres colgaba entre ellos.

Pasaron de largo, pero George no. Encantado, recogió uno de los cafés.

—Muchísimas gracias.

—¿Azúcar?

—No, gracias —bebió ansioso.

—¿Quiénes eran? —Hollis miró por encima del hombro mientras los cuatro se perdían con su sombría carga escaleras abajo.

Él bajó la taza, se secó la boca con el dorso de la mano, sorprendentemente velluda.

—Los guardaespaldas de los compradores de Mere. Los Chanel están en esa bolsa, empaquetados con papeles de seda. Y allí está Merle —añadió—, con el comprador.

Y dos guardaespaldas más vestidos de negro. El comprador, pensó al principio Hollis, era un niño de doce años, vestido como un niño de alguna arcaica serie de tiras cómicas: ajustados pantalones amarillos como de seda hasta la mitad del muslo, un jersey de mangas largas con franjas rojas y verdes, un gorrito escolar amarillo, botas amarillas como zapatos de bebé de tamaño enorme. Parecía agrio, petulante. Y entonces vio la sombra de una barba, las patillas. Estaba hablando con una mujer joven con vaqueros y una camisa blanca.

—Diseñador —dijo George, después de otro sorbo ansioso—. Harajuku. Una colección fabulosa.

—¿De Chanel?

—De todo, al parecer. Supongo que a Mere le ha ido bien.

—¿Cómo lo sabes?

—El tipo está vivo todavía.

Hollis vio que los bustos estaban grises y desnudos.

Ahora el diseñador se dio la vuelta, flanqueado por los dos gorilas restantes, y se dirigió hacia ellos.

Lo vieron pasar.

—¿Toda la gente que compra Chanel es así? —preguntó Hollis.

—Nunca he vendido ninguno antes. Es hora de que conozcas a Mere.

La condujo hacia los muebles-burbujas anaranjados.

Meredith Overton estaba frotando la pantalla horizontal de un iPhone, picoteando fragmentos virtuales de información. Rubia platino, grandes ojos grises. Los miró.

—Está en el banco, en Melbourne. Transferencia directa.

—Salió bien, supongo —George sonreía de oreja a oreja.

—Mucho.

—Enhorabuena —dijo Hollis.

—Hollis Henry —dijo George.

—Meredith Overton —estrechó la mano de Hollis—. Mere. Encantada de conocerte.

Hollis dedujo que sus vaqueros eran Sabuesos, estrechos y demasiado largos, gastados por debajo en vez de recogidos, y una arrugada camisa de hombre de color blanco, aunque le quedaba demasiado bien para que fuera de verdad una camisa de hombre.

—No quieren los bolsos —dijo Meredith—. Sólo la ropa. Pero tengo compradores en reserva, aquí mismo en la feria —se guardó el teléfono en el bolsillo.

Hollis, por el rabillo del ojo, vio pasar a Milgrim. Llevaba una pequeña cámara al costado y no parecía estar mirando a nada en concreto. Lo ignoró.

—Gracias por acceder a verme —le dijo a Meredith—. Supongo que sabes de qué se trata.

—El puñetero Clammy —dijo Meredith, pero no sin alegría—. Vas detrás de los Sabuesos, ¿verdad?

—No tanto del producto como de su fabricante —respondió Hollis, observando su expresión.

—No serías la primera. —Meredith sonrió—. Pero no hay mucho que pueda decirte.

—¿Te apetece un café? —le ofreció su propio vaso—. No lo he tocado.

—No, gracias.

—Hollis ha sido de enorme ayuda —dijo George— respecto a Inchmale.

—Un hombre horrible —le dijo Meredith a Hollis.

—Sí que lo es —reconoció ella—. Se enorgullece de ello.

—Ya estoy menos ansioso —dijo George, aunque a Hollis le resultó difícil imaginarlo ansioso—. Hollis entiende los procesos de Reg por experiencia. Pone las cosas en perspectiva.

Meredith aceptó ahora el vaso de café y sorbió torpemente por la abertura de la tapa de plástico. Arrugó la nariz.

—Solo —dijo.

—Hay azúcar si quieres.

—Me estás dando coba, ¿no? —le dijo Meredith a George.

—Pues sí —respondió él—. Y he esperado a que estuvieras de buen humor.

—Si ese mierdecilla no hubiera aceptado mi precio, no lo estaría.

—Cierto —dijo George—, pero lo hizo.

—Creo que se los pondrá él —confesó Meredith—. No es que crea que es gay. Pero le quedarían bien. Insistió en toda la documentación, todo lo que recopilamos de la propietaria original. Algo que me ha dejado con ganas de darme una ducha —dio otro sorbo de caliente café solo y le devolvió el vaso a Hollis—. Quieres saber quién diseña los Sabuesos de Gabriel.

—Así es.

—Bonita chaqueta.

—Un regalo —dijo Hollis, lo que era al menos técnicamente cierto.

—Te habrá costado trabajo encontrarla. Ellos no las fabrican desde hace unas cuantas temporadas. Y no es que tengan temporadas en el sentido ordinario.

—¿No? —Hollis evitó con cuidado el asunto de quiénes eran «ellos».

—Cuando vuelvan a fabricar las chaquetas, si alguna vez lo hacen, serán exactamente iguales, cortadas por el mismo patrón. El tejido puede que sea distinto, pero sólo un otaku notaría la diferencia.

Empezó a recoger los finos cables de seguridad que habían asegurado los vestidos de Chanel a los bustos, hasta que se quedó con ellos en la mano como si fueran un gran ramo naranja o un mayal de acero.

—Creo que no entiendo —dijo Hollis.

—El tema es la atemporalidad. No formar parte de la industrialización de la novedad. Es un código más profundo.

Aquello le recordó algo que Milgrim había dicho, pero había olvidado exactamente qué. Miró alrededor, preguntándose si todavía estaría por allí. No lo estaba.

—¿Has perdido algo?

—He venido con alguien. Pero no importa. Continúa.

—No estoy segura de que deba ayudarte con esto. Probablemente no debería. Y, de hecho, no puedo.

—¿No puedes?

—Porque ya no estoy en el ajo. Porque se han vuelto mucho más difíciles de encontrar, desde que llevé a Clammy a comprar sus vaqueros en Melbourne.

—Pero podrías decirme lo que sabes. —Hollis vio que George se había entretenido en desmontar las peanas de cromo de los maniquíes, cerrando la tienda.

—¿Has sido alguna vez modelo?

—No —dijo Hollis.

—Yo sí —respondió Meredith—, durante dos años. Tenía un agente al que le encantaba utilizarme. Ésa es la clave, en realidad, tu agente. Nueva York, Los Ángeles, toda Europa occidental, de vuelta a Australia para seguir trabajando, luego otra vez a Nueva York, aquí. Intensamente nómada. George dice que más que estar en un grupo de música. Puedes soportarlo, cuando tienes diecisiete años, aunque no tengas dinero. Casi literalmente ningún dinero. Viví aquí, un invierno, en una habitación de hotel alquilada por meses con otras tres chicas. Una cocina, un frigorífico diminuto. Ochenta euros a la semana «para ir tirando». Así lo llamaban. De eso vivía. No podía permitirme una Tarjeta Naranja para el Metro. Iba andando a todas partes. Salí en *Vogue*, pero no pude permitirme comprar un ejemplar. Las facturas casi se lo habían comido todo antes de que llegaran los cheques, y los cheques siempre llegaban tarde. Así es como funciona, si eres sólo carne de cañón, y eso es lo que yo era. Dormía en sofás en Nueva York, en el suelo de un apartamento sin electricidad en Milán. Me quedó claro que la industria era extremada y barrocamente disfuncional.

—¿Ser modelo?

—La moda. La gente con la que me relacionaba, aparte de las otras chicas, eran estilistas, gente que resolvía pequeños detalles para las sesiones, ajustaban cosas, buscaban antigüedades, atrezo. Algunos habían acudido a escuelas de bellas artes muy buenas, y eso los frustraba profundamente. No querían ser lo que habían sido educados para ser, y la naturaleza del sistema es que no mucha gente puede serlo, nunca. Pero adquirieron brillantes habilidades para ser estilistas. Y la escuela de bellas artes los había convertido en maestros de una especie de análisis de sistemas. Eran muy buenos comprendiendo cómo funciona realmente una industria, cuáles son los productos de verdad. Cosa que hacían constantemente, sin ser conscientes de que lo hacían. Y yo los escuchaba. Todos eran recolectores.

Hollis asintió, recordando que Pamela había utilizado el término.

—Buscando cosas continuamente. Valor en la basura. Esa capacidad para distinguir una cosa de otra. El ojo para el detalle. Y saber dónde venderlo, claro. Empecé a adquirir eso observando, escuchando. Me encantó, en realidad. Mientras tanto, gasté las suelas de las zapatillas de tanto andar.

—¿Aquí?

—Por todas partes. Mucho Milán. Escuchar a los estilistas dar monsergas sobre la disfunción fundamental de la industria de la moda. Lo que mis amigas y yo hacíamos como modelos era sólo un reflejo de algo más grande, más amplio. Todo el mundo esperaba su cheque. La industria entera se tambalea, en realidad, como un carrito de la compra al que le falta una rueda. Sólo puedes seguir moviéndolo si te apoyas de cierta manera y sigues empujando, pero si te paras, se vuelca. De temporada en temporada, de pase en pase, lo mantienes en movimiento.

Aquello le recordó a Hollis las giras de Toque de Queda, aunque no lo dijo. Dio un sorbo al café sin azúcar, que se enfriaba, y siguió escuchando.

—Mi abuela murió, soy la única nieta, me dejó algo de dinero. Mi agente dejó la empresa, se largaba del negocio. Solicité mi ingreso en Cordwainers College, en la Escuela de Moda de Londres, complementos y calzado. Se acabó ser modelo. Fueron las zapatillas.

—¿Las zapatillas de deporte?

—Las que gasté caminando. Las más feas eran mejor para caminar, las más bonitas se caían en pedazos. Los estilistas hablaban de ellas, porque las llevaba puestas a las sesiones. Hablaban de cómo funcionaba el negocio. Las fábricas en China, Vietnam. Las grandes compañías. Y empecé a imaginar que no fueran feas, y que no se cayeran en pedazos. Y que, de algún modo —y sonrió con tristeza—, no se vieran afectadas por la moda. Había empezado a hacer dibujos. Muy malos. Pero ya había decidido que quería comprender los zapatos, su historia, cómo funcionaban, antes de intentar hacer nada. No es que fuera una decisión consciente, pero fue una decisión a fin de cuentas. Así que solicité mi ingreso en Cordwainers, me aceptaron, me mudé a Londres. O más bien, simplemente dejé de moverme de un lado a otro. En Londres. Puede que me enamorara de la idea de despertar en la misma ciudad todos los días, pero tenía mi misión, las misteriosas zapatillas que no podía imaginar del todo.

—¿Y las creaste al final?

—Dos temporadas. No pudimos librarnos de esa estructura. Pero eso fue sólo después de graduarme. Todavía podría fabricarte un par de zapatillas sorprendente, con mis propias manos, aunque el acabado nunca recibiría el beneplácito de mi tutor. Pero nos lo enseñó todo. Exhaustivamente.

—¿Zapatillas de deporte?

—No de las suelas de molde o la vulcanización, pero podría cortar y coserlas todavía. Usamos un montón de ante para nuestra línea. Muy gruesas y flexibles. Preciosas —miró los cables de seguridad que tenía en la mano—. Mi segundo año allí conocí a alguien, un chico, Danny. Americano. De Chicago. No en Cordwainers, pero conocía a todos mis amigos de allí. Skater. Bueno, no es que practicara mucho. Empresario, más o menos, pero nada demasiado repulsivo. Hacía películas para algunas de las compañías americanas. Vivimos juntos. En Hackney. Tenía Sabuesos —dijo Meredith, alzando la cabeza— antes de que hubiera Sabuesos.

—¿Sí?

—Tenía una chaqueta muy parecida a la tuya, pero hecha con una especie de lona, blanca gastada, botones de latón. Siempre necesitada de un buen lavado. Perfectamente simple, pero era una de esas cosas que todo el mundo quería de inmediato o, al no tenerla, quería el nombre de un diseñador, una marca. Él se reía. Les decía que no tenía nombre. Les decía que era «puñeteramente real, no moda». Que una de sus amistades de Chicago la había fabricado.

—¿Chicago?

—Chicago. De donde era él.

—¿Su amigo era diseñador?

—Nunca la llamó así.

—¿Era una chica?

—Tampoco tenía nombre. No quiso decírmelo. Nunca lo hizo —miró a Hollis fijamente a los ojos—. No creo que fuera una novia. Era más vieja, supuse. Y lo suyo era más una afición que una profesión, por lo que él decía. Hacía las cosas más por sentido de lo que no le gustaba que de lo que le gustaba, si eso tiene sentido. Y era muy buena. Mucho. Pero lo que saqué de todo aquello, en realidad, fue que iba en la buena dirección, con lo que estaba diseñando, mis zapatillas. O en una dirección, al menos.

—¿Cuál era tu dirección?

—Cosas que no estuvieran atadas al momento actual. A ningún momento, en realidad, así que tampoco eran retro.

—¿Qué pasó con tu línea? —preguntó Hollis.

—Negocios. Negocios, como de costumbre. No pudimos inventar un nuevo modelo comercial. Nuestro respaldo no fue suficiente para llevarnos más allá de la disfunción rutinaria. Nos estrellamos y nos quemamos. Puede que haya un almacén lleno de nuestra última temporada en Seattle. Si pudiera encontrarlo y ponerle las manos encima, las ventas en eBay valdrían más dinero que lo que vimos jamás con la línea.

George abrió una ajada bolsa de Galerías Lafayette y Mere metió dentro los cables de seguridad.

—¿Puedo invitaros a cenar? —preguntó Hollis.

—¿Dónde te alojas? —le preguntó George.

—En el Saint Germain. Junto al metro Odéon.

—Conozco un sitio —dijo él—. Haré una reserva para las ocho.

—¿Meredith?

Ésta calibró a Hollis. Entonces asintió.

—Para cuatro, por favor —dijo Hollis.

24
Corazonada

Milgrim estaba sentado a una mesa en el concurrido café del patio, la cámara en el regazo, repasando una y otra vez sus cuatro fotos de Foley.

Las dos de detrás podrían ser útiles si querías enviar a alguien a seguirlo. La de perfil en tres cuartos, contra un resplandor de color de los ochenta, era menos útil. Podría ser cualquiera. ¿Eran de verdad las ropas tan brillantes en los ochenta?

Pero ésta, que había disparado a ciegas, al extender la mano, tras una chica alemana con el pelo teñido, era excelente. La chica lo había mirado con mala cara, por acercarse demasiado. Él había olido su perfume; algo resueltamente inorgánico. El olor de concentración fríamente concentrada, tal vez.

—Lo siento —dijo él, y retrocedió, acariciando la pequeña cámara, preguntándose si había capturado a Foley, que ahora había desaparecido de nuevo.

Bajó la cabeza, recuperó la imagen. Y encontró a Foley, al hacer zum, bien enfocado, algo descentrado. Había visto cómo las gafas de sol de Foley habían dejado leves marcas pardas, y recordó el rectángulo porno que llevaba en el enlace que le había enviado Winnie. La breve visera de la gorra ocultaba su frente, reduciendo gran parte de la información emocional. Sus rasgos eran suaves, como intactos por la experiencia, y confiados, una confianza que Milgrim sospechaba que tal vez no sintiera del todo. Algo que había intentado proteger, a pesar de la situación.

Con la cámara semioculta en la mano derecha, continuó su camino, escrutando el concurrido salón en busca de Foley. Pronto lo encontró, pero al mismo tiempo encontró a Hollis, que escuchaba atentamente a una mujer más joven con vaqueros y una camisa blanca. Hollis lo había visto, estaba seguro. Milgrim, concentrado en la espalda de Foley, que se alejaba, la ignoró, evitando mirarla a los ojos. Cuando Foley bajó las escaleras, él lo siguió, y luego vio cómo salía del edificio.

Había entrado en el patio, pidió un *espresso* y se puso a estudiar sus fotografías.

Ahora apagó la cámara, abrió la pequeña placa de la parte inferior y sacó la tarjeta azul, del tamaño de un sello de correos. ¿Cuándo había utilizado por última vez un sello de correos de verdad? No podía recordarlo. Experimentó una extraña sensación incluso al pensar en uno. Extendió la mano, se subió la pernera de sus pantalones nuevos y escondió la tarjeta bien dentro de sus calcetines, que subió entonces, permitiendo que la pernera volviera a su posición original.

No era un hombre metódico por naturaleza, había dicho su terapeuta, pero el constante estado de emergencia impuesto por su activa adicción le había demostrado las ventajas prácticas del método, que luego se había convertido en una costumbre.

Sacó una tarjeta sin usar del bolsillo interior de su chaqueta y la extrajo, con la dificultad habitual, de su cartoncito. La insertó, cerró la placa y se guardó la cámara en el bolsillo lateral de la chaqueta.

El Neo sonó, desde un bolsillo distinto. Lo sacó. Parecía aún más feo que de costumbre.

—¿Sí?

—Sólo comprobaba tu teléfono —dijo Sleight, de manera poco convincente—. Estamos teniendo problemas con el sistema.

Sleight siempre hablaba de los Neos como un sistema, pero Milgrim no había conocido a nadie, aparte del propio Sleight, que tuviera uno.

—Parece que funciona —dijo.

—¿Cómo van las cosas?

Sleight nunca había hecho un secreto del hecho de que podía

localizar a Milgrim con el Neo, pero sólo se refería a ello si acaso de manera oblicua. El subtexto, ahora, era que sabía que estaba en París. Sabía que estaba en este patio de este edificio, tal vez, dada la cobertura extra de GPS rusos.

Cuando su relación comenzó, Milgrim no quiso cuestionar nada. Sleight había fijado los términos, en cierto modo, y eso había sido todo.

—Está lloviendo —dijo Milgrim, mirando el cielo azul, las nubes brillantes.

Un rato de silencio.

Estaba intentando forzar a Sleight para que admitiera que sabía su localización, pero no sabía por qué. Era algo que tenía que ver con la furia que había sentido, que probablemente sentía todavía. ¿Era buena cosa?

—¿Qué tal en Nueva York? —preguntó Milgrim, perdiendo los nervios.

—Toronto —dijo Sleight—. Empieza a hacer calor. Nos vemos.

Colgó.

Milgrim se quedó mirando el Neo. Algo se desplegaba en su interior. Como un folleto, pensó, más que como una mariposa, que imaginaba que era la imagen más común. Un folleto desagradable, de los que explican los síntomas demasiado a las claras.

¿Por qué había llamado Sleight? ¿De verdad necesitaba comprobar su teléfono? ¿Le proporcionaba a Sleight un breve instante de voz en vivo la oportunidad de manipular el Neo de algún modo que no podía conseguir por otros medios?

Si Milgrim hablaba ahora, se preguntó por primera vez, ¿le oiría Sleight?

De pronto le pareció muy probable que sí podría oírlo.

Se acomodó en su silla de aluminio lacada de blanco, consciente de nuevo de aquella emoción que se suponía era de furia. Podía sentir la bolsa Faraday, conteniendo su pasaporte, colgando del cordón, bajo la camisa. Bloqueando las ondas de radio. Impidiendo que leyeran la IDRF de su pasaporte norteamericano.

Miró el Neo.

Sin tomar conscientemente ninguna decisión, se desabrochó el botón superior de su camisa, sacó la bolsa, la abrió y metió dentro el Neo con su pasaporte. Volvió a meterse la bolsa por dentro de la camisa y se la abrochó.

La bolsa era más abultada ahora, visible bajo la camisa.

Terminó su *espresso*, que se había enfriado y estaba amargo, y dejó algunas monedas sobre la pequeña factura cuadrada. Se levantó, se abrochó la chaqueta por encima del leve bulto de la bolsita y volvió a entrar en el Salon du Vintage. Siguió buscando a Foley, que quizás había regresado.

Se tomó su tiempo para subir las escaleras, y luego se quedó un rato allí de pie, contemplando el póster ampliado de Hollis. Entonces se desabrochó de nuevo el botón, sacó la bolsita, la abrió y cogió el Neo, que sonó inmediatamente.

—¿Diga? —preguntó, mientras se guardaba la bolsita con la mano libre.

—¿Estabas en un ascensor?

—Estaba lleno de chicas japonesas —dijo Milgrim, viendo pasar a una—. Son sólo tres plantas, pero no pude bajar.

—Sólo comprobaba —dijo Sleight, con tono neutral, y colgó.

Milgrim miró al Neo, la extensión de Sleight, preguntándose por primera vez si estaba realmente apagado cuando lo apagaba. Tal vez para hacerlo había que quitarle la batería. Aunque, ahora que lo pensaba, Sleight se lo había prohibido. O sus dos tarjetas, que también tenía prohibido extraer.

Sleight se había dado cuenta de que el Neo estaba dentro de la bolsa Faraday. Milgrim había sido brevemente invisible, como había advertido que le pasaba a veces en los ascensores, por motivos similares.

Dadas todas las otras cosas que Sleight había dicho que podía hacer con el Neo, que lo hiciera funcionar como un micrófono parecía una capacidad muy pobre. Y eso explicaría por qué se habían molestado con el aparato, por estrafalario que fuera. Milgrim había estado llevando un micro encima. Se preguntó si Bigend lo sabría.

Sleight le había dado el Neo en su vuelo de Basilea a Londres, al final del tratamiento. Milgrim lo había llevado encima constantemente desde entonces. Excepto ayer, recordó, cuando Sleight le ordenó que lo dejara en su habitación. Cuando Winnie le sacó la foto. Cuando fue a Hormiga Azul a decírselo a Bigend, y éste le sugirió que ya no se fiara de Sleight. Cuando fue a los grandes almacenes a almorzar con Hollis, y luego volvió a su hotel, donde le estaba esperando Winnie. Así que Sleight se había perdido todo eso, y se lo había perdido porque, si estaba diciendo la verdad, la compañía que fabricaba el Neo se había declarado en bancarrota.

—Qué suerte —dijo Milgrim, y luego dio un respingo, imaginando a Sleight, con su Bluetooth, escuchándolo desde alguna parte. Pero si Foley era uno de los hombres de Sleight, y eso era una posibilidad, ¿cómo había sabido cómo encontrarlo en los grandes almacenes? ¿Estaría siguiendo entonces a Hollis? Pero recordó que Foley era otra de las personas que tenían su foto en la pared de Winnie.

El Neo sonó en su mano.

—¿Sí?

—¿Dónde estás? —era Hollis—. Te vi pasar de largo.

—¿Puedes reunirte conmigo? Junto a la entrada, abajo.

—¿Estás ahí arriba?

—Abajo.

—Voy para allá.

—Bien —dijo él, y colgó. Resistiendo el impulso de silbar para beneficio de Sleight, metió el teléfono en el bolsillo de la chaqueta y luego se la quitó, la envolvió varias veces alrededor del teléfono, sujetó bajo el brazo el bulto resultante y se encaminó hacia las escaleras.

25
Papel de aluminio

Hollis encontró a Milgrim entregándole su chaqueta a la chica japonesa de consigna.

—He terminado —dijo—. Ya podemos irnos, si estás listo.

Él se dio la vuelta, la cogió de la mano y la llevó aparte.

—¿Algo va mal?

—Mi teléfono —dijo Milgrim, soltándole la mano una vez estuvieron al otro lado de la entrada—. Ellos me escuchan con él.

Sombreros de papel de aluminio, gente cuyos empastes emitían mensajes para controlar el pensamiento.

—¿«Ellos»?

—Sleight. Bigend no se fía de él.

—Ni yo tampoco.

No lo había hecho nunca. Y hora que pensaba en Sleight, Milgrim no parecía tan automáticamente loco. Ése era el problema con Bigendland. La gente hacía cosas así. Los que eran como Sleight, al menos. Pero claro, tal vez Milgrim estuviera loco sin más.

O drogado. ¿Y si había recaído? ¿De vuelta al pozo del que lo habían sacado mientras estuvo en Suiza? ¿Dónde estaba aquel tipo medio ausente que había conocido mientras tomaban unas tapas? Parecía ansioso, un poco sudoroso, tal vez enfadado por algo. Parecía una persona cualquiera, advirtió, y eso era lo que le faltaba antes. Aquella carencia era lo que le convertía simultáneamente en alguien tan peculiar y tan olvidable. Estaba mirando a los ojos de alguien que experimentaba la ansiedad de una llegada por sorpresa. Pero la llegada de Milgrim, lo supo de algún modo, era desde dentro. ¿Y todo porque creía haber visto a alguien? Aunque se trataba de alguien, se recordó, que ella misma había creído ver también, en el sótano.

—Lo vi —dijo—. Tal vez.

—¿Dónde? —Milgrim dio un paso atrás, permitiendo que un par de dinámicos vejetes americanos pasaran, dirigiéndose a las escaleras.

A Hollis le parecieron ancianos rockeros de *hair-metal* con ropa cara, y parecían estar hablando de golf. ¿Coleccionaban Chanel antiguo?

—Abajo —respondió—. Pulsé el botón equivocado en el ascensor. Entonces él bajó las escaleras. Creo.

—¿Qué hiciste?

—Volví a meterme en el ascensor. Subí. No volví a verlo, pero estuve ocupada.

—Está aquí —dijo Milgrim.

—¿Lo viste?

—Le saqué una foto. Pamela la quiere. Podría enseñártela, pero no tengo la tarjeta en la cámara.

—¿Está aquí ahora? —Hollis miró alrededor.

—Lo vi salir —Milgrim miró hacia la entrada—. Eso no significa que no haya vuelto.

—Le pregunté a Bigend. Dijo que no había enviado a nadie a vigilarnos.

—¿Lo crees?

—Depende de lo mucho que le importe. Pero tenemos una mala historia pasada. Si me vuelve a dar el coñazo y lo descubro, me largo. Él lo entiende —miró a Milgrim a los ojos—. No estás colocado con nada, ¿verdad?

—No.

—Pareces diferente. Me preocupas.

—Estoy en fase de recuperación —dijo él—. Se supone que tengo que ser diferente. Si estuviera colocado, no lo sería.

—Pareces enfadado.

—No contigo.

—Pero no estabas enfadado antes.

—No se me permitía —dijo Milgrim, y ella oyó su asombro, como si al decir esto hubiera descubierto algo sobre sí mismo que no conocía antes. Tragó saliva—. Quiero descubrir si Sleight le está diciendo dónde estoy. Creo que sé cómo hacerlo.

—¿Qué dijo Bigend sobre Sleight?

—Me advirtió que tuviera cuidado con el Neo.

—¿Qué es eso?

—Mi teléfono. La marca. Ahora está en bancarrota.

—¿Quién?

—La compañía que lo fabrica. Sleight sabe siempre dónde estoy. El teléfono se lo dice. Pero yo lo he notado.

—¿Ah, sí?

—Pensé que Bigend quería que lo supiera. Lo obligó, probablemente. No era un secreto.

—¿Crees que te escucha a través de él?

—Me hizo dejarlo en el hotel ayer. Mientras se cargaba. Lo hace cuando quiere reprogramarlo, añadir o quitar aplicaciones.

—Creía que estaba en Nueva York.

—Lo programa desde donde está.

—¿Está escuchando ahora?

—El Neo está dentro de mi chaqueta. Allí —señaló la consigna—. No debería dejarlo demasiado tiempo.

—¿Qué quieres hacer?

—¿Hizo Hormiga Azul las reservas del hotel?

—Lo hice yo.

—¿Por teléfono?

—A través de la página *web* del hotel. No le dije a nadie dónde estaríamos. ¿Qué quieres hacer?

—Pillaremos un taxi. Sube tú primero, dile al conductor que te lleve a las Galerías Lafayette. Sleight no lo oirá. Luego subiré yo. No digas nada sobre las Galerías Lafayette, ni sobre el hotel. Entonces bloquearé el GPS.

—¿Cómo?

—Tengo un modo. Ya lo he probado. Sleight pensó que estaba en un ascensor.

—¿Y luego qué?

—Me bajaré en las Galerías Lafayette, tú continúa. Desbloquearé el teléfono. Y veré si Foley viene a buscarme.

—¿Quién es Foley?

—El de los pantalones verde follaje.

—Pero ¿y si hay alguien aquí, y siguen al taxi?

—Eso implica mucha gente. Si tienen mucha gente, entonces no hay nada que podamos hacer. Te seguirán a ti también —se encogió de hombros—. ¿Dónde nos alojamos?

—Se llama el Odéon. Igual que la calle. Y está junto al metro Odéon. Fácil de recordar. Tu habitación corre a cuenta de mi tarjeta de crédito y he pagado una noche. Tenemos una reserva para cenar a las ocho, cerca del hotel. A mi nombre.

—¿Ah, sí?

—Con Meredith y George. Descubrí algo, allá arriba, pero creo que tal vez nos enteremos de algo más esta noche.

Milgrim parpadeó.

—¿Quieres que vaya?

—Estamos trabajando juntos, ¿no?

Él asintió.

—Un sitio llamado Les Éditeurs. George dice que se ve desde el hotel.

—A las ocho —dijo Milgrim—. Cuando recoja mi chaqueta, no te olvides que el teléfono está dentro. Sleight. Escuchando. Cuando pillemos un taxi, sube tú primero, dile al conductor que te lleve a las Galerías Lafayette.

—¿Por qué allí?

—Es grande. Los grandes almacenes son buenos.

—¿Lo son?

—Para despistar a la gente.

Volvió a la consigna y le dio a la chica su tique. Ella le entregó la chaqueta y la bolsa negra. Hollis le dio su tique y la chica le trajo su maleta de ruedas.

—*Merci* —dijo Hollis.

Milgrim se había puesto ya la chaqueta y salió por la puerta.

26
Madre rusia

—¿Tienes un *kleenex*? —preguntó Milgrim mientras el taxi giraba a la derecha y se internaba en lo que reconoció como la rue du Temple—. Me molesta la sinusitis —añadió, para que lo oyera Sleight.

Hollis, sentada a su izquierda, tras el conductor, sacó un paquete de su bolso.

—Gracias.

Milgrim sacó tres pañuelos, devolvió el paquete, desplegó uno, lo extendió sobre sus rodillas, y se sacó el Neo del bolsillo. Se lo enseñó, presentándolo desde diferentes ángulos, cosa que le hizo sentirse como si fuera una especie de prestidigitador, aunque no estaba demasiado seguro de cuál podría ser su truco.

El taxi giró a la izquierda, entró en otra calle, una calle con un ángulo pronunciado. Milgrim imaginó a Sleight observando un cursor que representara todo esto en una pantalla. Sin embargo, parecía improbable, aunque no podía imaginar por qué. Sabía que Sleight hacía ese tipo de cosas, constantemente. Podía estar mirando la pantalla de su propio Neo.

Milgrim colocó el teléfono sobre el *kleenex*, depositándolo entre sus rodillas, abrió las otras dos hojas y empezó a pulirlo con cuidado. Cuando terminó, recordó que le había quitado la tapa en el vuelo a Atlanta. Volvió a abrirla ahora, frotando el interior de la tapa de la batería y la cara expuesta de ésta, y luego la sustituyó. Cuando terminó de frotar el exterior, dobló con cuidado el primer pañuelo a su alrededor y se lo metió en el bolsillo. Arrugó los otros dos y se secó las palmas de las manos.

—¿Has estado en París antes? —preguntó Hollis.

Parecía relajada, el bolso sobre el regazo, el cuello oscuro de la chaqueta vaquera vuelto hacia arriba.

—Una vez —respondió él—, cuando acababa de terminar en Columbia. Durante un mes, con otra graduada. Alquilamos un apartamento.

—¿Te gustó?

—Fue agradable estar aquí con alguien.

Ella miró por la ventanilla, como si recordara algo, y entonces volvió a mirar a Milgrim.

—¿Estabais enamorados?

—No.

—¿Tu pareja?

—Sí —respondió él, aunque le pareció extraño decirlo.

—¿No funcionó?

—Yo no estaba disponible. No lo sabía, pero en realidad no lo estaba. Lo supe en Basilea.

Recordó a Sleight, su hipotético oyente. Señaló el bolsillo que contenía el Neo envuelto en papel.

—Lo siento —dijo ella.

—No importa.

Giraron a la derecha, luego a la izquierda otra vez, en un cruce donde Milgrim atisbó un cartel que anunciaba el metro Estrasburgo-Saint-Denis, y se internaron en un tráfico más denso.

Viajaron en silencio durante unos cuantos minutos. Entonces él se desabrochó el botón superior de la camisa y sacó la bolsita Faraday.

—¿Qué es eso?

—La estación de metro —dijo él, para Sleight, y luego se llevó el dedo índice a los labios.

Hollis asintió.

Él abrió la bolsita, introdujo el Neo, luego la cerró.

—Bloquea las señales de radio. Como cuando estás en un ascensor. Si nos estaba escuchando, ahora no puede hacerlo. Y acaba de perder la pista de dónde estamos.

—¿Por qué la tienes?

—Me la dio él. Es para mi pasaporte. Le preocupa que alguien lea el microchip.

—¿Hacen eso?

—La gente como Sleight, sí.

—¿Cómo funciona?

—Tiene fibras metálicas. Cuando lo puse a prueba antes, me perdió. Creyó que estaba en un ascensor.

—Pero si es así de fácil perderlo, ¿por qué te lo dio? —preguntó ella.

—Insistió —respondió Milgrim—. Creo que de verdad le preocupa lo de que se pueda leer el chip. Es algo que él mismo ha hecho.

—Pero te dio el medio para evitar ser vigilado, aquí mismo.

—Cuando lo guardé en la bolsa antes, fue la primera vez que hice algo que sabía que él no quería que hiciera. No me encontraba bien cuando me reuní con él. Trabajaba para Bigend y yo hice lo que me dijeron.

Ella lo miró. Luego asintió.

—Entiendo.

—Pero a Sleight le encantaba, de verdad, tener a alguien que hiciera exactamente lo que él dijera.

—Sí, lo imagino.

—Creo que no pensó que llegaría al punto en que usaría la bolsa con el Neo. Le habría gustado poder contar con eso.

—¿Qué harás en las Galerías Lafayette?

—Esperar a que te vayas y después sacar el teléfono de la bolsa. Y ver quién aparece luego.

—Pero ¿y si nos está siguiendo alguien ahora, a la antigua usanza?

—Dile al taxista que te lleve a una estación de metro. ¿Conoces el metro?

—Más o menos.

—Si eres lista, probablemente podrás perder a cualquiera que intente seguirte.

—Hemos llegado.

Milgrim vio que estaban en Boulevard Haussmann y que el taxista indicaba que iba a parar.

—Ten cuidado —dijo ella—. Si el tipo al que vi en el sótano era él, no me gustó su aspecto.

—No me dio la impresión de que fuera tan bueno, en el Salón —dijo él, comprobando que la correa de su mochila estaba bien asegurada sobre su hombro.

—¿Bueno?

—Peligroso.

Abrió la puerta antes de que el taxi se detuviera del todo. El conductor dijo algo en francés, irritado.

—Lo siento —dijo Milgrim mientras se detenían, y salió y cerró la puerta tras él.

Se volvió a mirar desde la acera, vio a Hollis sonreír y decirle algo al conductor. El taxi volvió a sumergirse en el tráfico.

Entró rápidamente en las Galerías Lafayette y siguió andando, hasta que se encontró bajo el centro de la alta cúpula estilo mezquita de la vidriera. Se quedó allí, mirando, experimentando brevemente el asombro del ratón de campo que había pretendido inducir el arquitecto. Un cruce entre Grand Central y el Brown Palace de Denver, estructuras que apuntaban heroicamente hacia futuros que nunca habían tenido lugar. Amplios balcones rodeaban cada nivel, alzándose hacia la cúpula. Más allá podía ver las partes superiores de los percheros, sin público, pero si hubiera habido algún público, él, Milgrim, habría estado exactamente en el lugar donde la señora gorda cantaría al final.

Sacó la bolsita Faraday, con su cordón, y extrajo el Neo, exponiéndolo a la intrincada sopa de señales que pudiera existir aquí. Dentro de su infantil mortaja de *kleenex*, empezó a sonar.

Sleight había dispuesto las cosas de modo que era imposible desconectar el timbre, pero Milgrim redujo el volumen, del todo, y se guardó el teléfono en el bolsillo lateral de su chaqueta. Vibró unas cuantas veces, y luego dejó de hacerlo. Lo sacó de nuevo, abrió el *kleenex* para comprobar la hora, cuidando de no tocarlo, y luego lo volvió a guardar.

Tenía lo que quedaran de sus trescientas libras, sin cambiar, los euros que Hollis le había dado, más otro fino fajo de euros restantes de su dinerillo de Basilea. Decidió invertir en su propio futuro, mucho más inmediato que el que habían imaginado los fundadores de las Galerías Lafayette.

Se dirigió hacia la sección de caballeros, un edificio separado al lado y seleccionó un par de calzoncillos negros, luego un par de calcetines negros, y los pagó con casi todo su dinero de Basilea. Los billetes de euro le recordaban, oscuramente, a la Tierra del Mañana original de Disneylandia, donde le llevó su madre cuando era niño.

El Neo empezó a vibrar otra vez en su bolsillo, Lo dejó, tratando de imaginar la expresión en el rostro de Sleight. Pero éste sabía dónde estaba, y posiblemente había oído al cajero cuando pagó los calcetines y la ropa interior, lo que Milgrim había hecho sin hablar, con suaves gruñidos de disculpa. Esperaba que el *kleenex* ahogara un poco las cosas, aunque suponía que en realidad no importaba.

Volvió a la zona principal de los grandes almacenes y subió por las escaleras mecánicas hacia reinos de lencería, ropa deportiva, vestiditos negros. De estar seguro de cuánto tiempo disponía, pensó, buscaría la sección de muebles. En los grandes almacenes, las secciones de muebles solían ser oasis de calma. A menudo le resultaban tranquilizadoras. También eran muy buenos sitios donde determinar si te estaban siguiendo o no. Pero en realidad no creía que lo estuvieran siguiendo de esa forma.

Atravesó una sección de Ralph Lauren, luego otra más pequeña de Hilfiger, hasta llegar a una balaustrada que asomaba al atrio central. Al asomarse, vio a Foley cruzar el Boulevard Haussmann. Quítate la gorra, pensó. Un profesional habría hecho eso, al menos, y se habría quitado también la chaqueta.

Cuando Foley llegó casi al punto exacto donde Milgrim se había parado a mirar, se detuvo también, igual que había hecho él, para contemplar la cúpula. Milgrim dio un paso atrás, sabiendo que Foley escrutaría las balaustradas a continuación, cosa que él había hecho.

Sabes que estoy aquí, pensó, pero no sabes exactamente dónde. Lo vio hablar. Con Sleight, imaginó, a través de unos auriculares.

Un momento más tarde Milgrim se encontró a solas en el ascensor, pulsando el botón para el último piso, su módulo de improvisación en marcha. Abierto a la oportunidad.

El ascensor se detuvo en la siguiente planta. La puerta se abrió, y fue rápidamente sujeta por un grueso brazo revestido de gris marengo, el brazo de un hombre grande.

—Es una lástima que ya no vivas aquí en la ciudad —dijo una rubia alta, en ruso, a otra mujer joven que la acompañaba, igualmente alta, igualmente rubia. La segunda rubia metió en el ascensor un enorme cochecito de niño, una especie de lujoso transporte de bebés con tres ruedas bulbosas, un artilugio hecho al parecer con fibra de carbono y sarga, todo gris como el traje del guardaespaldas.

—Vivir en las afueras es una mierda —replicó la conductora del cochecito, en ruso, poniendo el freno de mano con un golpe del dedo—. Una mansión. A dos horas. Perros. Guardias. Mierda.

El guardaespaldas entró, miró sombríamente a Milgrim, que retrocedió, lo más lejos posible, hasta clavarse un pasamanos en la espalda, y miró al suelo. La puerta se cerró y el ascensor empezó a subir. Echó un vistazo subrepticio a las dos mujeres, y lo lamentó de inmediato por la atención que atrajo por parte del acechante guardián. Bajó la cabeza. El megacochecito parecía algo salido de la cabina de un avión caro, quizás el carrito de las bebidas. El bebé que pudiera ir dentro quedaba completamente oculto por una capota o carenado de sarga, probablemente a prueba de balas.

—Seguro que no ha perdido tanto —dijo la primera rubia.

—Todo estaba enormemente apalancado.

—¿Y eso qué significa?

—Que ya no tenemos apartamento en París, y compramos en

las Galerías Lafayette —dijo la conductora del cochecito, amargamente.

Milgrim, que no había escuchado hablar en ruso desde que salió de Basilea, sintió una emoción especial, a pesar de la hosca presencia del guardián y el pasamanos en la espalda. El ascensor se detuvo, la puerta se abrió y una alta adolescente parisina entró. Mientras la puerta se cerraba, advirtió la mirada que el guardia le dirigía a la chica, no menos hosca, pero absoluta. Esbelta, morena, miró de Milgrim a las dos rusas con una especie de benigno desdén, ignorando al guardia.

Cuando el ascensor volvió a pararse y la puerta se abrió, Milgrim se sacó el Neo del bolsillo de la chaqueta y lo metió en un bolsillo de sarga en la parte delantera del supercochecito; lo sintió caer en compañía de lo que supuso eran juguetes, latitas de crema balsámica o tal vez caviar, o lo que hiciera falta para un oligarca infantil. Lo hizo, como un ratero le aconsejó una vez, como si fuera no lo único que cabía esperar, sino lo único que se podía hacer. Miró al guardia, cuyos ojos estaban todavía centrados en la morena, que se volvió entonces, justificablemente aburrida, como una gacela, y salió, dejando atrás al guardia, mientras la conductora del cochecito quitaba el freno y sacaba de espaldas el vehículo del ascensor como si fuera un carro de componentes en una fábrica de tanques.

El guardia se fijó de nuevo en Milgrim, pero salió rápidamente del ascensor, para no perder de vista a sus protegidas.

Él se quedó donde estaba mientras la puerta se cerraba y el ascensor volvía a subir.

—Perros —dijo, para Sleight, que ya no podía oírle—. Guardias.

27

Béisbol japonés

—¿Qué tal por París?

La imagen que apareció con la llamada de Heidi, en el iPhone, tenía una década de antigüedad, en blanco y negro, granulosa. El bajo Fender blanco de Jimmy desenfocado al fondo.

—No lo sé —dijo Hollis. Se hallaba en Sèvres-Babylone, caminando entre andenes, las ruedecillas de su maleta tintineando firmemente, como un metrónomo personal. Había decidido darle a las preocupaciones de Milgrim el beneficio de la duda, y seguir una ruta aleatoria a través del metro, tramos cortos, cambios de línea, bruscos cambios de dirección. Si la estaba siguiendo alguien, no lo había advertido. Pero ahora todo estaba abarrotado, y resultaba agotador, y acababa de decidir dirigirse a Odéon, y el hotel, cuando llamó Heidi—. Creo que he encontrado algo, pero puede que alguien me haya encontrado a mí.

—¿Y eso significa…?

—A Milgrim le pareció ver a alguien aquí qua ya había visto en Londres. En Selfridges, cuando fuiste a cortarte el pelo.

—Dijiste que era un capullo.

—Dije que parecía desenfocado. De todas formas, parece más concentrado ahora. Aunque tal vez sea un capullo.

Al menos la maleta, sin el ejemplar del libro que le había regalado a Milgrim no era demasiado pesada. Y su Air, recordó: él lo tenía todavía.

—¿Tiene allí Bigend gente para ayudaros?

—No lo quise. No les dije dónde me alojaba.

—¿Dónde te alojas?

—En el Barrio Latino —Hollis vaciló—. Un hotel donde me alojé con Garreth.

Heidi insistió.

—¿De verdad? ¿Y fue decisión de Garreth, entonces, o tuya?

—De él.

Llegó al andén, y la multitud que esperaba.

—¿Y con qué mano llevas ahora la antorcha?

—No la llevo.

—Mi culo es peludo.

—No tienes un culo peludo.

—No estés tan segura —dijo Heidi—. El matrimonio.

—¿Qué pasa con el matrimonio?

—Te hace cosas.

—¿Y cómo está el mierda pinchada de un palo?

—En libertad bajo fianza. No sale en la prensa. Ponzi debe quinientos mil dólares ahora. Con el clima actual, les avergüenza ofrecerle la historia al público. Sumas ridículas. Como asesinos en serie extranjeros.

—¿Qué pasa con ellos?

El tren se acercaba.

—Estados Unidos es la capital de los asesinos en serie. Los asesinos extranjeros son como el béisbol japonés.

—¿Cómo estás, Heidi?

—Encontré un gimnasio. Hacky.

—Hackney.

Las puertas se abrieron y la multitud avanzó, llevándose a Hollis consigo.

—Creía que fue allí donde inventaron el saco —dijo, decepcionada—. Más o menos como Silverlake. Preparado. Creativos. Pero el gimnasio es de la vieja escuela. AMM.

Las puertas se cerraron tras ella, el abrazo de la multitud, olores levemente personales, la maleta de ruedas contra su pierna.

—¿Qué es eso?

—Artes marciales mixtas —dijo Heidi, como encantada con una carta de postres.

—No lo hagas —aconsejó Hollis—. Acuérdate de los boxeadores.

El tren empezó a moverse.

—Tengo que irme.

—Bien —dijo Heidi, y colgó.

Seis minutos en la Línea 10 y se encontró en otro andén, Odéon, las ruedas tintineando. Luego plegó el asa de la maleta para subirla por las escaleras, salir a la oblicua luz del sol y el sonido y el olor del tráfico en Saint Germain, todo esto enteramente familiar, como si nunca se hubiera marchado, y ahora el miedo volvió a salir a la superficie, reconociendo que Heidi tenía razón, que se había engañado a sí misma para revisitar la escena de un crimen perfecto. Reactivación ensoñadora de la pasión. El olor del cuello de él. Su biblioteca de cicatrices, jeroglífica, esperando ser explorada.

—Oh, por favor —dijo. Desplegó el asa de la maleta y tiró de ella sobre las baldosas que destrozaban las ruedas, en dirección al hotel. Dejó atrás el puesto de caramelos. Luego el escaparate que ofrecía disfraces. Capas de satén, mascarillas de médico con narices de pene. El coqueto establecimiento en la esquina de dos calles que ofrecía aparatos de masaje hidráulico para los pechos y sueros suizos para la piel empaquetados como si fueran lo último en vacunas.

Entró en el hotel, donde el hombre del mostrador la reconoció, pero no la saludó. Discreción en vez de falta de amabilidad. Le dio su nombre, formalizó la inscripción, confirmó que la habitación de Milgrim corría a cargo de su tarjeta, recibió su llave con un pesado medallón de bronce con la cabeza de un león. Luego entró en el ascensor, más pequeño aún que el del Gabinete, pero más moderno, como una cabina telefónica de bronce pálido. La sensación de estar dentro de una cabina telefónica casi olvidada ya. Cómo se pierden las cosas.

En el pasillo del tercer piso, enormes vigas torcidas descubiertas. Un carrito del servicio de habitaciones con toallas y jabones diminutos. Abrió la puerta de su habitación.

Para su considerable alivio, no era ninguna de las dos en las que se había alojado con Garreth, aunque la vista era virtualmente idéntica. Una habitación del tamaño del cuarto de baño del Gabinete, quizá más pequeña. Todo rojos oscuros y negros y dorado chino: algunos extraños adornos chinos que los decoradores del Gabinete habrían recargado con bustos de Mao y pósteres de heroicos proletarios.

Parecía extraño no estar en el Gabinete, y eso le pareció una mala señal.

Debería buscarme un apartamento, se dijo, advirtiendo que no tenía ni idea de en qué país debería hacerlo, mucho menos en qué ciudad. Dejó la maleta sobre la cama. Apenas había espacio para andar en esta habitación, excepto en un estrecho círculo alrededor de la cama. Esquivó por reflejo la televisión no digital que colgaba del techo en su soporte pintado de blanco. Garreth se había lastimado la cabeza con una.

Suspiró.

Contempló los edificios de enfrente, recordando.

No. Se volvió hacia la cama y la maleta, la abrió. Había traído lo menos posible. Útiles de aseo, maquillaje, medias, zapatos de vestir, ropa interior. Sacó el vestido, lo colgó, descubrió la figurita de Hormiga Azul, que estaba segura de no haber metido en la maleta, sonriéndole burlona. Recordaba haberla echado de menos, en la encimera, junto al lavabo, en el Gabinete.

—Hola —dijo, sobresaltada por la tensión de su voz, mientras la cogía.

La sonrisa de la figurita se convirtió en la sonrisa de Mona Lisa, como cuando ella estuvo delante con Garreth, cogidos de la mano.

Al mirarlo, ella vio que él no miraba la Mona Lisa, sino más bien su escudo de plexiglás, sus monturas, y los invisibles aparatos de seguridad del Louvre que de algún modo le resultaban evidentes.

—Te estás imaginando que lo robas, ¿verdad?

—Sólo académicamente. Ese reborde laminado que tiene debajo, ¿lo ves? Eso es interesante. Habría que ver qué tiene dentro. Es
bastante grueso, ¿no? Tiene su buen palmo. Hay algo dentro. Una
sorpresa.

—Eres terrible.

—Por supuesto —había contestado él, soltándole la mano, acariciando su nuca—. Lo soy.

Hollis depositó la figurita en la mesilla de noche, mucho más
pequeña que el saliente defensivo de la Mona Lisa, y se obligó a sacar de la maleta el resto de sus cosas.

28
Té blanco de pera

El wifi le costó un té blanco de pera.

Milgrim miró la prensa de té de cristal para dos tazas que había en la mesa redonda blanca, más allá del rectángulo mate de aluminio del portátil de Hollis. No estaba seguro de por qué había elegido el blanco de pera. Probablemente porque no era muy aficionado al té, y porque casi todo aquí era blanco. Decidió dejarlo reposar un poco más.

Estaba solo, en esta estrecha tienda blanca, con un montón de té y una chica con un hermoso vestido de algodón almidonado de finas mil rayas grises, no muy distinto a una equipación de tenis. No había pensado que los parisinos fueran bebedores de té, pero si este lugar era alguna indicación, lo preferían en teteras de cristal ultrafrágiles. Las paredes estaban alineadas con estantes blancos, modernos frascos de boticario llenos de materia vegetal seca, más un brillante puñado de estas teteras y prensas iluminados con halógenos. Cubreteteras igualmente minimalistas, en grueso fieltro gris. Unas cuantas plantas verdes. Tres mesitas, cada una con dos sillas.

Desde el exterior, el ocasional chirrido y chisporroteo de un ciclomotor al paso. La calle era casi demasiado estrecha para los coches. Se hallaba en algún lugar del Barrio Latino, si el taxista lo había entendido.

Ahora la chica empezó a dar a los frascos de boticario un repaso con un plumero. Como arte escénico o alguna especie de pornografía altamente conceptual. El tipo de acción que resultaba estar centrada principalmente en las mil rayas. O el té.

Milgrim abrió el portátil fino como un lápiz y lo conectó.

El portátil de Hollis era una representación digital del espacio interestelar. Nubes galácticas malva. ¿Le interesaba la astronomía, o era cosa de Apple?, se preguntó. Imaginó al portátil mostrando una imagen de sí mismo, y de la prensa de té, en la lámina blanca. Y en esa pantalla imaginada, otra imagen idéntica. Reduciéndose, estilo Escher, a unos pocos píxeles. Pensó en el arte del libro de Hollis, y en el Neo, que ahora suponía camino de algún barrio residencial prohibitivo, o allí ya, su propio pequeño esfuerzo en el arte GPS.

Notó que se sentía curiosamente tranquilo respecto a lo que había hecho. Parecía que lo principal era que lo había hecho ya. Estaba resuelto. Pero advertirlo le hizo empezar a recordar a Sleight.

Después del trayecto en taxi desde las Galerías Lafayette hasta un cruce aleatorio cercano, se había sentido relativamente seguro de que se había borrado del mapa de Sleight. Contempló ahora el portátil de Hollis, preguntándose si Sleight no lo habría manipulado también. Aunque ella dijo que era nueva al servicio de Bigend, esta vez al menos.

Abrió el navegador, luego el correo. ¿Podía Sleight verlo hacer eso?, se preguntó. Su dirección, la primera y única dirección de correo electrónico que había tenido, era una de Hormiga Azul. Abrió Twitter. Si comprendía esto correctamente, Sleight podría saber lo que había abierto, pero no podría ver qué estaba haciendo allí. Introdujo su nombre de usuario y su clave.

Y allí estaba Winnie. O lo había estado. «¿Dónde estás?» Hacía una hora.

«Todavía en París. Tenemos que hablar.»

Actualizó el navegador. No hubo respuesta.

La chica del vestido de algodón, tras terminar de limpiar el polvo, lo estaba mirando. Le recordaba, como le pasaba con cierta gente joven, a uno de esos personajes de dibujos animados japoneses, por lo demás bastante realistas, los que tenían los ojos gigantescos estilo Disney. ¿De qué iba todo esto? Parecía ser internacional, fuera lo que fuese, aunque no universal todavía. Era el tipo de cosa que se había acostumbrado a poder preguntarle a Bigend, quien siempre lo animaba, porque, decía, valoraba sus preguntas. Milgrim había salido de una década de lento estupor y era, según Bigend, como alguien que surgía de una cápsula espacial perdida. Barro blando, esperando la marca delatora de un nuevo siglo.

—¿Es un Mac Air? —preguntó la chica.

Milgrim tuvo que comprobar el modelo, al pie de la pantalla.

—Sí —dijo.

—Es muy bonito.

—Gracias —respondió. Consciente de que llamaba la atención, tiró con cuidado del pistón situado sobre la prensa de té, forzando al claro fluido a pasar por una purificadora malla de nailon blanco. Se sirvió un poco en la taza de cristal de aspecto aún más frágil. Dio un sorbo. Complejamente metálico. No parecía té. Aunque tal vez eso era bueno—. ¿Tienen *croissants*?

—*Non* —dijo la chica—, *petites madeleines.*

—Muy bien —dijo Milgrim, señalando su mesa blanca.

Las galletitas de Proust. Era literalmente todo lo que sabía de Proust, aunque una vez había escuchado a alguien argumentar que o bien Proust había descrito de forma incorrecta las madalenas o estaba describiendo otra cosa distinta.

Era la hora de su medicación. Mientras la chica traía las madalenas de la parte trasera del establecimiento, Milgrim cogió el paquetito de su mochila y sacó la ración del día de cápsulas blancas de sus envoltorios de burbujas de papel de aluminio. Por costumbre, las mantuvo ocultas en la palma de la mano. Cuando la chica regresó, ya había guardado el envoltorio, sus tres galletas en un plato cuadrado blanco. Una simple, otra levemente espolvoreada con algo blanco, otra con chocolate negro.

—Gracias —dijo. Mojó brevemente la simple en el té, quizá, por algún tipo de vaga superstición relacionada con Proust, y luego se las comió rápidamente todas. Estaban muy buenas, y la espolvoreada de blanco era de almendra. Terminó y engulló las cápsulas de Basilea con té blanco de pera.

Entonces se acordó de actualizar de nuevo el navegador.

«Sts ahí?» Hacía dos minutos.

«Sí. Lo siento.»

Actualizó.

«Tu tfno no seguro.»

«Portátil prestado. Perdí el teléfono.» Vaciló. «Creo que Sleight me seguía con él.»

Actualizó.

«Lo perdiste?»

«Me deshice de él.»

Actualizó.

«X q?»

Tuvo que pensarlo.

«S le decía a mi seguidor dónde estaba.»

Actualizó.

«Y??»

«Me cansé.»

Actualizó.

«Nada d riesgos, OK? Calma.»

«No quería que supiera dónde estamos.»

Actualizó.

«Dónde estás?»

—Nos quedamos —completó, en voz alta, y entonces escribió: «Hotel Odéon, junto al metro Odéon».

Actualizó.

«Volvéis mañana?»

«Que yo sepa, sí.»

Actualizó.

«Q quiere tu compañera?»

«Vaqueros.»

Actualizó.

«XD! Calma. Estaremos en contacto adiós.»

—Adiós —dijo Milgrim, menos que impresionado con su nueva agente federal. Era como tener una madre joven y desinteresada.

Salió de Twitter y se fue a favoritos; hizo clic en la página que había marcado antes. Foley con una chaqueta de cremallera cerrada un anticuado rectángulo porno. ¿De qué iba esto? Repasó la página, y las cosas empezaron a encajar. Recordó una de las presentaciones en PowerPoint de la chica francesa, allá en el Soho. La fetichización de las fuerzas especiales de élite del mercado, los «operarios». Había citado la guerra de Vietnam como el punto de inflexión de esto, y había ilustrado su razonamiento con *collages* de pequeños anuncios de las últimas páginas de las revistas para hombres ya extintas de los años cincuenta, *True* y *Argosy*: aparatos para hernias, monitos de venta por correo que cabían en tazas de té, cursos de reparación de cortadoras de césped, gafas de rayos X… Estos anuncios, había dicho, constituían una muestra básica del inconsciente de la masa del varón norteamericano poco después de la Segunda Guerra Mundial. Aparte de los ubicuos bragueros y los sustitutos de los bragueros (¿y qué, se había preguntado Milgrim, explicaba aquella epidemia de hernias entre los varones norteamericanos tras la guerra?), este registro difería muy poco del registro equivalente de lo que se encontraba en las últimas páginas de las tiras cómicas de la misma época. Mientras señalaba que cualquiera entonces podía pedir por correo exactamente el mismo rifle italiano excedente que había sido utilizado para asesinar a JFK (sólo por quince dólares, incluyendo gastos de envío), la muchacha francesa dijo que la valoración del varón norteamericano del material militar podía asumirse, que se equilibraba con los recuerdos de la realidad de la guerra, que habían ganado de forma clara. Vietnam había cambiado eso, dijo, mientras pasaba a un nuevo grupo de *collages*. Milgrim no podía recordar exactamente qué eran, pero sabía que ella lo había relacionado con lo que suponía que era la cultura que producía páginas web como ésta.

Foley llevaba su rectángulo porno negro para proteger su identidad, se suponía que quien lo viera pensaría que formaba parte de alguna élite militar. Ella lo había mencionado como una técnica de *marketing*.

Volvió a la imagen de Foley. Era un tipo que no daba especialmente miedo. Milgrim conocía diversos tipos de gente que daba miedo, de su década en la calle. El hombre del peinado raro, en aquel restaurante lleno de polvo en las afueras de Conway, había sido especialmente aterrador. Ese tipo de miedo, para el que no tenía nombre, era difícil de ocultar, e imposible de falsificar. Lo había visto por primera vez en Nueva York, en un joven albano dedicado a la heroína. Sugerencias de pasado militar, otras cosas. Una calma similar, la misma total falta de movimientos superficiales. Foley, empezó a sospechar mientras estudiaba la boca bajo el rectángulo negro, podía ser del tipo de miedo que carecía de sentido, en vez de fuerza. Aunque también había visto a los dos coexistir, más o menos, en el mismo individuo, y eso no había sido nada bueno.

Curioseó por la página. A Bigend le interesaría esto, aunque probablemente su equipo ya se la había enseñado. Era exactamente el tipo de cosa que estaban buscando. Advirtió que no había ni nombres de marcas ni precios. La URL de este sito era una sarta de letras y números. ¿No era tanto un sitio como un señuelo, una engañifa? La página «Sobre nosotros» estaba en blanco, igual que la página de «Pedidos».

El petardeo más intenso de un tubo de escape, en el exterior. Alzó la cabeza para ver pasar una motocicleta negra, despacio, el casco amarillo del motorista volvió una fracción la oscura visera de plástico en su dirección, luego de nuevo miró hacia delante, continuando su camino. Reveló, por un instante, en la parte trasera del casco, unos anchos arañazos blancos en diagonal en el recubrimiento de gel amarillo.

Exactamente el tipo de detalle por el que Bigend le felicitaría por advertir.

29
Escalofrío

—Sleight —dijo Bigend, como si el nombre lo cansara— está preguntando por Milgrim. ¿Está contigo?

—No —respondió Hollis, tendida en la cama, tras la ducha, parcialmente envuelta en varias de las no tan grandes toallas blancas del hotel—. ¿No está en Nueva York? Sleight, quiero decir.

—Está en Toronto —dijo Bigend—. Le sigue la pista a Milgrim.

—¿Ah, sí?

Hollis miró el teléfono. No tenía ninguna imagen icónica de Bigend. ¿Tal vez un rectángulo vacío de Klein Blue?

—Milgrim requirió al principio que se le siguiera mucho la pista. Esa misión recayó en Sleight, en su mayor parte.

—¿Me sigue la pista a mí? —miró la figurita azul.

—¿Te gustaría que lo hiciera?

—No. Sería, de hecho, un incumplimiento del trato. Para ti y para mí.

—Eso fue lo que entendí, naturalmente. ¿Dónde compraste tu teléfono?

—En Apple Store. SoHo. SoHo de Nueva York. ¿Por qué?

—Me gustaría darte otro.

—¿Por qué te preocupa dónde compré éste?

—Me aseguro de que lo compraste tú misma.

—El último teléfono que me diste indicaba dónde estaba, Hubertus.

—No lo volveré a hacer.

—No con un teléfono, al menos.

—No entiendo.

Le dio a la figurita un golpecito con el dedo. La hormiga se tambaleó en su base redonda.

—Ya conoces mis preocupaciones por la integridad de la comunicación —dijo él.

—No sé dónde está Milgrim —repuso ella—. ¿Es todo lo que querías?

—Sleight sugiere que ha dejado París. Que se ha escapado, quizá. ¿Crees que es probable?

—No es fácil de entender. Por lo menos para mí.

—Está cambiando —dijo Bigend—. Eso es lo interesante de alguien en su situación. Siempre hay más cosas de él que llegan *online*.

—Tal vez haya llegado algo que no quiere que Sleight sepa dónde está.

—Si lo ves, ¿quieres pedirle que me llame, por favor? —dijo Bigend.

—Sí, adiós.

—Adiós, Hollis.

Ella cogió la figurita. No pesaba más de lo que recordaba de antes, que era muy poco. Estaba hueca, y al parecer hecha de una sola pieza. Era imposible saber qué tenía dentro.

Se sentó en la cama, envuelta en las toallas ligeramente húmedas, cuando el teléfono volvió a sonar. La foto en blanco y negro de Heidi.

—¿Heidi?

—Estoy en el gimnasio. Hackney.

—¿Sí?

—Uno de mis *sparrings* dice que conoce a tu tipo.

Los dorados garabatos de la caligrafía china falsa de la pared de enfrente parecieron titilar y despegarse, flotando hacia ella. Parpadeó.

—¿Sí?

—Nunca me dijiste su apellido.

—No —dijo Hollis.

—¿Empieza por uve doble, termina por ese?

—Sí.

Una pausa inusitada. Heidi nunca pensaba lo que iba a decir.

—¿Cuándo tuviste noticias de él por última vez?

—Más o menos por la época del lanzamiento de mi libro en el Reino Unido. ¿Por qué?

—¿Cuándo vuelves para acá?

—Mañana. ¿De qué va esto?

—Me aseguro de que Ajay y yo hablamos del mismo tipo.

—¿Ajay?

—Es indio. Bueno, inglés. Descubriré lo que pueda, y luego tú y yo hablaremos.

Y colgó.

Hollis se secó los ojos con la esquina de una de las toallas, devolvió el cepillo dorado a su sitio en el papel de pared de color sangre y sintió un escalofrío.

30

Aparición

Milgrim salió de la tetería blanca y echó a andar en dirección a lo que imaginaba que era el Sena, eligiendo calles que corrían aproximadamente en perpendicular a donde había tomado su té. Se preguntó cómo lo habrían seguido hasta aquí desde el Salon du Vintage. Lo más probable era que directamente en moto.

Si el casco amarillo era realmente el que había visto en Londres, su motociclista era el mensajero que había entregado la foto impresa de Winnie, la foto que él había asumido que Sleight había tomado en Myrtle Beach. La había enviado Pamela, después de que él viera a Bigend, de vuelta al hotel. ¿Sabían quién era Winnie, o lo que era? Todos se hacían fotos unos a otros, y ahora lo tenían a él implicado en lo mismo.

Ahora le pareció caminar por una calle de arte africano de aspecto caro. Grandes estatuas oscuras de madera, en pequeñas galerías, maravillosamente iluminadas. Fetiches repletos de clavos, sugiriendo terribles estados emocionales.

Pero había también una pequeña tienda de fotografía. Entró, compró un lector de tarjetas chino a un amable persa de gafas doradas y elegante chaqueta de punto. Lo guardó en la mochila junto con el portátil de Hollis y su libro. Continuó su camino.

Empezó a sentirse algo menos ansioso, aunque el júbilo que había experimentado después de deshacerse del Neo no era probable que regresara.

La cuestión ahora, decidió, era si el motorista, si es que no se había confundido con el casco, trabajaba para Sleight o para Bigend, o para ambos. ¿Lo había enviado aquí Bigend, o Sleight? Y ya puestos, ¿cómo estar seguro de que Bigend desconfiaba de verdad de Sleight? Por lo que sabía, Bigend no le había mentido nunca, y Sleight siempre había parecido fundamentalmente indigno de confianza. Nacido para traicionar.

Pensó en su terapeuta. Si estuviera aquí, se dijo, le recordaría que esta situación, por muy compleja y amenazante o peligrosa que fuera, era externa, y por lo tanto era completamente preferible a aquella otra en la que se encontraba cuando llegó a Basilea, una situación a la vez interna y aparentemente ineludible.

—No interiorices la amenaza. Cuando lo haces, el sistema se carga de adrenalina, cortisol. Te paraliza.

Buscó el Neo para mirar la hora. Ya no estaba allí.

Continuó caminando, y poco después se encontró en lo que según una placa esmaltada era la rue Git-le-Coeur. Más estrecha, posiblemente más medieval. Empezaron a caer unas cuantas gotas de lluvia, pues el cielo se había encapotado mientras se tomaba el té. Buscó los reflejos de un casco amarillo, aunque naturalmente un profesional podría aparcar la moto y dejar el casco detrás. O, lo más probable, que fuera parte de un equipo. Vio una librería de aspecto mágico, los libros apilados como el estudio de un profesor loco en una película, y se giró buscando evadirse en la lectura. Pero parecía que no sólo eran cómics, incapaces de proporcionar su necesidad de palabras seguidas, sino que además eran en francés. Vio que alguno de ellos eran estilo francés, con aspecto muy literario, pero todos los demás parecían ser de esos donde todo el mundo se parecía a la chica de la tetería, esbeltos y de ojos grandes. Con todo, seguía siendo una librería. Sintió la poderosa necesidad de acurrucarse. De meterse entre los fajos de papeles. De acumular unos cuantos montones tras él y esperar que no dieran nunca con él.

Suspiró y continuó su camino.

Al final de Git-le-Coeur, encontró un semáforo en verde y cruzó el denso tráfico de lo que ahora recordó era el Quai des Grand Agustins, y luego bajó presuroso un empinado tramo de escalones de piedra. Que también recordó. Un día soleado, años antes.

Había un estrecho paseo directamente junto al río. Una vez en él, sólo podían verte desde arriba asomándose mucho. Alzó la cabeza, esperando, previendo la aparición de un casco, una cabeza, o varias cabezas.

Fue consciente de un motor, en el agua. Se volvió. Un oscuro velero de madera de banda verde pasaba pilotado por una mujer con pantalones cortos, un chubasquero amarillo y gafas de sol, muy alerta al timón.

Milgrim se volvió a mirar la balaustrada. Nada. Las escaleras estaban también vacías.

Advirtió un hueco y se protegió allí dentro de la lluvia cada vez más insistente.

Y entonces un barco más largo y más ancho salió a través del arco de un puente cuyo nombre ya no recordaba. Como los barcos que transportaban turistas, para que los niños parisinos escupieran desde los puentes, pero éste iba equipado con una larga pantalla de plasma que se extendía por casi toda su eslora, y tenía tal vez unos tres metros y medio de altura.

Y en esta pantalla, mientras pasaba, vio al agradable joven de aspecto simiesco con el que Hollis estaba hablando en el Salon du Vintage, sus rasgos inconfundibles, tocando un órgano o un piano, sus ojos hundidos ensombrecidos por la luz del escenario, parte de un grupo musical.

No había ningún sonido, aparte del suave tamborileo del motor del barco, y entonces los píxeles se contrajeron, colapsando la imagen, y luego volvieron a desplegarse, para revelar a aquellas dos tediosas rubias islandesas, las gemelas con las que Bigend aparecía de vez en cuando misteriosamente. Las Dottir, contorsionándose con sus estrechos vestidos de lentejuelas en la pantalla mojada por la lluvia, las bocas abiertas como gritando en silencio.

Milgrim dejó la mochila, con cuidado, en el suelo bajo el arco y estiró el hombro dolorido, viendo pasar a las Dottir, misteriosamente, en el agua oscura.

Cuando dejó de llover y siguió sin aparecer nadie, se colgó la mochila del otro hombro y continuó su camino, hacia el puente. Subió unas escaleras distintas pero igualmente largas, y luego volvió a cruzar el concurrido Grands Agustins y entró de nuevo en el Barrio Latino, encaminándose hacia la dirección aproximada por la que había venido.

Los adoquines eran brillantes y resbaladizos, el mobiliario urbano casi desconocido, la tarde caía rápidamente. Y fue aquí, cuando se acercaba a otro cruce casi aleatorio, cuando tuvo la experiencia.

En un entorno, como habían dicho, de clara realidad.

Siempre le había repelido la idea de los alucinógenos, las drogas psicodélicas, los delirios. Su idea de una droga deseable era una que volviera las cosas más familiares, más inmediatamente reconocibles.

En Basilea, lo habían interrogado a conciencia, durante el principio de su desintoxicación, sobre las alucinaciones. ¿Había experimentado alguna? No, les había dicho. No… ¿Bichos? Ningún bicho, les había asegurado. Le habían explicado que un posible síntoma de su síndrome de abstinencia podría ser lo que llamaban «alucinaciones en un entorno de clara realidad», aunque Milgrim se había preguntado cómo podían asumir que su realidad, en ese punto, era clara. Los bichos, fueran los que fuesen, no habían venido nunca, para su enorme alivio, pero ahora vio, brevemente pero con peculiar claridad, un pingüino volador cruzar la intersección ante él.

Algo con completa forma de pingüino, de metro veinte o metro y medio de altura, desde el pico hasta las patas, y hecho al parecer de mercurio.

Un pingüino envuelto en espejo fluido, reflejando un poco de neón de la calle de abajo. Nadando. Moviéndose como se mueve un pingüino bajo el agua, pero surcando el aire del Barrio Latino, justo por encima de la altura de las ventanas de los primeros pisos. Se movía por el centro de la calle que cruzaba la que había venido siguiendo. De modo que sólo quedó al descubierto cuando cruzó la intersección. Nadando. Impulsándose, de forma graciosamente decidida pero eficaz, con sus aletas de mercurio. Entonces cruzó una moto en dirección contraria.

—¿Ha visto eso? —le preguntó Milgrim al motorista, quien naturalmente ya se había ido, y en cualquier caso no podría haberlo oído nunca.

31

Maquinarias secretas

Hizo todo lo posible por controlar su creciente intranquilidad tras la conversación con Heidi. Se puso las medias, el vestido que había traído, los zapatos, el maquillaje. El cuarto de baño no era más que una especie de hueco con menos espacio que la ducha wellsiana del Gabinete.

Era mejor no empezar a preocuparse por la seguridad de Garreth, se había dicho sabiamente a sí misma cuando comenzaron, no fuera a ser que no dejara de hacerlo nunca. Hacer cosas muy peligrosas era su vocación. Aunque carecía de las pequeñas fuentes de ingresos de ella, una música retirada, antaño algo popular, tenía al viejo, que no parecía muy distinto a las últimas fotos de Samuel Beckett, los ojos de una ferocidad igualmente sorprendente, posiblemente loco. El viejo, que supuestamente había sido algo, nunca especificado, en el mundo del espionaje norteamericano, era el productor-director de Garreth en una continuada secuencia de obras de *performance* encubiertas. Financiadas, según había podido deducir, por otros miembros retirados de esa comunidad. Unos vejestorios renegados, evidentemente atraídos por la repulsa compartida hacia ciertas políticas y tendencias del gobierno. Hollis no había vuelto a verlo, después de Vancouver, pero había seguido siendo una presencia en segundo plano durante todo el tiempo que estuvo con Garreth, como una radio que suena en voz baja en una habitación cercana. La voz más frecuente en todos los teléfonos de corta vida de Garreth.

Imaginaba que el viejo no habría aprobado su relación, pero el polivalente Garreth habría sido imposible de sustituir. Un hombre cuya idea de divertirse era lanzarse desde lo alto de los rascacielos con un traje de nailon con membranas aerodinámicas cosidas entre las piernas, y de los brazos a los muslos: una ardilla voladora humana, entre letales e implacables torres de vidrio y acero. Nada de eso pegaba con Hollis, como había señalado Heidi en su momento. Tampoco era su tipo. Atletas, soldados, nunca. Le gustaban los artistas de todo tipo y por desgracia también los híbridos marrulleros: hombres de negocios con personalidades tan exigentes como perros ambiciosamente cruzados. Era lo que había conocido, antes, y lo que había comprendido de formas generalmente infelices. No locos de Bristol que saltaban desde las alturas, que llevaban jerséis de cuello alto sin tener que considerar primero las implicaciones y citaban completos los poemas menos populares de Dylan Thomas. Porque él había dicho que no sabía cantar. Y mientras pintaba *graffitis* en las maquinarias secretas de la historia. Garreth. Ahora ella aceptaba más o menos, en el ascensor de bronce que bajaba, que lo amaba de verdad. No obstante, se retractó rápidamente, antes de que la sacudida anunciara el vestíbulo de Odéon.

Llevaba la chaqueta Sabuesos, abierta, por encima del vestido, esperando que su oscuridad la hiciera pasar por una especie de chaquetilla torera. Cuánto tiempo pasaría ante de que esta clase de mal emparejamiento en el vestir hiciera pensar que era una indigente. Ésa sería la preocupación de Bigend, supuso, y su charla de viejos bohemios.

Saludó al hombre del mostrador, que leía una novela. Se subió el cuello de la chaqueta, produciendo una leve vaharada selvática de índigo, que dejó flotando en el vestíbulo del hotel.

El aire había quedado limpio por la lluvia, y las aceras resplandecían. Las ocho menos diez, según su iPhone. Tal como habían dicho George o Meredith, podía ver Les Éditeurs delante, no en esta calle, sino en la siguiente, en la esquina. Echó a andar, pasó la elegante perfumería y luego giró de nuevo a la derecha, pues no quería llegar la primera. Esta calle mucho más estrecha que retrocedía bruscamente, tras el hotel, era el hogar de una librería de libros en inglés de segunda mano, un bar de copas, un restaurante japonés de aspecto serio, un encuadernador y un lugar que parecía especializado en equipo de reflexología chino: aparatos de masaje de pinta sádica, libros de instrucciones, modelos de cuerpos y partes de cuerpos marcados con meridianos y puntos de presión. Aquí, por ejemplo, había una oreja de porcelana muy grande que parecía idéntica a la que había en la habitación de Heidi en el Gabinete. Sabía que había visto una antes.

Se dio la vuelta, se acercó a la ventanita del encuadernador. Se preguntó por su clientela. ¿Quién pagaría el precio que fuera para recauchutar libros viejos, hasta este alto nivel de calidad, un arreglo exquisito para unos pensamientos antiguos? Bigend, tal vez, aunque cualquier tendencia bibliófila que pudiera albergar estaba bien oculta. Todavía no había visto ningún libro en ningún entorno suyo. Era una criatura de pantallas, de extensiones vacías de escritorios o mesas, de estanterías vacías. Que ella supiera, no poseía ninguna obra de arte. Sospechaba que lo consideraba una competencia, ruido a su señal.

Uno de los libros tenía forma de abanico, o más bien de cuña de tarta de piel de becerro envuelta en marfil repujada de dorado, el pico limpiamente mordido, cóncavo.

La calle estaba completamente desierta. Dijo una oración por Garreth. ¿Para qué?, no lo sabía. El universo no era digno de confianza. Ni esas máquinas en las que él pintaba. Por favor.

El libro-abanico la miró con suficiencia, inmaculado, su contenido falto de lectores quizá desde hacía siglos.

Hollis se dio media vuelta y echó a andar hacia Odéon. Cruzó, continuó hacia el restaurante.

Cierto sentido residual de la fama le dijo que fuera había *paparazzis*. Parpadeó, siguió andando. Sí, allí estaban. Conocía el lenguaje corporal, esa nerviosa pero negligente pretensión de no importarles nada. Una especie de furia, nacida del aburrimiento, esperando. Bebidas intactas en los manteles rojos, las más baratas. Teléfonos al oído. Unos cuantos con gafas de sol. La vieron acercarse.

Por instinto, esperó que el primero alzara una cámara. Esperó el sonido del recolector de imágenes impulsado por la máquina. Tensó los músculos de la pelvis. Preparada para huir o para mostrar su mejor aspecto.

Sin embargo, nadie la fotografió. Aunque la vieron acercarse. No era el objetivo. No lo había sido desde hacía años. Pero ahora era temporalmente una persona de interés, al haber aparecido aquí. ¿Por qué?

El interior de Les Éditeurs era Deco, pero no del tipo de cromo y falso ónice. Cuero rojo, el color de las uñas de los años cincuenta, madera marrón claro barnizada, libros de adorno encuadernados en cuero, retratos enmarcados en blanco y negro de rostros franceses que ella no reconoció.

—No tenía por qué enviarte —dijo Rausch, su antiguo editor de la inexistente *Nódulo*, la revista fantasma de cultura digital de Bigend—. Todo está saliendo muy bien.

La miraba por encima de sus gruesas gafas negras, que parecían haberse cerrado en torno a lo que quedaba de su campo de visión. Su pelo negro daba la impresión de que le habían amasado el cráneo.

—No me ha enviado nadie. ¿Qué estás haciendo aquí?

—Si no te ha enviado él, ¿qué estás haciendo aquí?

—Voy a reunirme con alguien para cenar. En París, por asuntos de Hubertus, pero nada que tenga que ver contigo. Tu turno.

Rausch se acarició la frente, se pasó los dedos, exasperado, por los rizos que no tenía.

—Fridrika. Las Dottir. Lanzan el nuevo álbum esta semana. Está aquí con Bram —dio un respingo, por reflejo.

—¿Quién es Bram?

—Bram, de los Stokers. Una cosa de vampiros —parecía cortado—. Se supone que era su pareja, pero ahora está con Fridrika. En Estados Unidos, *People* está de parte de Fridrika, *US* de Eydis. Por aquí no lo tenemos tan claro todavía, pero lo sabremos mañana.

—¿No es un poco vieja esa táctica?

Rausch se retorció.

—Bigend dice que ése es el tema. Dice que es un doble revés, tan sensiblero que es nuevo. Bueno, nuevo no, pero reconfortante. Familiar.

—¿Por eso está siempre con ellas? ¿Son clientas de Hormiga Azul?

—Es íntimo de su padre —dijo Rausch bajando la voz—. Es todo lo que sé.

—¿Quién es su padre?

Le pareció extraño que las gemelas tuvieran padre. Consideraba que habían sido decantadas o algo por el estilo.

—Un tipo importante en Islandia. En serio, Hollis, ¿de verdad que no te ha enviado?

—¿Quién decidió que vinieran aquí?

Había localizado el pelo platino de una de las gemelas al fondo de Les Éditeurs, pero ya había olvidado cuál había dicho Rausch que era. Sentada ante una mesa con un joven alto y ancho de hombros, muy pálido, un ojo oculto por un tupido mechón de pelo negro de aspecto mustio.

—Fui yo. No es demasiado molón. Parece que lo eligieron al azar. No se desviará de la narrativa.

—Entonces, a menos que una de las personas con las que voy a cenar sea un topo de Bigend, se trata de una coincidencia.

Rausch se la quedó mirando, lo que en realidad quería decir, lo sabía, que estaba asustado.

—¿De verdad?

—De verdad.

El *maître* se acercó, impaciente.

—Overton —le dijo Hollis—, mesa para cuatro.

Cuando se volvió hacia Rausch, se había marchado. Siguió al *maître* a través del restaurante abarrotado, hasta el lugar donde estaban sentados George y Meredith.

Él se levantó a medias, saludándola con el típico beso en el aire. Llevaba un traje oscuro, sin corbata, camisa blanca. Un pequeño triángulo de ultradenso vello en el pecho, en el cuello abierto de la camisa, hacía que pareciera que llevaba una camiseta negra. A Hollis le pareció que la barba sin afeitar le había crecido desde la última vez que lo vio. Sonrió con pesar, los dientes blancos parecían del tamaño y el grosor de piezas de dominó.

—Lo siento. No tenía ni idea. Elegí este sitio para que pudiéramos charlar y que no nos distrajera la comida —se sentó mientras el *maître* le sujetaba la silla a Hollis.

Cuando se marchó, dejando gruesos menús encuadernados, Meredith dijo:

—Podríamos haber ido ahí enfrente, al Comptoir. Nos habría distraído en cantidad.

—Lo siento —dijo George—. Aquí la comida es bastante buena. Por desgracia, parece que el pobre Bram es el plato principal.

—¿Lo conoces?

—Más o menos. Tiene talento. Cuestión de suerte, supongo.

—¿El trabajo en el estudio con Reg ya no parece tan terrible?

—No desde nuestra conversación de esta tarde —sus grandes y sólidos dientes volvieron a aparecer. Hollis pudo ver por qué le gustaba a Meredith. De hecho, pudo ver que así era. Desprendían esa cosa agradable al contacto que esperaba de parejas que se apreciaban de forma genuina, pero no maniática. Se preguntó si habría sido alguna vez la mitad de una de esas parejas.

—Tu amigo está con Fridrika Brandsdottier —dijo, recordando el nombre.

—Evidentemente —reconoció George.

—No se conocerán en sentido bíblico, supongo —dijo Meredith, mirando por encima del menú la mesa Bram/Brandsdottir.

—Para nada —contestó él—. Es gay.

—Eso debe hacer que resulte aún más embarazoso —dijo Hollis, abriendo su menú.

—Hará lo que tenga que hacer —repuso George—. Está buscando un modo de salir de todo este rollo de los vampiros. Es un coñazo.

Apareció Milgrim, el pelo mojado, seguido por el preocupado y oficioso *maître*.

—Hola —saludó Hollis—, siéntate.

Convencido de que Milgrim iba a ser uno de los comensales, aunque no le hacía mucha gracia tenerlo allí, el *maître* se retiró. Entonces él se quitó la mochila del hombro, la depositó en el suelo, junto a la silla restante y se sentó.

—Éste es mi colega, Milgrim —dijo Hollis—. Milgrim, Meredith Overton y George. Como tú, George sólo tiene un nombre.

—Hola —saludó Milgrim—. Os vi en la feria de ropa.

—Hola —dijo George.

Meredith miró a Hollis.

—A Milgrim y a mí nos interesan los Sabuesos de Gabriel —la informó Hollis.

—Objetos volantes no identificados —le dijo Milgrim a George—. ¿Crees en ellos?

Los ojos de George se entornaron bajo su única ceja.

—Creo que lo que parecen ser objetos, volantes, a veces se ven. Y pueden ser desconocidos.

—¿No has visto uno? —Milgrim se inclinó hacia un lado y hacia abajo, para empujar la mochila bajo la silla. Miró a George, desde muy cerca del mantel—. ¿No?

—No —contestó con cuidadosa neutralidad—. ¿Tú sí?

Se enderezó. Asintió.

—Pidamos, ¿queréis? —dijo Hollis rápidamente, agradecida por la llegada de la camarera.

32
Postagudo

La camarera se marchaba con el pedido, llevándose consigo los gruesos menús, cuando estalló un incidente en una mesa al otro lado de la sala.

Voces elevadas. Un joven alto, ancho de hombros, vestido de negro, los rasgos pálidos y hoscos, se puso de pronto en pie, derribando su silla. Milgrim vio cómo se dirigía hacia la puerta y salía de Les Éditeurs. Le recibió una oleada de flashes electrónicos y tuvo que alzar el brazo para protegerse los ojos o esconder su rostro.

—No ha tardado mucho —dijo George, que untaba de mantequilla una rebanada de *baguette*. Tenía manos elegantemente velludas, como un caro animal disecado austríaco. Mordió la mitad del pan con mantequilla con sus grandes dientes blancos.

—Todo lo que pudo soportar —dijo Meredith, cuya inteligencia se abría paso a través de su belleza, como el contorno de una maquinaria implacable que presionara contra un tenso pañuelo de seda.

Al girar el cuello, Milgrim distinguió a una de las Dottir, el pelo platino inconfundible, en la mesa que el joven había abandonado. Después del pingüino de metal líquido, esto no le pareció tan extraño. Sentía como si estuviera en una especie de viaje. Vio que ella recogía sus cosas. Comprobó la esfera de su enorme reloj de oro.

—Las vi —dijo Milgrim—, a las Dottir. En el río. En un vídeo —se volvió hacia George—. También te vi a ti.

—Es por el lanzamiento de un álbum —contestó él—. Ellas tienen nuevo disco. Nosotros no, pero compartimos sello.

—¿Quién era ese que se ha marchado?

—Bram —dijo Hollis—, el cantante de los Stokers.

—No lo conozco —repuso Milgrim, cogiendo una rebanada de pan para darle a sus manos algo que hacer.

—No tienes trece años, ¿no? —le preguntó Meredith.

—No —reconoció Milgrim, metiéndose el trozo de pan entero en la boca. Oral, llamaba a eso su terapeuta. Decía que tenía mucha suerte de no haber fumado nunca. El pan era firme, esponjoso. Lo mantuvo en la boca un momento antes de empezar a masticar. Meredith lo observaba. Él miró hacia la mesa de la Brandsdottir, donde alguien sujetaba la silla a la Dottir que fuera mientras se levantaba.

Vio que esa persona era Rausch y casi escupió el pan.

Desesperado, buscó la mirada de Hollis. Ella parpadeó, ese tipo de parpadeo sin esfuerzo que ni implica ningún otro rasgo, un parpadeo que Milgrim nunca podría haber conseguido, y tomó un sorbo de vino.

—George toca en un grupo de música, Milgrim —dijo, y él supo que hablaba para calmarlo—. Los Bollards. Reg Inchmale, que era el guitarrista de Toque de Queda conmigo, produce su nuevo álbum.

Milgrim, masticando y tragando el pan súbitamente reseco, asintió. Tomó un sorbo de agua. Tosió en la almidonada servilleta de tela. ¿Qué estaba haciendo aquí Rausch? Miró hacia atrás, pero no lo vio. Cuando la Dottir llegó a la puerta se produjo una segunda oleada de flashes, un brillo entrecortado y acumulativo, del color de su pelo. Miró de nuevo a Hollis. Ella asintió, un gesto casi invisible.

Dedujo que George y Meredith no eran conscientes de la relación que Hollis tenía con Hormiga Azul ni, ya puestos, de la suya propia. Sabía que las Dottir eran clientas de Hormiga Azul. O, más bien, su padre, a quien Milgrim no había visto nunca era una especie de gran proyecto de Bigend. Posiblemente incluso socio. Algunas personas, Rausch incluido, daban por hecho que el interés de Bigend en las hermanas era sexual. Pero él, por su posición intermitentemente privilegiada como complemento para las conversaciones de Bigend, consideraba que no era así. Bigend escoltaba alegremente a las gemelas por todo Londres como si fueran un par de perros tediosos, pero astronómicamente valiosos, la propiedad de alguien a quien deseaba impresionar por encima de todas las cosas.

—Los Stokers pertenecen a un sello diferente —explicó George—, pero forman parte de la misma compañía. Los publicistas han preparado un romance falso, entre Bram y Fridrika, pero también han dejado caer el rumor de que Bram y Eydis están liados.

—Es una táctica muy antigua —dijo Meredith—, y curiosamente obvia con unas gemelas idénticas.

—Aunque es nueva para su público y para el de Bram —dijo George—, que como bien señalas tiene trece años.

Milgrim miró a Hollis. Ella le devolvió la mirada. Sonrió, diciéndole así que éste no era el momento para hacer preguntas. Se quitó la chaqueta Sabuesos, dejándola reposar en el respaldo de su silla. Llevaba un vestido del color del carbón gastado, un gris que era casi negro. De punto ajustado. Milgrim miró el vestido de Meredith por primera vez. Era negro, un grueso tejido brillante, las costuras de adorno como una antigua camisa de trabajo. No entendía la ropa de las mujeres, pero le pareció reconocer algo.

—Tu vestido es muy bonito —le dijo.

—Gracias.

—¿Es un Sabuesos de Gabriel?

Meredith alzó las cejas una fracción. Miró de Milgrim a Hollis, y luego de nuevo a Milgrim.

—Sí que lo es.

—Es precioso —dijo Hollis—. ¿De esta temporada?

—No hacen temporadas.

—Pero ¿es reciente? —Hollis miró muy seria a Meredith por encima del borde de su copa levantada.

—Soltado el mes pasado.

—¿En Melbourne?

—Tokio.

—¿Otra muestra de arte? —Hollis terminó el vino de su copa. George le sirvió más. Señaló con el cuello de la botella preguntándole a Milgrim antes de ver su copa invertida.

—En un bar. Un microrrestaurante de temática tibetana. Nunca llegué a enterarme de dónde. El sótano de un edificio de oficinas. El dueño duerme encima de las vigas falsas que puso, aunque eso es un secreto. Los de Sabuesos no han hecho cosas específicamente para mujeres. Una falda tejida que nadie ha podido copiar, aunque todo el mundo lo intenta. Tu chaqueta es unisex, aunque no se note. Algo que tiene que ver con esas tiras elásticas de los hombros.

Parecía molesta, pensó Milgrim, pero muy controlada.

—¿Sería mucho preguntar cómo sabías que tenías que estar allí?

Llegaron los primeros platos, y Meredith esperó a que la camarera se marchara antes de responder. Cuando lo hizo, parecía más relajada.

—No estoy conectada directamente —le dijo a Hollis—. Llevo años sin mantener contacto con ese amigo del que te hablé, el que conocí en Cordwainers. Pero me presentó a otras personas. No mantengo tampoco el contacto con ellos, y no sé cómo hacerlo. Pero me pusieron en una lista de correo. Recibo un correo electrónico si va a haber una suelta. No sé si me avisan cada vez que hay una suelta, pero no hay manera de saberlo. No son frecuentes. Desde que llevé a Clammy a comprar sus vaqueros en Melbourne, sólo ha habido dos correos. Praga y Tokio. Da la casualidad de que yo estaba en Tokio. Bueno, en Osaka. Me acerqué.

—¿Qué ofrecían?

—Comamos, ¿quieres?

—Por supuesto —dijo Hollis.

El plato de Milgrim era salmón, y muy bueno. La camarera les había permitido pedir a partir de una traducción inglesa del menú. Miró alrededor, tratando de localizar de nuevo a Rausch, pero no lo vio. Un cambio de clientela estaba todavía en marcha, mientras gente que supuso que sólo había estado aquí esperando a que saliera

Bram pedía la factura y se marchaba, algunos dejando la comida intacta. Las mesas eran despejadas rápidamente, preparadas, y ocupadas. El nivel de ruido aumentaba.

—No quiero que ninguno de los dos piense que estoy menos dispuesta a ayudaros con Inchmale —dijo Hollis—, no importa lo que podáis decirme o no sobre los Sabuesos.

Milgrim vio que George dirigía una rápida mirada a Meredith.

—Lo agradecemos —dijo él, aunque Milgrim no estaba seguro de que ella pensara lo mismo. Tal vez George usaba el plural del grupo musical.

—Lo único que os hace falta con Inchmale es que alguien os diga en qué punto del proceso estáis —dijo Hollis—. Y eso es todo lo que en realidad puedo hacer. No podéis cambiar el proceso, y si lo intentáis e insistís mucho, se marchará. Hasta ahora, vais bien encaminados.

Nada de esto tenía ningún significado para Milgrim, que disfrutaba del salmón con una salsa ligera y helada.

—Lo siento —respondió Meredith—, pero vas a tener que decirnos para quién trabajas.

—Si fuera mejor en estas cosas —dijo Hollis—, empezaría hablando de mi libro. Trata de arte locativo.

—No conozco el término —repuso Meredith.

—Es lo que ahora llaman realidad aumentada —le aclaró Hollis—, pero es arte. Existe desde antes de que el iPhone empezara a convertirse en la plataforma por defecto. Es entonces cuando lo escribí. Pero lo que quería decir es que si pretendiera mentiros, os hablaría de eso, y os diría que estoy escribiendo otro libro, sobre tela vaquera esotérica, o estrategias locas de *marketing*. Pero no lo haré. Trabajo para Hubertus Bigend.

El último trozo de salmón se le quedó atascado en la garganta. Milgrim bebió agua, tosió en su servilleta.

—¿Te has atragantado? —preguntó George, que parecía capaz de efectuar una maniobra Heimlich óptima.

—No, gracias —respondió.

—¿Hormiga Azul? —preguntó Meredith.

—No —dijo Hollis—. Somos *freelances*. Bigend quiere saber quién está detrás de los Sabuesos de Gabriel.

—¿Por qué? —Meredith había soltado su tenedor.

—Posiblemente porque piensa que alguien le está superando en algo que considera que tendría que haber sido su propio juego. O eso sugirió. ¿Lo conoces?

—Sólo por su reputación.

—¿Está haciendo Hormiga Azul la publicidad de vuestro grupo? —le preguntó Milgrim a George, después de beber más agua.

—No que yo sepa. El mundo es ya demasiado pequeño.

—No soy empleada de Hormiga Azul —dijo Hollis—. Bigend me ha contratado para que investigue los Sabuesos de Gabriel. Quiere saber quién los diseña, cómo funciona su plan *anti-marketing*. Sólo estoy preparada para seguir la pista. No para mentirte.

—¿Y tú? —le preguntó Meredith a Milgrim.

—No tengo placa.

—¿Qué quieres decir?

—Para abrir la puerta de Hormiga Azul —explicó él—. Los empleados tienen esas placas. Yo no estoy en nómina.

Retiraron los primeros platos. Llegaron los segundos. El de Milgrim era solomillo de cerdo, erguido como una corpulenta pieza de ajedrez, una torre de cerdo. Se derrumbó cuando empezó a comerlo.

—¿Cuánto quiere saber Bigend? —Meredith dejó el cuchillo y el tenedor sobre la mesa.

—Quiere saberlo *todo*, básicamente —dijo Hollis—, todo el tiempo. Ahora mismo, quiere con todas sus ganas saber qué es esto. ¿El mes que viene? Tal vez no tanto.

—Debe tener un montón de recursos. Para conseguir información —Meredith cortó su medallón de filete.

—Se enorgullece de ello.

—Mencioné que creo que la mayor parte de mi última temporada de zapatos están en un almacén de Seattle. Tacoma, posiblemente.

—¿Sí?

—No sé dónde. No puedo encontrarlos. Los abogados dicen que podrían presentar un caso muy convincente para ejercer mi propiedad, si pudieran localizarlos. Estamos bastante seguros de que no los han saldado, o de otro modo habrían aparecido en eBay. No lo ha hecho nadie. ¿Podría encontrármelos Bigend?

—No lo sé —dijo Hollis—. Pero si él no puede, no sé quién podría.

—No sé qué podría descubrir para vosotros, aunque suponiendo que encontrara algo, consideraría un intercambio. De otra forma, no.

Milgrim miró de Meredith a Hollis y viceversa.

—No estoy autorizada para hacer ese tipo de trato —dijo Hollis—, pero puedo presentarle la propuesta.

Todo esto le recordó a Milgrim el ritmo de cierre de ciertos trapicheos con drogas, donde una parte tal vez conozca a alguien con una furgoneta Aerostar, llena de alguna materia prima, mientras que otra es consciente del paradero cercano de una máquina para fabricar pastillas realmente eficiente.

—Hazlo, por favor —dijo Meredith sonriendo, y entonces tomó un primer sorbo de vino.

—Ha estado muy bien —le dijo Milgrim a Hollis después de despedirse de Meredith y George en la puerta del restaurante—. El momento preciso. Cuando les dijiste lo de Bigend.

—¿Qué otra posibilidad tenía? Si les hubiera dicho lo contrario, les habría mentido. El hotel está por allí.

—Yo nunca he sido bueno con ese tipo de precisión para el momento —dijo Milgrim, y entonces recordó al pingüino y alzó la mirada.

—¿Qué era eso del ovni que mencionaste al entrar?

—No lo sé —dijo Milgrim—. Me pareció ver algo. Ha sido un día muy largo. Tengo tu ordenador. ¿Te importa si me lo quedo esta noche? Tengo que comprobar una cosa.

—No importa —contestó Hollis—. Sólo lo tengo para un libro que no he empezado a escribir. Tengo mi iPhone. ¿Qué creíste ver?

—Parecía un pingüino.

Hollis se detuvo.

—¿Un pingüino? ¿Dónde?

—En la calle. Por allí —señaló él.

—¿En la calle?

—Volando.

—Los pingüinos no pueden volar, Milgrim.

—Nadando. Por el aire. Al nivel de las ventanas de las primeras plantas. Usaba sus aletas para impulsarse. Pero parecía más bien una masa de mercurio en forma de pingüino. Reflejaba las luces. Las distorsionaba. Puede que haya sido una alucinación.

—¿Las tienes?

—S-A-P-A —dijo Milgrim, deletreando.

—¿SAPA?

—Síndrome de abstinencia postagudo.

Se encogió de hombros y se encaminó de nuevo hacia el hotel. Hollis lo siguió.

—Estaban preocupados por eso.

—¿Quiénes?

—Los médicos. En la clínica. En Basilea.

—¿Y el hombre del Salón? ¿El de los pantalones? ¿El que te pareció ver en Selfridges? ¿Te siguió?

—Sí. Sleight le estaba diciendo dónde estaba yo.

—¿Qué sucedió?

—No lo sé.

—¿Por qué no?

—Dejé el Neo con otras personas. Las siguió.

Necesitaba limpiarse los dientes. Tenía un trocito de *galette* de pera entre las muelas superiores. Seguía sabiendo bien.

—Ha sido un día muy largo —dijo Hollis mientras llegaban a lo que él interpretó como su hotel—. Hablé con Hubertus. Quiere que lo llames. Sleight piensa que te has escapado.

—Me siento como si lo hubiera hecho.

Le abrió la puerta para que pasara.

—Gracias —dijo ella.

—¿Monsieur Milgrim? —un hombre, tras un mostrador con vago aspecto de púlpito.

—La habitación del señor Milgrim corre a mi cuenta —dijo Hollis.

—Sí —respondió el empleado—, pero tiene que registrarse de todas formas —sacó una tarjetita blanca y un boli—. Su pasaporte, por favor.

Milgrim sacó su bolsa Faraday y luego su pasaporte.

—Te llamaré por la mañana, a tiempo para desayunar aquí y luego coger el tren —dijo Hollis—. Buenas noches.

Y se marchó doblando una esquina.

—Fotocopiaré esto —dijo el encargado— y se lo devolveré cuando haya terminado en el vestíbulo.

Hizo un gesto con la cabeza a la derecha de Milgrim.

—¿El vestíbulo?

—Donde le espera la señorita.

—¿La señorita?

Pero el empleado había desaparecido a través de una estrecha puerta tras el mostrador.

En el pequeño vestíbulo las luces estaban apagadas. Paneles plegables de madera lo cubrían en parte de la zona de recepción. La luz de la calle se reflejaba en la porcelana del servicio de desayuno. Y en la curva amarilla del casco, desde el bajo óvalo de una mesita de cristal. Una figura pequeña se levantó rápidamente, con un complejo rumor de membranas impermeables y equipo de motorista.

—Soy Fiona —dijo con severidad, la barbilla delicada sobre el cuello cerrado hasta arriba. Extendió la mano. Milgrim la estrechó automáticamente. Era pequeña, cálida, fuerte y callosa.

—Milgrim.

—Lo sé.

No parecía británica.

—¿Eres americana?

—Técnicamente. Tú también. Los dos trabajamos para Bigend.

—Le dijo a Hollis que no había enviado a nadie.

—Hormiga Azul no envió a nadie. Y yo trabajo para él. Igual que tú.

—¿Cómo sé que de verdad trabajas para Bigend?

Ella pulsó la cara de un teléfono como el de Hollis, se lo tendió.

—¿Hola? —dijo Bigend—. ¿Milgrim?

—¿Sí?

—¿Cómo estás?

Se lo pensó.

—Ha sido un día muy largo.

—Cuéntaselo a Fiona después de que hablemos. Ella me lo pasará a mí.

—¿Hizo usted que Sleight me siguiera con el Neo?

—Es parte de su trabajo. Llamó desde Toronto, dijo que te habías marchado de París.

—Le endosé el teléfono a alguien.

—Fallo de Sleight —dijo Bigend.

—No en lo del teléfono que ya no está en París.

—No me refiero a eso. No sirve.

—Muy bien —dijo Milgrim—. ¿Quién vale?

—Pamela —dijo Bigend—. Fiona, a quien acabas de conocer. Lo dejaremos así hasta que la situación se resuelva.

—¿Y Hollis?

—Hollis no sabe nada de esto.

—¿Y yo?

Se produjo el silencio.

—Interesante pregunta —dijo Bigend por fin—. ¿Qué piensas?

—No me gusta Sleight. No me gusta el hombre que puso a seguirme.

—Lo estás haciendo bien. Con más iniciativa de lo que esperaba, pero eso es interesante.

—Vi un pingüino. Una forma de pingüino. Algo. Tal vez tenga que regresar a la clínica.

—Es nuestro pingüino aéreo Festo —dijo Bigend, después de una pausa—. Estamos experimentando con él como plataforma de videovigilancia urbana.

—¿Festivo?

—Festo. Son alemanes.

—¿Qué está pasando?

—Algo que sucede periódicamente. Tiene que ver con el tipo de talento que necesita Hormiga Azul. Si son buenos para lo que los contrato, tienden a salirse de madre. Eso o venderse a alguien que ya lo ha hecho. Espero que estas cosas sucedan. Pueden ser muy productivas. Fiona estuvo en el tren con vosotros esta mañana. Estará en el tren de vuelta, mañana. Que Hollis coja un taxi para ir al Gabinete.

—¿Qué es eso?

—El sitio donde se aloja. Luego espera cerca de la fila de taxis. Fiona te conducirá hasta mí. Ahora infórmale de cómo te ha ido el día y luego duerme un poco.

—Muy bien —dijo Milgrim, y entonces se dio cuenta de que Bigend ya había colgado. Le devolvió el teléfono a Fiona y advirtió que llevaba algo en la muñeca izquierda, de unos quince centímetros de largo, que parecía el teclado del ordenador de una muñeca—. ¿Qué es eso?

—Controla el pingüino —respondió ella—. Pero vamos a pasarnos a los iPhones para hacerlo.

33

Burj

En el pequeño ascensor de bronce, sacó el iPhone de su bolso, pulsó el número del móvil de Heidi al salir. Sonaba mientras recorría el pasillo, las puertas a la derecha, las extrañas y retorcidas vigas medievales a la izquierda. Su amiga contestó cuando trataba de meter la llave en la cerradura.

—Mierda…

Sonaba entre una amalgama de lo que a Hollis le pareció el jaleo de un *pub* exclusivamente masculino.

—Cuéntame qué le ha pasado a Garreth. Ahora.

Abrió la puerta. Vio las toallas blancas donde las había dejado sobre la cama, la figurita de Hormiga Azul en la mesilla de noche, grandes garabatos chinos falsos de color dorado en las paredes rojo sangre. Fue como entrar en una casita de muñecas de Barbie Burdel Shanghai de tamaño natural.

—Espera. ¡Apártate! No, tú no. He tenido que salir del maldito banco.

—Creía que no bebías.

—Red Bull. Lo rebajo con *ginger ale*.

—Cuéntame. Ahora.

—No busques en YouTube.

—¿Que no busque el qué?

—El campeonato mundial de salto de Burj Khalifa.

—¿El hotel? ¿Ese que parece un barco de las mil y una noches? ¿Qué pasó?

—Ése es Burj Al Arab. Burj Khalifa es el edificio más alto del mundo…

—Mierda…

—El que se ve en el salto de YouTube no era él. Eso fue antes. Por aquí dicen que ese tipo hacía levantamientos. Fue entonces…

—¿Qué le pasó a Garreth?

—El tipo de YouTube tiene el récord mundial de salto desde un edificio. Tu chico descubrió un modo de colarse y saltar desde más alto. Todavía no habían terminado de cerrar todas las ventanas superiores. Había una grúa…

—Oh, Dios…

—Y la seguridad se había reforzado un montón desde que el tipo de YouTube hizo lo suyo, pero tu chico es experto en…

—¡Habla!

—Iba subiendo, no me preguntes cómo, y lo pillaron. Llegó al punto donde no estaban instaladas todavía las ventanas y saltó desde allí. Un poquito más bajo que el tipo de YouTube, en realidad…

—¡Heidi!

—Hizo el número con el traje de murciélago. Lo llevó muy lejos, muy bajo, probablemente estaba jodido por haber saltado por debajo del punto del récord. Intentaba ganar puntos por su estilo.

Hollis empezó a gemir.

—Tuvo que posarse en una autopista. A las cuatro de la mañana, apareció un Lotus Elan clásico….

Hollis empezó a sollozar. Estaba sentada en la cama ahora, pero no sabía cómo había llegado hasta allí.

—¡Se encuentra bien! Bueno, está vivo, ¿vale? Mi amigo dice que debe tener muy buenos contactos, porque la ambulancia que lo recogió lo llevó directamente a una ambulancia aérea, un *jet*, y lo metieron en un centro de traumatología especializado de Singapur. Donde vas si necesitas atención médica de primera clase.

—¿Está vivo? ¿Vivo?

—Coño, sí. Ya te lo he dicho. La pierna jodida. Sé que estuvo en Singapur seis semanas y luego las cosas se vuelven difusas. Algunos dicen que de allí se fue a Estados Unidos para que le hicieran cosas que no podían hacerle en Singapur. Médicos militares. Dijiste que no era militar.

—Tiene contactos. El viejo…

—La historia es que el avión ambulancia tenía una especie de emblema real local.

—¿Dónde está?

—Los chicos de mi gimnasio son ex militares. Tal vez sigan siéndolo. No queda muy claro. No importa cuánto beban, la historia se difumina en cierto momento. Va en contra de algún tipo de primera directriz. Saben quién es, pero por el salto. Son grandes fans del tema. Y también porque es inglés. Una cosa tribal. Toda esa mierda de la vida secreta de la que me has hablado, no creo que sepan nada. O tal vez sí. Todos están como cabras a su modo.

Hollis se frotaba el rostro, mecánicamente, con una toalla manchada de maquillaje.

—Está vivo. Dime que está vivo.

—Creen que hizo algún tipo de acuerdo en Estados Unidos, donde trabajan con los tipos fastidiados del Delta Force y ese tipo de cosas. Eso los impresiona profundamente. Luego piden otra ronda, hablan de fútbol y me quedo dormida.

—¿Eso es todo lo que has podido averiguar?

—¿Te parece poco? He hecho de todo menos intentar tirármelos, y no diría que hubiera sido excepcionalmente fácil conseguir eso tampoco. Fuiste tú quien me dijiste que dejara a los civiles en paz, ¿no?

—Lo siento, Heidi.

—No tiene importancia. Nunca se habían encontrado antes con nadie que creyera que eran civiles. Mereció la pena. ¿Sabes cómo ponerte en contacto con él?

—Tal vez.

—Ahora tienes una excusa. Tengo que irme. Quieren que juegue a los dardos. Apuestan. Cuídate. ¿Vuelves mañana? Cenaremos juntas.

—¿Estás segura de que está vivo?

—Si no lo estuviera, creo que estos tipos lo sabrían. Para ellos es como un jugador de fútbol. Se habrían enterado. ¿Dónde estás?

—En el hotel.

—Descansa. Hasta mañana.

—Adiós, Heidi.

Los pálidos ideogramas dorados de mierda seguían nadando en lágrimas.

34
El fluir del orden

Milgrim despertó cuando un gran vehículo rugió al pasar por la calle, o tal vez en un sueño, haciendo chirriar las marchas. Había dormido con las ventanas abiertas.

Se sentó en la cama y miró la pantalla en blanco del portátil de Hollis en el saliente tapizado bajo las ventanas. La batería necesitaba una carga, pero no tenía cargador. Supuso que le quedaba suficiente energía para comprobar el mensaje de respuesta de Winnie de la noche anterior. Pretendía también enviarle a Pamela las fotos de Foley, y había comprado el cable necesario para hacerlo, pero después de su conversación con Bigend el sistema de correo electrónico de Hormiga Azul no le inspiraba confianza. Imaginó que Sleight había estado a cargo de todo aquello. ¿No acabaría siendo muy complicado para Bigend?

Sin Neo, y con el portátil apagado, no tenía forma de saber la hora. El televisor colgado del techo podría decírsela, supuso, pero decidió que era mejor darse una ducha. Cuando fuera la hora de marchar, Hollis lo llamaría.

La ducha era de esas de teléfono, el hueco una cosa conceptual. Se cepilló los dientes con una mano mientras se frotaba el torso con la otra, el cepillo eléctrico sonaba con fuerza en el reducido espacio. Tras secarse, pensó en cómo Bigend parecía considerar lo que pasaba en Hormiga Azul como una especie de agotamiento esperado, como una especie de incendio en el canal Naturaleza, provocado por un exceso esencial de inteligencia y ambición.

Se puso la ropa interior y los calcetines nuevos de las Galerías Lafayette, y una camisa arrugada pero sin estrenar de Hackett. Recordó a las rusas del ascensor. A Foley. Dio un respingo. Guardó la tarjeta de memoria con sus fotos en la parte superior del calcetín izquierdo.

Dio vueltas alrededor de la cama, se entretuvo contemplando a los parisinos que pasaban por la acera de enfrente. Un hombre canoso y leonino con un largo abrigo oscuro. Luego una chica alta con botas muy bonitas. Buscó a Fiona, medio esperando verla en su motocicleta, montando guardia. Alzó entonces la mirada, pero tampoco vio al pingüino.

Una diminuta ventana se abrió entonces en uno de los edificios del otro lado de la acera y una chica de pelo oscuro y corto asomó la cabeza y los hombros, con un cigarrillo entre los labios. Milgrim asintió. Había que atender las adicciones. Se sentó en el banco tapizado y comprobó su Twitter. Ninguna noticia de Winnie. Vio que eran las siete y cinco, más pronto de lo que pensaba.

Guardó sus cosas en la mochila, y encima de todo el portátil. ¿Qué haría cuando lo devolviera? ¿Cómo se mantendría en contacto con Winnie? La existencia de Winnie hacía que su conocimiento del incendio interior de Hormiga Azul resultara incómodo. Por lo demás, imaginaba que sin ella habría sido principalmente interesante, ya que Bigend no parecía demasiado preocupado. Aunque nunca lo había visto preocupado por nada. Donde la mayoría de la gente se preocupaba, él parecía interesarse, y Milgrim sabía que eso podía ser extrañamente contagioso. Imaginarse tener que explicarle lo de Winnie le hizo sentirse inquieto.

Dio un último repaso en busca de cosas olvidadas y descubrió uno de los calcetines bajo el borde de la cama. Lo metió en la mochila, se echó la correa al hombro y salió de la habitación, dejando la puerta sin cerrar. Las limpiadoras del servicio de habitaciones andaban cerca, pero no las vio, sólo a sus carritos de metal repletos de toallas y frasquitos de plástico de champú. Vio la escalera original del edificio, serpenteando, tras grandes vigas torcidas manchadas de marrón que en Estados Unidos no podrían haber sido tan viejas como sin duda lo eran aquí.

Bajó, dejando atrás las ventanas, en cada piso, que daban a un patio al que todavía no había llegado el amanecer. Había ciclomotores y bicicletas aparcados allí, en el fondo de un pozo de sombra.

En la planta baja se abrió paso hasta el vestíbulo, donde oyó el sonido de la porcelana. Hollis no estaba. Tomó asiento en una mesa para dos, junto a las ventanas, y pidió café y un *croissant*. La camarera tunecina se marchó. Otra trajo el café inmediatamente, con una jarrita de leche caliente. Estaba meneando el café cuando llegó Hollis, con los ojos enrojecidos y aspecto agotado, la chaqueta Sabuesos colocada sobre los hombros como si fuera una capa corta.

Se sentó. Tenía un pañuelo de papel arrugado en la mano.

—¿Algo va mal? —preguntó Milgrim, atrapado por algún sustrato de su propio temor de la infancia, la pena, la taza a medio camino de su boca.

—No he dormido —respondió ella—. Descubrí que una persona que conozco ha tenido un accidente. No tiene buena pinta. Lo siento.

—¿Una persona que conoces? ¿No está bien? —depositó la taza en su platillo. La camarera llegó con un *croissant*, mantequilla y un frasquito minúsculo de mermelada.

—Café, por favor —le dijo Hollis a la camarera—. No ha sido un accidente reciente. Pero me enteré anoche.

—¿Y cómo está tu amiga?

Milgrim estaba experimentando una de esas experiencias donde, como le había explicado a su terapeuta, sentía que emulaba una especie de ser social que no era básicamente. No es que no le preocupara el dolor que veía en los ojos de Hollis, ni el destino de aquella otra persona, pero hacía falta un lenguaje que él nunca había aprendido.

—Es un amigo —corrigió ella cuando llegó su café.

—¿Qué sucedió?

—Saltó desde el edificio más alto del mundo —sus ojos se ensancharon, como si comprendiera el absurdo de lo que acababa de decir, y entonces los cerró con fuerza.

—¿En Chicago?

—El edificio más alto del mundo hace años que ya no está en Chicago, ¿no? —dijo ella, abriendo los ojos—. En Dubái.

Sirvió leche en el café, sus movimientos determinadamente eficaces ahora, precisos.

—¿Cómo se encuentra?

—No lo sé. Lo llevaron en avión a un hospital de Singapur. Su pierna. Un coche lo arrolló. No sé dónde está.

—Has dicho que saltó de un edificio —dijo Milgrim, con tono acusador, aunque no era su intención.

—Planeó y luego abrió un paracaídas. Cayó en medio del tráfico.

—¿Por qué? —Milgrim se agitó incómodo en su asiento, sabiendo que ahora estaba perdido.

—Necesitaba un sitio despejado, llano, sin cables.

—Quiero decir que por qué saltó.

Ella frunció el ceño. Bebió un poco de café.

—Dice que es como atravesar paredes. Nadie puede hacerlo, pero si se pudiera, sería así. Dice que la pared está dentro, y que hay que atravesarla.

—Me dan miedo las alturas.

—Y a él también. Eso dice. Decía. Hace tiempo que no lo veo.

—¿Era tu novio?

Milgrim no tenía ni idea de dónde había sacado esta idea, pero su terapeuta había hablado mucho de su relativa incapacidad para confiar en ciertos tipos de instinto.

Ella lo miró.

—Sí.

—¿Sabes dónde está?

—No.

—¿Y cómo ponerte en contacto con él?

—Tengo un número —dijo ella—, pero se supone que sólo tengo que llamarlo si tengo problemas.

—¿No los tienes?

—Ahora me siento infeliz. Ansiosa. Triste. No es lo mismo.

—Pero ¿quieres seguir así? —Milgrim se sentía como si se hubiera convertido en su terapeuta, en un extraño cambio de papeles, o más bien en el de Hollis—. ¿Cómo puedes esperar sentirte mejor si no descubres cómo está?

—Deberías comerte eso —dijo ella, señalando el *croissant*—. Nos espera un taxi.

—Lo siento —respondió él, sintiéndose fatal de pronto—. No es asunto mío.

Jugueteó con el sello de papel de la tapa del diminuto frasco de mermelada.

—No, lo siento. Sólo intentas ayudar. Es complicado para mí. Y no he dormido. Y he estado intentando no pensar en él desde hace tiempo.

—Estuviste muy bien anoche, con Meredith —dijo Milgrim, partiendo el *croissant* por la mitad y untando mantequilla y mermelada en el interior de ambos pedazos. Mordió una de las mitades.

—No sé si puedo continuar así. Tengo que encontrarlo.

—Llámalo. No saberlo está afectando tu trabajo. Eso es problemático.

—Tengo miedo. Miedo de que pueda no funcionar. Miedo de que no quiera saber de mí.

—Usa a Hubertus —dijo Milgrim, masticando el *croissant* mientras se cubría la boca con una mano—. Puede encontrar a quien quiera.

Ella alzó las cejas.

—Como las zapatillas de Meredith —dijo él—. El precio de admisión.

—Las zapatillas de Meredith no se sentirían fatal si las encontrara Hubertus. A mi amigo le sentaría fatal que lo encontrara cualquiera.

—¿Tendría que saberlo?

—¿Aprendiste a pensar así gracias a Bigend?

—Lo aprendí siendo adicto. Requiriendo constantemente algo que legalmente no podía poseer, y que no podía permitirme. Aprendí a equilibrar. Lo que tú hiciste anoche con Meredith. Podrías hacerlo con Hubertus y encontrar a tu amigo.

Hollis frunció el ceño.

—Vino alguien anoche —dijo él—. Enviada por Hubertus. Después de que subieras a tu habitación.

—¿Quién?

—Fiona. Una chica en moto. No la vi en Hormiga Azul. Bueno, la vi en su moto. Le entregó algo a Pamela. Pero no sabía que era una chica.

—¿Por qué vino?

—Para que yo pudiera hablar con Hubertus. Con su teléfono. Me dijo que Sleight esta trabajando para o con alguien más. Me dijo que debería considerar sospechoso a todo el mundo que no fuera Pamela y Fiona. Y tú. Dijo que no lo sabías. Pero ya lo sabes.

—¿Cómo pareció tomarse eso?

—Pareció… ¿interesado? Quiere que cojas un taxi y vayas a tu hotel cuando lleguemos. Fiona me llevará a verlo a él.

—¿No está aquí en París?

—Cogerá el tren que cojamos nosotros.

—A Bigend le gustan estas cosas —dijo ella—. Se asegura de que todo esté mezclado. Contrata a gente que se saltará las normas y lo conducirá a algún sitio nuevo. Preparando el caos, dijo Garreth.

—¿Quién es Garreth?

—Mi amigo. Le gustaba oír hablar de Hubertus. Creo que lo entendía. Me parece que por esa cosa de los saltos: Hubertus erige su vida, y su negocio, de un modo que garantiza que continuamente estará a un paso del abismo. Y así garantiza un nuevo abismo que tendrá que superar.

—Creo que el verdadero enemigo es la inmovilidad —dijo Milgrim, alegre de poner espacio entre el momento de enfado de Hollis y él—. La estabilidad es el principio del fin. Caminamos solamente porque empezamos a caer hacia delante. Me dijo —recordó— que ése sería el problema de ser capaz de percibir el fluir del orden. El potencial de la inmovilidad.

—¿El qué?

—El fluir del orden. Hablaba de secretos. En Vancouver, la primera vez que lo vi. Le encantan los secretos.

—Lo sé.

—Pero no todos los secretos son información que la gente trate de ocultar. Algunos secretos son información que está ahí, pero la gente no puede tenerla.

—¿Ahí, donde?

—Ahí, en el mundo. Le pregunté qué información querría tener que no tuviera, si pudiera descubrir cualquier secreto. Y dijo que querría algo que nadie hubiera podido tener.

—¿Sí?

—El fluir del orden del día siguiente. O de la hora siguiente, o del minuto siguiente.

—Pero ¿qué es eso?

—Es la totalización de todas las órdenes del mercado. Todo lo que pueda comprarse o venderse, todo. Acciones, bonos, oro, lo que sea. Si lo entendí bien, esa información existe, en cualquier momento dado, pero no hay nada que le dé forma. Existe, constantemente, pero es incognoscible. Si alguien pudiera totalizarla, el mercado dejaría de ser real.

—¿Por qué? —Hollis miró hacia la ventana, por encima del tenso cable negro que sujetaba su cortina de lino gris—. Ahí está nuestro taxi.

—Porque el mercado es la incapacidad de totalizar el fluir del orden en cualquier momento dado.

Retiró su silla, se levantó y se metió en la boca lo que quedaba del *croissant*. Masticando, se agachó y recogió su mochila. Tragó y apuró el café.

—Te devolveré tu ordenador en el tren.

Ella dejó unas monedas en el mantel.

—Puedes quedártelo, si lo necesitas.

—Pero es tuyo.

—Lo compré hace tres meses, pensando que podría empezar otro libro —dijo ella, poniéndose en pie—. Lo habré usado unas tres veces. Tengo una cuenta de correo electrónico, pero la pasaré al móvil. Si necesito un ordenador, Hormiga Azul puede pagarme uno.

Se dirigió hacia el mostrador, donde había dejado su maleta.

Milgrim la siguió, el fluir del orden olvidado ante la sorpresa de un regalo semejante. Desde que estaba con Hubertus, le habían proporcionado muchas cosas, pero todo parecía equipo. No era personal. Hollis le ofrecía algo que él había considerado que era suyo.

Y ya le había regalado su libro de arte, recordó. Podría seguir leyéndolo en el tren camino de Londres.

Entregaron las llaves de las habitaciones al hombre del mostrador y salieron a coger el taxi que los esperaba.

35

USB

Mientras el tren salía de la Gare du Nord, dejando atrás muros de hormigón veteados por la lluvia e intrincadas caligrafías hechas con pintura de *spray*, Hollis le dio a Milgrim el cargador blanco del Air y otros dos cables blancos cuyo propósito nunca había entendido del todo. Luego borró el poco correo electrónico que tenía, copiándolo en la memoria USB, que tenía forma de llave, comprada en el Staples de West Hollywood cuando empezó su libro. Cambió el nombre del usuario a «Mac de Milgrim», le escribió la contraseña en un papelito y le entregó el módem USB que Inchmale le había convencido para que comprara el mes pasado. No sabía cómo eliminar su cuenta de correo, pero no le había dado la clave para eso, y podría resolverlo directamente en Londres.

El placer de Milgrim ante el regalo tenía una simpleza directa e infantil que la entristeció. Sospechó que no le habían hecho ningún regalo desde hacía mucho tiempo. Tendría que acordarse de recuperar el módem USB, o le pagaría las facturas del móvil.

Vio cómo él se sumergía al instante en lo que estuviera haciendo en la Red, como una piedra en el agua. Estaba en otra parte, como hace la gente delante de sus pantallas, su expresión era la de alguien que pilota algo y mira una distancia media que no tenía nada que ver con la geografía.

Se acomodó en su asiento, contempló la vegetación francesa pasar veloz, interrumpida por un oscuro *staccato* de postes eléctricos. Bigend quería que fuese directamente al Gabinete. Muy bien. Necesitaba ver a Heidi, necesitaba que Heidi la ayudara a superar el bache, que llamara al teléfono de emergencia de Garreth. Y si llamar no producía ningún resultado, haría lo que había sugerido Milgrim: un trato con Bigend. A Bigend le encantaba negociar a lo grande. Hollis no podía imaginar qué pudiera tener que él quisiera, pero no quería averiguarlo. Y estaba segura de que a Garreth no le haría ninguna gracia que Bigend reparara en él. Nunca le había hablado a nadie de Garreth, aparte de a Heidi, y ahora a Milgrim. Lo que Garreth y el viejo hacían, tal como ella lo entendía, estaba muy lejos de los intereses de Bigend. Parecía mala idea relacionarlos, y esperaba poder evitarlo.

Miró a Milgrim, perdido en lo que fuera que estaba haciendo. Fuera lo que fuese, descubrió que confiaba en él. Parecía sencillo, transparente, extrañamente libre de motivos subyacentes. Y utilizado también. Bigend lo había creado, o pensaba que lo había hecho, lo había rescatado del naufragio que inicialmente presentaba. Eso era lo que hacía Bigend, pensó, echando atrás la cabeza y cerrando los ojos. Se suponía que hacía lo mismo con ella, o lo haría, si pudiera.

Se quedó dormida antes de que llegaran al túnel.

36
Vinagre y papel marrón

Milgrim no entró en Twitter mientras se sentaba frente a Hollis en su vagón de primera clase y usaba lo que seguía considerando un ordenador que le pertenecía a ella. Abrió en cambio el menú de favoritos y seleccionó la URL de la página con la fotografía de Foley posando con la chaqueta verde oliva y el rectángulo porno negro.

Exploró la pantalla, dejando atrás otras chaquetas con otros jóvenes con rectángulos, hasta llegar a una imagen de unas manos enguantadas de negro. «Guantes de malla de Kevlar —decía la descripción—, resistencia aumentada a los cortes, cintas de velcro con logotipo bordado. Agarre superior para aprehensión y control.»

Habiendo sido él mismo aprehendido como sospechoso a veces, parpadeó. Frunció el ceño. Los guantes le recordaban a Fiona, a su atuendo. Vio su pálida mandíbula sobre el cuello cerrado de su chaqueta negra. Como si un viento lo hubiera atravesado.

Miró a Hollis al otro lado de la mesa, sintiéndose culpable, pero ella parecía dormida, los ojos hinchados. Trató de imaginar a su novio, saltando desde el edificio más alto del mundo, donde fuera que estuviese.

Miró de nuevo los guantes de sujeción especializados. ¿Cómo sería su logotipo? No lo decía. Todo el sitio era así. Sin nombre. Esbozado. A medio terminar. Ninguna información de contacto. ¿Por qué estaba aquí Foley? ¿Cómo había sabido Winnie dónde encontrarlo? Había oído a Bigend mencionar «sitios fantasma», los sitios de líneas de producción o negocios difuntos que todavía permanecían por ahí, olvidados, sin visitas. ¿Era esto uno de ellos, o algo sin terminar? Había en él algo poco convincente, *amateur*.

Entró en Google, tecleó «Winnie Tung Whitaker». Se detuvo. Recordó a Bigend y Sleight hablando sobre la recolección de términos de búsqueda, sobre el acceso a eso. Imaginó la PDA de Winnie alertándola sobre el hecho de que alguien la acababa de buscar en Google. ¿Era posible? Cuando Bigend le enseñó la situación actual de Internet, Milgrim decidió que era mejor dar por hecho que todo era posible. A menudo, le decepcionaba descubrir que había algo que no lo era. Por lo demás, más valía prevenir que curar.

Salió de Twitter, sin comprobar si había algún mensaje de Winnie. No quería tener que verla, no nada más llegar a Londres, al menos. Tenía su cita con Bigend. Salió de la cuenta de correo. Contempló el paisaje interestelar de Hollis. Cambió a una llanura medio gris. Eso estaba mejor.

El tren entró en el túnel.

Milgrim vio cómo el dispositivo USB rojo abría una ventana, informándole de que había perdido la señal.

No podían contactar con él. No electrónicamente.

El rostro de Hollis se arrugó contra el lado de su reposacabezas, pero su frente estaba relajada. Milgrim observó que la chaqueta Sabuesos se había caído al suelo. Se inclinó para recogerla. Era más pesada de lo que esperaba, más rígida. La abotonó. La dobló con cuidado, como vuelven a doblar una camisa en una tienda. La dejó sobre su regazo, foco de uno de los misterios de Bigend. Un secreto.

La etiqueta rectangular estaba hecha de cuero oscuro, pesado, tieso, marcado con un animal de cuatro patas y cabeza extraña.

Cerró los ojos. Echó atrás la cabeza. Viajaba velozmente a través de un túnel, bajo el Canal de la Mancha. ¿Lo llamaban así los franceses? No lo sabía. ¿Por qué estos proyectos gigantescos eran tan relativamente comunes en Europa? Había crecido con la idea indiscutible de que Estados Unidos era el hogar de las infraestructuras heroicas, pero ¿lo era ahora? No lo creía. ¿Cómo pagaban aquí estas cosas? ¿Con impuestos?

Tomó nota mental de que tendría que preguntárselo a Bigend.

—¿Sabes adónde vas? —preguntó Hollis, desde el taxi, mientras él le ayudaba a meter su maleta.

—No —respondió Milgrim—. Se supone que tengo que esperar aquí.

—Tienes mi número. Y gracias. No habría querido hacer eso sola.

—Gracias a ti —dijo él—. Y gracias por el portátil. Todavía no...

—No importa. Es tuyo. Ten cuidado.

Sonrió y cerró la puerta.

Milgrim vio marcharse al taxi, mientras otro ocupaba su lugar. Dio un paso atrás, indicando a la pareja que tenía detrás que lo ocupara.

—Estoy esperando a alguien —dijo a nadie en concreto, mirando alrededor. La bocina de Fiona sonó, justo detrás del parabrisas negro del taxi. Hizo un gesto, con urgencia, sacudiendo el casco amarillo, montada en una moto grande, sucia, gris.

Le cogió la mochila cuando se acercó y empezó a asegurarla al tanque de gasolina con cordones elásticos. Le puso en las manos un casco negro con la visera levantada.

—Póntelo. Se supone que no estoy aquí. Móntate atrás y agárrate.

Le bajó la visera.

Milgrim se puso el casco con torpeza. Olía a algo. ¿A laca para el pelo? La visera transparente estaba arañada y tenía marcas grasientas de dedos. No sabía cómo asegurarse la correa bajo la barbilla. Notaba el incómodo acolchado en la coronilla.

—¡Rodéame con los brazos, inclínate hacia delante, agárrate!

Él así lo hizo.

Ella volvió a tocar la bocina mientras echaban a andar. Milgrim no estaba seguro de dónde poner los pies. Se meneó, intentando mirar hacia abajo. La oyó gritar algo. Encontró unos estribos manchados de barro para apoyar los pies. Durante un instante vio una paloma que corría veloz en el estrecho campo de visión que le permitía el casco que se agitaba.

Fiona parecía una niña decidida, envuelta en capas de nailon balístico y un número indeterminado de placas reforzadas. Milgrim enlazó instintivamente sus dedos y se apoyó en su espalda. Duras protuberancias de automóviles, algunas cromadas, pasaban fugaces junto a sus rodillas, a cada lado.

No tenía ni idea de por dónde habían salido de la estación, en qué calle estaba o qué dirección seguían. El olor de la laca le estaba dando dolor de cabeza. Cuando la moto se detuvo en un semáforo, mantuvo los pies en los estribos, pues dudaba poder volver a encontrarlos.

Pentonville Road, en un cartel, aunque no sabía si estaban allí o se acercaban. El tráfico de media mañana, aunque nunca lo había visto desde una motocicleta. Su chaqueta, desabrochada, se agitaba enérgicamente con el viento, y se alegró de tener la bolsa Faraday. Su dinero, lo que quedaba de él, estaba en el bolsillo delantero, la tarjeta de memoria con las fotografías de Foley guardadas en el calcetín derecho.

Más carteles, borrosos a través del plástico: King's Cross Road, Faringdon Road. Pensó que los efluvios de la laca le picoteaban los ojos, pero no podía frotárselos. Parpadeó repetidas veces.

Al cabo de un rato, un puente, barandillas bajas, pintadas de rojo y blanco. Blackfriars, supuso, recordando los colores. Sí, allí estaban las columnas de hierro que antes soportaron otro puente, al lado, la pintura roja ligeramente ajada. Milgrim había venido aquí una vez con Sleight, para reunirse con Bigend en un arcaico restaurante para tomar uno de esos grandes desayunos grasientos. Le preguntó entonces a Sleight por las columnas, aunque no mostró ningún interés. Fue Bigend quien le habló del puente con la vía férrea que se alzaba junto a Blackfriars. Cuando hablaba de Londres, a Milgrim le parecía que describía algún intrincado juguete antiguo que hubiera comprado en una subasta.

Tras dejar el puente, Fiona giró y se abrió paso diestramente por calles más pequeñas. Luego redujo la velocidad, giró de nuevo, y subieron por una rampa manchada de aceite y llegaron a un taller lleno de motocicletas grandes y feas, sus carenados remendados con cinta adhesiva. Fiona casi se detuvo, posó ambos pies en el suelo y sostuvo la motocicleta con las piernas, caminando con ella mientras se arrastraba hacia delante, entre las otras, y pasaba junto a un hombre con un sucio mono naranja y una gorra de béisbol puesta del revés que tenía en la mano una brillante llave de tubo. Atravesó una ancha puerta que daba paso a un local repleto de herramientas, motos desmontadas y sus motores, vasos blancos de papel, envoltorios de comida arrugados.

Apagó el motor, echó el pie de cabra y le dio una palmada en las manos a Milgrim, que se retiró rápidamente. El súbito silencio fue desorientador. Se incorporó, las rodillas entumecidas, y se quitó el casco.

—¿Dónde estamos?

Miró el alto techo manchado de hollín, donde colgaban carenados rotos de fibra de vidrio.

Ella desmontó, pasando una de sus botas de muchas hebillas por encima del asiento.

—Suthuk —dijo, después de quitarse el casco amarillo arañado.

—¿Qué?

—Southwark. Al sur del río. Suth-uk.

Dejó el casco en un carrito abarrotado de herramientas y empezó a quitar la red elástica que sujetaba la mochila de Milgrim sobre el depósito de gasolina.

—¿Qué es este sitio?

—Un taller sobre la marcha. Vinagre y papel marrón*. Reparaciones rápidas y sucias. No hace falta cita previa. Para mensajeros.

Milgrim levantó el casco, olisqueó su interior, lo puso encima del sillín de la moto. Ella le tendió su mochila.

---

* Referencia a la rima infantil de Jack & Jill. Jack se lastima la cabeza y Jill se la cura usando vinagre y papel marrón. *(N. del T.)*

Tras tirar varias veces de los cierres de velcro, la cremallera delantera de su chaqueta hizo su propio ruido.

—¿No habías montado en moto antes?

—En un ciclomotor, una vez.

—Te falta el concepto de centro de gravedad. Necesitas lecciones para ir de paquete.

—Lo siento —dijo, y era sincero.

—No hay problema.

Su pelo era marrón claro. Milgrim no se había dado cuenta en el vestíbulo oscuro del hotel de París. El casco se lo había puesto de punta por detrás. Quiso alisárselo.

El hombre del mono que una vez fue naranja se acercó a la entrada.

—Está en el puente —le dijo a Fiona. Hablaba con acento irlandés, pero a Milgrim le pareció que pertenecía a otra etnia más oscura, el rostro apelmazado e inmóvil. Se sacó un cigarrillo de detrás de la oreja y lo encendió, usando un mechero transparente. Se guardó el mechero en un bolsillo y se frotó ausente las manos en el tejido naranja manchado.

—Podéis esperar en la sala —dijo, y sonrió a Fiona. Sus dos incisivos tenían fundas de oro y sobresalían con un ángulo extraño, como el tejado de un porche diminuto. Le dio una calada al cigarrillo.

—¿Hay té, Benny?

—Enviaré al chico —dijo el hombre.

—Los carburadores no van bien —le indicó ella, mirando su moto.

—Te dije que no fueras con la Kawasaki, ¿no? —replicó Benny, dando una última y feroz calada al cigarrillo antes de dejarlo caer, para aplastarlo con la puntera de un zapato manchado de grasa donde asomaba una veta de acero mate—. Los carburadores se gastan. Son difíciles de sustituir. Los del GT550 siempre me han ido bien.

—¿Quieres echarles un vistazo?

Benny hizo una mueca.

—No es que tenga mensajeros de verdad que necesiten reparaciones. Hombres de familia que trabajan por una garantía.

—O están en casa en la cama, escuchando la radio, holgazaneando —dijo Fiona, quitándose la chaqueta. De pronto pareció más pequeña con aquel jersey gris de cuello alto—. Tu descripción habitual.

—Le diré a Saad que lo mire —dijo Benny, y se dio media vuelta y se marchó.

—¿Benny es irlandés?

—De Dublín. Su padre es tunecino.

—¿Y tú trabajas para Hubertus?

—Igual que tú —respondió ella, echándose al hombro la pesada chaqueta—. Por aquí.

Milgrim la siguió, evitando los trapos manchados de grasa y los vasos de plástico blancos, algunos medio llenos con lo que supuso que en algún momento fue té, y dejaron atrás una gigantesca caja de herramientas roja con ruedas y llegaron a una puerta desvencijada. Fiona sacó un llavero de su pantalón, que parecía tan pesado y casi tan bien reforzado como su chaqueta.

—¿Querías? —le preguntó él mientras abría la puerta.

—¿Querer qué?

—Trabajar para Hubertus. Yo no. No lo tenía planeado, quiero decir. Fue idea suya.

—Ahora que lo mencionas —dijo ella, por encima del hombro—, fue idea suya también.

Milgrim la siguió y entraron en un diminuto espacio blanco de unos cuatro metros y medio de lado. Las paredes eran de ladrillo recién pintado, el suelo de hormigón de un blanco más brillante, casi igual de limpio. Una mesita cuadrada y cuatro sillas, tubos de acero mate y madera conglomerada curva, cara y sencilla. Una luz enorme brillaba suavemente, algo en un pedestal metálico de aspecto clínico, una especie de paraguas parabólico blanco, colocado en ángulo hacia arriba. A Milgrim le pareció una galería de arte muy pequeña entre exposiciones.

—¿Qué es esto? —preguntó, mirando de una pared en blanco a la otra.

—Uno de sus cubículos Vegas —respondió ella—. ¿No has visto ninguno antes?

Se acercó a la luz e hizo que aumentara la iluminación.

—No.

—No entiende el juego, el ordinario, pero le encantan los casinos de Las Vegas. La idea que los acompaña. Cómo refuerzan el aislamiento temporal. Nada de relojes, ni ventanas, luz artificial. Le gusta pensar en entornos así. Como éste. Nada de interrupciones. Y le gusta que sean secretos.

—Le gustan los secretos —reconoció Milgrim, poniendo su mochila sobre la mesa.

Entró un chico con la cabeza casi rapada al cero, con un alto vaso blanco de papel en cada mano, y los depositó sobre la mesa.

—Gracias —dijo Fiona.

El chico se marchó sin decir palabra. Ella cogió uno de los vasos, sorbió a través del agujero en la tapa de plástico blanco.

—Té de obrero —dijo.

Milgrim lo probó. Se estremeció. Dulce, demasiado reposado.

—No soy su hija —dijo Fiona.

Milgrim parpadeó.

—¿Hija de quién?

—De Bigend. A pesar de los rumores que dicen lo contrario. No es el caso.

Sorbió su té.

—No se me habría ocurrido.

—Mi madre fue novia suya. Ahí es donde empezó la historia. Yo ya había venido al mundo, así que no tiene ningún sentido. Aunque acabé aquí, trabajando para él —le dirigió a Milgrim una mirada que no supo interpretar—. Sólo para dejarlo claro.

Él bebió un poco de té, principalmente para ocultar su incapacidad de pensar algo que decir. Estaba muy caliente.

—¿Te enseñó a montar en moto?

—No. Yo era ya mensajera. De eso conozco a Benny. Podría dejar a Bigend hoy mismo y encontrar trabajo en una hora. Ser mensajero es así. Si quieres el día libre, te lo tomas. Pero estaba volviendo loca a mi madre. Le preocupaba el peligro.

—¿Es peligroso?

—La carrera media suelen ser dos años. Así que mi madre habló con Bigend. Quería que me aceptara en Hormiga Azul. Que hiciera algo allí. En cambio, él decidió tener su propia mensajera.

—¿Es menos peligroso?

—En realidad, no, pero le digo a mi madre que sí. No sabe los detalles del trabajo. Está ocupada.

—Buenos días —dijo Bigend tras ellos.

Milgrim se dio media vuelta. Llevaba su traje azul, con un polo negro, sin corbata.

—¿Te gustan? —le preguntó a Milgrim.

—¿El qué?

—Nuestros Festos —dijo Bigend, señalando con el índice hacia arriba.

Milgrim alzó la cabeza. El techo aquí, tan blanco como las paredes, era unos tres metros más alto que en el espacio adyacente. Contra él flotaban formas confusas, negras, plateadas.

—¿Eso es el pingüino de París?

—Es como el de París —dijo ella.

—¿Qué es lo otro?

—Una manta raya —respondió Bigend—. Nuestro primer pedido. Normalmente son de poliéster plateado.

—¿Qué se hace con ellos? —preguntó, aunque ya lo sabía.

—Plataformas de vigilancia —contestó. Se volvió hacia Fiona—. ¿Cómo fue la cosa en París?

—Bien —contestó ella—, pero lo vio. De todas formas, es el plateado, y durante el día.

Se encogió de hombros.

—Creí que estaba alucinando —dijo Milgrim.

—Sí —repuso Bigend—, suele pasar. En Crouch End, sin embargo, cuando probamos por primera vez el pingüino de noche, causamos una minioleada de informes de ovnis. El *Times* sugirió que la gente veía en realidad a Venus. Siéntate.

Retiró una de las sillas y Milgrim se sentó. Sostenía el alto vaso de té caliente en las manos, reconfortado por su calor.

Cuando Bigend y Fiona se sentaron también, el primero dijo:

—Fiona me ha contado lo que le dijiste anoche. Dijiste que habías fotografiado al hombre que te seguía, o que quizá seguía a Hollis. ¿Tienes las fotos?

—Sí —respondió Milgrim, inclinándose para rebuscar en su calcetín—. Pero me seguía a mí. Sleight le decía dónde estaba.

Puso la tarjeta de la cámara sobre la mesa, abrió su mochila, sacó el Air, buscó el lector de tarjetas que le había comprado al persa en la tienda de fotografía y los conectó.

—Pero puede que Sleight asumiera simplemente que estarías con Hollis —dijo Bigend mientras aparecía la primera de las fotos de Foley.

—Foley —dijo Milgrim.

—¿Por qué lo llamas así?

—Porque llevaba pantalones verde follaje. Fue lo primero que advertí en él.

—¿Lo has visto? —le preguntó Bigend a Fiona.

—Sí —contestó ella—. Entraba y salía del mercado de ropa antigua. Ocupado. Pude ver que estaba haciendo algo. O quería.

—¿Iba solo?

—Eso me pareció. Pero hablaba consigo mismo. Bueno, consigo mismo no. A través de un micro.

—Con Sleight —dijo Milgrim.

—Sí —reconoció Bigend—. Lo llamaremos Foley, pues. No tenemos ni idea de qué ocurre por el momento. Esta gente tiene acceso a un montón de documentación.

—¿Qué gente? —preguntó Milgrim.

—Foley conoce al hombre cuyos pantalones copiaste en Carolina del Sur.

—¿Foley es… un espía?

—Sólo en tanto es diseñador de moda, o quiere serlo —dijo Bigend—. Aunque probablemente es también algo fantasioso. Cuando colaste tu teléfono en el cochecito de esa mujer rusa, ¿cuál era tu intención?

—Sabía que Sleight lo estaba rastreando, diciéndole a Foley dónde estaba yo. Así seguiría a las rusas. Fuera de la ciudad. Mencionaron un barrio residencial.

Bigend asintió.

—Sólo porque quiera ser diseñador de moda y sea un poco fantasioso, no significa que no sea peligroso. Si vuelves a ver al señor Foley de nuevo, mejor mantente alejado de él.

Milgrim asintió.

—Necesitaré saberlo inmediatamente si sucede.

—¿Qué pasa con Sleight?

—Sleight se está comportando como si no hubiera sucedido absolutamente nada. En lo que se refiere a Hormiga Azul, sigue estando en el centro de todo.

—Creí que estaba en Toronto.

—Está en una posición posgeográfica —dijo Bigend—. ¿De dónde has sacado este portátil?

—Me lo regaló Hollis.

—¿Sabes dónde lo consiguió?

—Dice que lo compró para escribir.

—Haremos que Voytek le dé un repaso.

—¿Quién?

—Es anterior a Sleight. Alguien a quien he dejado apartado por si sucedía algo así. Mi copia de seguridad, como si dijéramos. ¿Has desayunado?

—Un *croissant*. En París.

—¿Te apetece un inglés completo? ¿Fiona?

—No estaría mal. Saad está revisando mis carburadores.

Miraron a Milgrim, que asintió. Luego miraron al pingüino plateado y la manta negra que flotaban contra el brillante cielo blanco. Trató de imaginar la manta negra sobre el cruce de la orilla izquierda.

—¿Cómo es volar con eso?

—Como ser uno de ellos, cuando te acostumbras —dijo Fiona—. Las aplicaciones del iPhone marcan una gran diferencia. El de París no tenía todavía la actualización.

37
Ajay

La bestia espiritual de Inchmale, el hurón narcoléptico disecado, todavía petrificado en su baile de pesadilla entre las aves de caza, esperaba cerca del chirriante ascensor del Gabinete.

Cuando le preguntó hacía un segundo, Robert dijo que «la señorita Hyde» estaba en su habitación. Parecía haber olvidado por completo cualquier incomodidad experimentada con la llegada de Heidi, y de hecho mostraba todos los signos de haberse convertido en un entusiasta. Hollis sabía que era probable que pasara esto. Los hombres que no huían para siempre al principio tendían a convertirse en devotos.

Entró en el familiar ascensor, tirando de la maleta, cerró la puerta y pulsó el botón. Una vez y sólo brevemente, para no confundirlo.

En el pasillo, arriba, evitó mirar las acuarelas, abrió la puerta de la Número Cuatro, entró, dejó la maleta sobre la cama. Todo estaba tal como lo recordaba, a excepción de unas cuantas solapas de libros desconocidas en la jaula. Abrió la maleta, sacó la figurita de la Hormiga Azul, y se dirigió a la habitación de al lado, donde estaba Heidi.

Llamó a la puerta.

—¿Quién es? —preguntó una voz masculina.

—Hollis.

La puerta se abrió, una rendija.

—Déjala pasar —dijo Heidi.

Un joven hermoso y maravillosamente en forma, como un bailarín de Bollywood, cuyo corte de pelo transparente se convertía en una especie de breve cascada negra en la parte superior, abrió la puerta. Sin embargo, como para equilibrar su hermosura, parecía como si alguien le hubiera golpeado el puente de la nariz con algo duro y estrecho, dejando la impresión de una muesca en el centro. Vestía un brillante chándal azul bajo la ajada chaqueta de cuero que Heidi usaba en las giras.

—Éste es Ajay —dijo la chica mientras Hollis entraba.

—Hola —dijo Ajay.

—Hola —contestó Hollis. La habitación estaba ahora confusamente ordenada, con casi ningún signo de la característica explosión de equipaje de Heidi, aunque advirtió que la cama, donde su amiga estaba reclinada con un *top* de Gold's Gym y vaqueros con agujeros en las rodillas, estaba deshecha a conciencia—. ¿Qué ha pasado con tus cosas?

—Me ayudaron a desprenderme de ellas y a guardar lo que quería conservar. Son muy amables aquí.

Hollis no podía recordar haber oído jamás decir eso a Heidi sobre el personal de ningún hotel en ninguna parte. Sospechó que Inchmale tenía algo que ver y que habría aconsejado al Gabinete cómo tratar mejor con Heidi distribuyendo sobornos, aunque era cierto que la gente del Gabinete era muy buena en su trabajo.

—¿Qué coño es eso? —preguntó Heidi, mucho más típico de ella, señalando la figurita azul.

—Un juguete de *marketing* de Hormiga Azul. Está hueco —le mostró la base—, incluso creo que tal vez tenga algún tipo de rastreador.

—¿De veras? —preguntó Ajay.

—De veras —respondió Hollis, entregándole la figurita.

—¿Por qué piensas eso?

Ajay se la llevó al oído, la sacudió, sonrió.

—Es una larga historia.

—La única forma de saberlo sería abrirla…

Se acercó a la ventana, moviéndose como un gato y miró con atención la base.

—Pero alguien lo ha hecho ya —dijo mirándola—. La han cortado por aquí y luego la han vuelto a pegar y a lijar.

—Ajay sabe de todo —dijo Heidi.

—No estoy interrumpiendo nada, ¿no? —preguntó Hollis. Ajay sonrió.

—Te estábamos esperando —dijo Heidi—. Si no hubieras aparecido, nos habríamos ido al gimnasio. Ajay es el que me habló de tu amigo.

—Un saltador impresionante —dijo él, solemnemente, bajando la figurita—. Lo vi dos veces por los *pubs*. Lamento decir que no he tenido el placer de conocerlo en persona.

—¿Sabes dónde está? —preguntó Hollis—. ¿Cómo se encuentra? Acabo de enterarme de su accidente. Estoy preocupadísima.

—Pues no, lo siento —dijo Ajay—. Aunque si hubiera habido noticias peores nos habríamos enterado de algo. Está muy bien considerado, tu amigo. Tiene su base de fans.

—¿Conoces algún modo para que pueda averiguarlo?

—Es muy reservado. No está claro qué hace, aparte de algún salto ocasional. ¿Quieres que abra esto? —alzó la hormiga—. Heidi tiene unas herramientas perfectas. Está construyendo su Bestia Calzadora —sonrió.

—¿El qué? —le preguntó Hollis a su amiga.

—Es terapia —contestó Heidi, enfadada—. Me lo enseñó mi psiquiatra.

—¿Qué es?

—Maquetas de plástico —le explicó. Se sentó en la cama, puso los pies en el suelo, las uñas de los pies recién pintadas de negro brillante.

—¿Tu psiquiatra te enseñó a construir maquetas?

—Es japonés —dijo Heidi—. No te puedes ganar la vida como psiquiatra en Japón. No creen en el tema. Así que se estableció en Los Ángeles cerca de la oficina del mierda pinchada en un palo, en Century City.

Ajay se había dirigido al intrincado tocador, donde Hollis vio ahora que había pequeñas herramientas, componentes de plástico todavía pegados a sus árboles, frascos en miniatura de pintura en *spray*, pinceles de punta estrecha. Todo ello extendido sobre una gruesa capa de periódicos.

—Esto valdrá —dijo, sentándose en el banquito, y alzando una fina barra de aluminio rematada por una pequeña hoja isósceles. Hollis miró por encima de su hombro. Vio una caja de brillantes colores apoyada en el espejo donde aparecía un robot guerrero de aspecto muy militante con una especie de tocado azteca, y las palabras BESTIA CALZADORA en letras mayúsculas. El resto estaba escrito en japonés.

—¿Por qué se llama así?

—Una errata —contestó Heidi, encogiéndose de hombro—. ¿«Cazadora», tal vez? O tal vez tenga que ver con la forma de las letras. Es un *kit* de principiantes —dijo esto mirando de forma acusadora a Ajay—. Le pedí que me trajera un modelo de Bandai, algo de la serie Gundam, grado experto. La flor y nata de las maquetas. Y va y me trae la Bestia Calzadora Galvion. Cree que es gracioso. No es Bandai, ni Gundam. Un modelo para críos.

—Lo siento —dijo Ajay, que obviamente ya había oído estas quejas antes.

—¿Las construyes tú? —preguntó Hollis.

—Me ayuda a concentrarme. Me calma. Fujiwara dice que es lo único que funciona para algunas personas. Es lo único que funciona para él.

—¿Él también las hace?

—Es un maestro. Tiene una técnica increíble con el aerógrafo. Modificaciones propias.

—¿Quieres que abra esto? —Ajay agitó la punta de la cuchilla.

—Sí —dijo Hollis.

—Si está lleno de ántrax, lo lamentaremos todos —dijo haciendo un guiño.

Heidi se levantó de la cama y se acercó.

—Eh, no te vayas a cargar la punta.

232 • WILLIAM GIBSON

—Es vinilo —dijo Ajay, colocando la hormiga de espaldas y empuñando con maestría la cuchilla. Hollis vio cómo la punta se deslizaba suavemente hacia el lado de la base redonda—. Sí. Ya la han abierto y pegado. Es fácil. Ya está.

La parte inferior de la base quedó depositada sobre los periódicos, un redondel azul de unos pocos milímetros de grosor.

—Bueno, ¿qué es esto? —dijo Ajay, asomándose a los pequeños túneles gemelos de las patas huecas de la hormiga. Soltó la cuchilla, cogió unas tenazas de puntas inclinadas y las insertó en una pata. Miró a Hollis—. Mira, voy a sacar... ¡un conejo!

Extrajo, poco a poco, una pieza esponjosa de fina gomaespuma amarilla. La mostró colgando de las afiladas mandíbulas de las tenazas, un cuadrado de doce centímetros.

—El conejo —dijo, soltándolo—. Y mi siguiente truco...

Insertó de nuevo las tenazas. Palpó con ellas. Y lenta, cuidadosamente, encontró en cada extremo un diminuto corcho rojo.

—Parece un trabajo muy profesional.

Había diferentes cilindros de metal y plástico dentro del tubo, como una sección de un collar *hippie-techno*. Lo examinó con atención y luego miró a Hollis alzando las cejas.

—Vaya —dijo Heidi—, la hormiga está intervenida. Bigend.

—No estoy segura —repuso Hollis—. ¿Pueden oírnos? —le preguntó a Ajay, súbitamente preocupada.

—No. Estaba sellado dentro del muñeco. La gomaespuma era para impedir que se moviera. Nunca se pone un micro de esa forma. Para eso haría falta un pequeño micro de aguja a través del vinilo. Esto es un transpondedor y una batería. ¿Qué quieres que haga?

—No lo sé.

—Puedo sustituirlo. Volver a pegar la base. Apuesto a que Heidi puede arreglarlo de modo que no se note que lo hemos abierto.

—Ahora mismo estoy mucho más preocupada por Garreth —dijo Hollis.

—Ya hemos hablado de eso —repuso Heidi—. Tienes que llamar a ese número. Eso es todo. Si con eso no lo encuentras, pasa al plan B.

—O bien —dijo Ajay, examinando todavía el trazador—, podrías quedarte con esto y volver a pegar la hormiga. Eso te daría cierto control lateral.

—¿Qué quieres decir?

—Si ocultas el micro en las inmediaciones de la hormiga, en vez de dentro de ella, creerán que sigue en su sitio. Así que darán por sentado que el micro está donde esté la hormiga. Eso tiene posibilidades. Un poco de libertad de acción.

—La tengo desde Vancouver —le dijo Hollis a Heidi—. Hubertus me la dio. Creí que la había dejado allí, deliberadamente, pero luego la encontré en mi equipaje, en Nueva York. Aquí alguien la metió en mi maleta antes de que me fuera a París.

—Haz lo que dice Ajay —dijo Heidi, acariciándole el pelo—. Es listo. Ahora ven conmigo.

—¿Adónde?

—A tu habitación. Vas a hacer esa llamada. Seré tu testigo.

38
Situación caliente

Bigend se estaba tomando el Desayuno n.º 7: dos huevos fritos, morcilla, dos rebanadas de beicon, dos rebanadas de pan y un tazón de té.

—Aquí sí que hacen bien la morcilla —dijo—. A menudo la cocinan demasiado. Se seca.

Milgrim y Fiona daban cuenta de unos tallarines tailandeses, que para él eran una opción insospechada en un sitio que servía el tipo de desayunos que Bigend había elegido, pero ella le explicó que los tailandeses habían integrado sin problemas los dos, igual que los italianos habían aprendido a ofrecer el desayuno inglés completo, en un entorno de pasta, pero de forma aún más convincente.

Era un local pequeño, abarrotado, no mucho mayor que el cubículo Vegas de Bigend, donde la clientela era una mezcla de trabajadores de oficinas, obreros de la construcción y gente de profesiones artísticas que almorzaba o tomaba un desayuno tardío. Los platos y manteles eran aleatorios, disparejos, y el tazón de té de Bigend mostraba un osito de peluche sonriente.

—¿No cree que Foley me estuviera siguiendo en París?

—Te volviste al hotel —contestó Bigend—. Llamé por teléfono y dije que Aldous fuera a recogerte. Estabas usando un teléfono que te dio Sleight, pero no dije adónde ibas, ni con quién ibas a encontrarte. Fiona siguió al Hilux —señaló con la cabeza en su dirección.

—No lo siguió nadie —dijo Fiona.

—Pero yo había llamado a Hollis primero —continuó Bigend—,

para averiguar dónde estaría, para enviarte allí. Puede que oyeran eso. Pero si tu Foley estaba allí antes de que llegaras, imagino que o bien siguió a Hollis hasta Selfridges, o sabía que ella iba a ese lugar.

—¿Por qué iban a estar interesados en Hollis? ¿Qué tiene ella que ver con Myrtle Beach y esos pantalones del ejército?

—Tú y yo —dijo Bigend—. Puede que nos vieran almorzar juntos el día anterior. Sleight tiene aliados dentro de Hormiga Azul, eso es casi seguro. Darían por hecho que Hollis estaría relacionada con nuestro proyecto de contratación. Y lo está, naturalmente.

Se metió un gran trozo de beicon en la boca y lo masticó.

—¿Lo está?

Bigend tragó, bebió té.

—Me gustaría ver lo que podría hacer por nosotros el diseñador de los Sabuesos de Gabriel con un contrato militar.

Milgrim miró a Fiona, curioso por ver si reaccionaba a la mención de la marca, pero ella esculcaba con destreza las gambas de sus tallarines con los palillos.

—Hollis está inquieta —le dijo Milgrim a Bigend—. Su novio.

—¿De veras? ¿Tiene novio?

—Lo tenía. Ya no están juntos. Pero se ha enterado de que sufrió un accidente.

—¿Qué clase de accidente?

—De coche —contestó Milgrim, cosa que era literalmente cierta.

—Nada serio, espero —adujo Bigend, partiendo por la mitad un trozo de pan.

—Ella cree que puede haberlo sido.

—Puedo mandarla seguir —dijo Bigend, sorbiendo la yema del huevo.

Milgrim miró a Fiona, que observaba fríamente ahora a Bigend, pero acabó por volver a sus tallarines.

—¿Quiere que el diseñador de los Sabuesos de Gabriel diseñe para el ejército norteamericano?

—Si gran parte de la ropa masculina de hoy tiene su origen en

diseños militares norteamericanos, y así es, y el ejército norteamericano tiene problemas para mantener su tradición, y los tiene, alguien cuyo genio esté en la capacidad de recombinar fragmentos de
la semiótica de las ropas norteamericanas producidas en masa.…
Sería una locura no examinar las posibilidades. En cualquier caso,
se está poniendo caliente ahora.

—¿El qué?

—La situación. El fluir de los acontecimientos. Pasa siempre,
cuando gente como Sleight decide probar suerte. Y la persona que
está en mi posición tiene que concentrarse en la situación a mano.
Un desperdicio terrible, a nivel táctico. A menudo te precipitas en
el mercado mientras se produce una acción por otra parte —limpió
la yema y la grasa con un último trozo de pan y se lo metió en la
boca, dejando el plato perfectamente limpio.

Fiona depositó sus palillos en el plato, tras haber cogido una
última gamba de los tallarines.

—¿Y dónde tendré que llevar a Milgrim?

—Al Holiday Inn de Camden Lock —dijo Bigend—. Todo el
mundo parece saber lo de Covent Garden.

—Vi a una de las Dottir en París, en el restaurante —dijo Milgrim—. Y a Rausch.

—Lo sé. Se lo dijiste a Fiona anoche.

—Pero ¿fue casualidad que estuviéramos allí, donde estaban
ellos?

—Eso parece —dijo Bigend alegremente, limpiándose los dedos con una servilleta de papel—. Pero ya sabes lo que dicen.

—¿Qué?

—Incluso los megalómanos paranoicos tienen enemigos.

—Te ha metido en el Holiday Inn —dijo Fiona mientras volvían al
taller de reparaciones atravesando lo que era, según dijo cuando le
preguntó, la zona baja de Marsh Street.

—¿Sí?

—No es tan pijo, desde luego, pero donde estabas tienen un montón de seguridad inherente, tan sólo en la planta baja. Las estrellas han escapado de serios acosos de la prensa allí. El Holiday Inn de Candem Town no tiene nada malo, pero no es tan férreo.

—Bigend piensa que demasiada gente sabe dónde me alojo —dijo Milgrim.

—No sé qué piensa, pero será mejor que tengas cuidado.

Ya lo tengo, pensó Milgrim. O más bien, lo tenía. Patológicamente, según su terapeuta.

—Ibas a explicarme qué tengo que hacer para ser mejor pasajero.

—¿Ah, sí?

—Dijiste que necesitaba unas lecciones de pasajero.

—Tienes que sentarte más cerca de mí y agarrarte fuerte. Nuestra masa tiene que ser una sola.

—¿Sí?

—Sí. Y tienes que seguir conmigo, inclinarte conmigo, en las curvas. Pero no demasiado. Es como bailar.

Milgrim tosió.

—Lo intentaré —dijo.

39
El número

Encaramada en la cama Piblokto Madness, como una gárgola de caro peinado, las pálidas rodillas de Heidi asomaban por los agujeros de sus vaqueros, los largos dedos de uñas pintadas de negro extendidas sobre la figura tallada.

—¿Tienes el número en tu teléfono?

—No —contestó Hollis, de pie en el centro de la habitación, sintiéndose atrapada. El papel de pared insectoide parecía cernerse sobre ella. Los diversos bustos y máscaras y representaciones de dos ojos la miraban.

—Mala señal —dijo Heidi—. ¿Dónde está?

—En mi cartera.

—Nunca has llegado a memorizarlo.

—No.

—Era para emergencias.

—En realidad, esperaba no tener que necesitarlo nunca.

—Sólo querías tenerlo cerca. Porque lo escribió él.

Hollis apartó un instante la mirada, contemplando a través de la puerta abierta el enorme cuarto de baño donde colgaban las toallas, calentándose, en los tubos horizontales de la ducha Máquina del Tiempo.

—Veámoslo —dijo Heidi.

Hollis sacó la cartera del bolso, junto con el iPhone. La tirita de papel, que él había arrancado limpiamente de la parte inferior de una libreta Tribeca Grand, seguía allí, detrás de la tarjeta Amex que ella sólo usaba para las emergencias. La sacó, la desplegó y se la pasó a Heidi.

—¿El prefijo es norteamericano?

—Será un móvil. Podría estar en cualquier parte.

Heidi rebuscó en el bolsillo trasero de sus vaqueros con la otra mano, sacó su propio iPhone.

—¿Qué estás haciendo?

—Lo guardo en mi teléfono.

Cuando terminó de hacerlo, le devolvió a Hollis la tirita de papel.

—¿Has pensado qué vas a decir?

—No. No se me ocurre nada.

—Muy bien —dijo Heidi—. Ahora hazlo. Pero pon el altavoz de tu teléfono.

—¿Por qué?

—Porque tengo que oírlo. Porque tal vez no recuerdes qué tienes que decir. Yo sí.

—Mierda —dijo Hollis, sentándose en la cama, al pie. Conectó el altavoz.

—Lo que tú quieras —replicó Heidi—. Llámalo.

Hollis marcó el número, ausente.

—Escribe su nombre. Añádelo a tus contactos.

Lo hizo.

—Ponlo en llamada rápida.

—Nunca la uso.

Heidi hizo una mueca.

—Llámalo.

Hollis llamó. Casi de inmediato, la habitación se llenó del sonido de un tono de llamada, desconocido. Cinco llamadas.

—No está —dijo Hollis mirando a Heidi.

—Deja que llame.

A la décima llamada, se oyó un ruido digital indescriptible. Alguien, tal vez un mujer muy vieja, empezó a parlotear ferozmente, con vehemencia, en lo que parecía un lenguaje oriental. Parecía estar haciendo tres firmes declaraciones, cada vez más breves. Luego silencio. Y la señal de grabación.

—¿Hola? —Hollis vaciló—. ¡Hola! Soy Hollis Henry, llamando a Garreth —tragó saliva, casi tosió—. Acabo de enterarme de lo de tu accidente. Lo siento. Estoy preocupada. ¿Podrías llamarme, por favor? Espero que recibas esta llamada. Estoy en Londres —recitó su número—. Yo…

La señal de grabación sonó de nuevo, haciéndola estremecer.

—Cuelga —ordenó Heidi.

Hollis colgó.

—Ha estado bien —dijo Heidi, dándole un suave golpecito en el hombro.

—Tengo ganas de vomitar. ¿Y si no llama?

—¿Y si lo hace?

—Exactamente —dijo Hollis.

—Sea como sea, hemos avanzado. Pero llamará.

—No estoy tan segura.

—Si pensaras que no lo va a hacer, no estarías pasando por esto. No tendrías por qué.

Hollis suspiró, temblorosa, y miró al teléfono que tenía en la mano y que ahora parecía haber cobrado vida propia.

—No me estoy tirando a Ajay —dijo Heidi.

—Me lo preguntaba.

—Lo que estoy haciendo, muy activamente, es no tirarme a Ajay —suspiró—. Es el mejor *sparring* que he tenido jamás. No podrás creerte cómo pueden moverse esos *squaddies*.

—¿Qué son *squaddies*?

—No lo sé —Heidi sonrió—. Creo que sólo son soldados normales y corrientes, en cuyo caso es un chiste, porque no lo son.

—¿Dónde los encontraste?

—En el gimnasio. Hackney. Tu chico de recepción me lo buscó. Robert. Es simpático. Fui en taxi. Se rieron de mí. No aceptan mujeres. Tuve que darle un poco de caña a Ajay. Cosa que no fue fácil. Lo elegí porque era el más pequeño.

—¿Qué son?

—Algo. Militares. Al escucharlos, no se sabe si siguen siéndolo o no. Porteros de discoteca, guardaespaldas, esas cosas. ¿Van de copas entre misiones? Que me zurzan si lo sé.

Hollis seguía mirando el iPhone.

—¿Crees que era coreana? ¿Esa mujer del mensaje de voz?

—No lo sé —contestó Hollis. El teléfono sonó.

—Ahí lo tienes —dijo Heidi, y le hizo un guiño.

—¿Diga?

—Bienvenida —la voz de Bigend llenó la habitación—. Voy de vuelta a la oficina. ¿Puedes reunirte allí conmigo, por favor? Tendríamos que hablar.

Hollis miró a Heidi, sintiendo que empezaba a llorar. Luego volvió a mirar al teléfono.

—¿Hola? —dijo Bigend—. ¿Estás ahí?

40

Rotores Enigma

Su habitación daba a un canal. Antes sólo había sido vagamente consciente de que Londres tenía canales. No tenían la extensión de los de Ámsterdam, ni de los de Venecia, pero los había. Eran una especie de territorio secundario, evidentemente. Las tiendas y las casas no parecían haberlos alcanzado. Como un sistema de callejones acuáticos, dedicados en su origen al transporte pesado. Ahora, a juzgar por lo que veía a través de la ventana, habían vuelto a utilizarlos como espacio cívico y turístico. Los habían convertido en un entramado para paseos en barco, con senderos aledaños para correr y practicar el ciclismo. Recordó aquel barco del Sena, con su pantalla de vídeo, las Dottir y el grupo de George, los Bollards. El barco que había visto aquí, antes, era mucho más pequeño.

El teléfono de la habitación sonó. Milgrim salió del cuarto de baño para atenderlo.

—¿Diga?

—Soy Voytek —dijo un hombre, con un acento que hizo que Milgrim, por si acaso, repitiera la pregunta en ruso.

—¿Ruso? No soy ruso. ¿Quién eres?

—Milgrim.

—Eres americano.

—Lo sé —dijo.

—Mi tienda —empezó Voytek, cuyo nombre Milgrim recordó ahora de la rama de Southwark— está en el mercado, cerca de tu hotel. Debajo, en los antiguos establos. Trae tu unidad ahora mismo.

—¿Cómo se llama tu tienda?

—Biro Shack.

—¿Biro Shack? ¿Como el bolígrafo?

—Biro Shack e Hijo. Adiós.

—Adiós.

Milgrim devolvió el teléfono a su horquilla.

Se sentó ante la mesa y conectó con su cuenta Twitter.

«Ponte en contacto», había posteado Winnie una hora antes.

«Camden Town Holiday Inn», tecleó él, y luego añadió el número de su habitación y el teléfono del hotel. Lo subió. Actualizó. Nada.

Sonó el teléfono.

—¿Diga?

—Bienvenido —dijo Winnie—. Voy para allá.

—Voy a salir ahora mismo —contestó Milgrim—. Trabajo. No sé cuánto tiempo voy a tardar.

—¿Cómo tienes la tarde?

—Nada previsto todavía.

—Resérvamela.

—Lo intentaré.

—No estoy tan lejos. Me dirijo hacia las inmediaciones ahora mismo.

—Adiós —le dijo Milgrim al teléfono, aunque ella ya había colgado. Suspiró.

Se había olvidado de devolverle a Hollis el dispositivo USB rojo, pero aquí no lo necesitaba. Se lo devolvería la próxima vez que la viera.

Cerró el portátil y lo guardó en la mochila, que había deshecho al llegar. Bigend se había quedado con la tarjeta de memoria con las fotos de Foley y no tenía otra, así que no se molestó en llevar la cámara.

Mientras salía de la habitación y se dirigía al ascensor, se preguntó por qué habrían decidido construir un Holiday Inn aquí, junto a este canal.

En el vestíbulo, esperó ante el mostrador del conserje mientras dos jóvenes norteamericanos recibían instrucciones para llegar al

Victoria y Albert. Los miró como imaginó que podía hacerlo la joven analista de moda francesa de Hormiga Azul. Todo lo que llevaban puesto, decidió, encajaba con lo que ella llamaría «icónico», pero se había convertido en ello a través de su habilidad para dejar una pátina agradable. Ella sabía del tema. Gracias a esa pátina, la moda se asentaba en vez de perderse. Inquietante, por otro lado, era la pátina falsa, un modo de ocultar la falta de calidad. Hasta que se encontró metido en el negocio de diseño de ropa de Bigend, Milgrim no sabía que nadie pudiera pensar así en la ropa. No imaginaba que nada de lo que llevaban estos dos hombres fuera a adquirir ninguna pátina, excepto para una propiedad diferente y posterior.

Cuando se marcharon, preguntó la dirección del Biro Shack de Voytek, explicando dónde le habían dicho que estaba.

—No aparece aquí listado, señor —dijo el conserje, haciendo clic con su ratón—, pero no está usted lejos, si está donde le han dicho.

Marcó con bolígrafo el mapa de un folleto y se lo entregó a Milgrim.

—Gracias.

En el exterior, el aire olía a escapes diferentes. ¿Más gasóil? El barrio parecía irreal como un parque temático, pero tranquilo como una feria de pueblo antes de que llegue la gente. Pasó ante dos chicas japonesas que comían lo que parecían ser bocadillos de salchichas empanadas, lo cual aumentaba el efecto.

Se mantuvo alerta a la busca de Winnie, pero si había llegado no la vio.

Siguiendo la línea dibujada a boli en el mapa del conserje, se encontró en un mercado subterráneo con arcos de ladrillo, victoriano modernizado, surtido principalmente con mercancías que le recordaron a la plaza de San Marcos, aunque con un extraño aspecto semijaponés, quizá para atraer a los turistas extranjeros jóvenes. Más adelante, detrás de un arco de ladrillo, unas floridas letras doradas anunciaban BIROSHACK & HIJO en una puerta de cristal. Era un apellido, entonces. Al entrar sonó una campanilla conectada a la

puerta que repiqueteaba contra un largo lirio de bronce Art No-
veau.

La tienda estaba repleta pero ordenada, llena de grandes cajas
sin rasgos, como televisores antiguos, dispuestas en estantes de cristal. Un hombre alto y calvo, de más o menos su edad, se dio la vuelta y asintió.

—Tú eres Milgrim —dijo—. Yo soy Voytek.

Había un ajado banderín de plástico tras el mostrador: AMSTRAD.
Tanto el nombre como el logotipo le resultaron desconocidos.

Voytek llevaba un jersey de lana cosido a partir de una media
docena de donantes, una manga color camello, la otra a cuadros.
Debajo, una camiseta de seda de color crudo con demasiados botones de perla. Parpadeó tras unas gafas de montura de acero de aspecto severo.

Milgrim dejó su mochila en el mostrador.

—¿Tardarás mucho? —preguntó.

—Suponiendo que no encuentre nada, diez minutos. Déjalo
aquí.

—Prefiero quedarme.

Voytek frunció el ceño. Acabó por encogerse de hombros.

—Crees que voy a instalarle algo.

—¿Eso haces?

—Alguna gente lo hace —contestó Voyteck—. ¿PC?

—Mac —dijo Milgrim, descorriendo la cremallera y sacándolo.

—Ponlo sobre el mostrador. Voy a cerrar.

Salió de detrás del mostrador, calzado con esas pantuflas de fieltro gris que a Milgrim le recordaban las patas de los animales de
juguete. Se dirigió a la puerta, corrió un cerrojo y regresó.

—Odio estos Air —dijo en tono bastante amigable, y le dio la
vuelta al portátil y sacó el primero de varios diminutos destornilladores de aspecto muy caro—. Son muy difíciles de abrir.

—¿Qué son todas esas cajas? —preguntó Milgrim señalando los
estantes.

—Ordenadores. De los de verdad. Del principio.

Retiró la parte inferior del Air sin ninguna dificultad aparente.

—¿Son valiosos?

—¿Valiosos? ¿Qué es el verdadero valor?

Se puso un par de elaboradas gafas de aumento con montura transparente e incolora.

—Eso es lo que pregunto.

—Muy valiosos.

Las LED en las sienes iluminaron las elegantes tripas compactas del Air.

—¿Le pones un precio al romance?

—¿Romance?

—Estos ordenadores son el código raíz. El Edén.

Milgrim vio que había máquinas todavía más antiguas, algunas enclaustradas en madera, encerradas en un gran caja de cristal de aspecto serio y muy caro, que se alzaban por lo menos un metro ochenta del suelo. El aparato o máquina de escribir enclaustrado en madera que tenía más cerca tenía un logotipo ojival bordado en seda que decía ENIGMA.

—¿Y entonces qué son éstos?

—Son de *antes* del Edén. La máquina de encriptación Enigma. También de oferta, la máquina codificadora M-209B del ejército norteamericano con su funda original de lona, la máquina Fialka M-125-3MN soviética, la codificadora relámpago soviética y la de-codificadora no-electrónica de bolsillo. ¿Te interesa?

—¿Qué es una codificadora relámpago?

—Introduces el mensaje, lo codificas, lo envías con velocidad inhumana como código Morse. Resortes de cuerda. Mil doscientas libras. Con el descuento para los empleados de Hormiga Azul, mil.

Alguien llamó a la puerta. Un joven con un enorme tupé en diagonal, envuelto en lo que parecía ser un albornoz. Tenía una mueca de impaciencia. Voytek suspiró, depositó el Air en una gastada alfombrilla de gomaespuma que tenía el logotipo de Amstrad y fue a abrir la puerta, todavía con las gafas de aumento encendidas. El chico del albornoz (Milgrim vio que era una especie de abrigo muy fino, muy arrugado, tal vez de cachemira) pasó ante Voytek sin mirarlo a los ojos, hasta el fondo de la tienda, y atravesó una puerta que Milgrim no había visto antes.

—Capullo —dijo Voytek, y volvió a echar el cerrojo y regresó al Air y la tarea que lo ocupaba.

—¿Tu hijo? —preguntó Milgrim.

—¿Mi hijo? —frunció el ceño—. Es Shombo.

—¿Es qué?

—Un coñazo. Una pesadilla. Bigend.

Levantó el Air y lo miró ferozmente desde unas pocas pulgadas de distancia.

—¿Bigend? —Milgrim no estaba demasiado en desacuerdo con la opinión, si se refería a Bigend.

—Shombo. Tengo que tenerlo aquí, llevármelo a casa. He perdido la cuenta de los meses —le dio un golpecito al Mac con un destornillador—. Aquí no han añadido nada —empezó a montarlo de nuevo rápidamente, su eficacia ampliada por el resentimiento. Hacia Shombo y su abrigo gris, esperó Milgrim.

—¿Es todo lo que tienes que hacer?

—¿Todo? Mi familia está viviendo con ese tipo.

—A mi ordenador.

—Falta un análisis del *software*.

Sacó un ajado Dell negro de debajo del mostrador y lo conectó al Air.

—¿La contraseña?

—Locativo —dijo Milgrim, y deletreó la palabra—. Minúscula. Punto. Uno.

Se acercó al panel para mirar con más atención la máquina Enigma.

—¿La pátina las vuelve más valiosas?

—¿Qué?

Las luces LED destellaron en su dirección desde las gafas de plástico.

—Si están gastadas. Si se nota el uso.

—Son más valiosas si están flamantes —dijo Voytek, mirándolo por encima de las gafas.

—¿Y esto?

Eran engranajes de dientes negros y afilados, del tamaño del culo de una botella de cerveza. Cada uno marcado con un número de muchas cifras al que se le había gastado la pintura blanca.

—Para ti, lo mismo que una codificadora relámpago: mil libras.

—Quiero decir que para qué sirven.

—Para fijar la encriptación. La máquina receptora debe tener el rotor del día que sea idéntico.

Llamaron una sola vez a la puerta. Las campanitas tintinearon. Era el otro conductor, el que había traído a Milgrim desde Heathrow.

—Personas-mierda —dijo Voytek resignado, y fue a abrir de nuevo la puerta.

—Muestra de orina —anunció el conductor, sacando una nueva bolsita de papel marrón.

—Una mierda —protestó Voytek.

—Tendré que usar el baño —dijo Milgrim.

—¿Baño? No tengo ningún baño.

—El servicio. El retrete.

—Ahí atrás. Con Shombo.

—Él tendrá que mirar —dijo Milgrim, señalando al conductor.

—No quiero saberlo —respondió Voytek. Llamó a la puerta por la que había desaparecido Shombo—. ¡Shombo! ¡Aquí necesitan el retrete!

—Largo —dijo Shombo, la voz apagada por la puerta.

Milgrim, seguido de cerca por el conductor, se acercó, probó con el pomo. Se abrió.

—Largo —repitió Shombo, pero en abstracto, desde un nido de ratas lleno de pantallas al fondo de un lugar más grande y más oscuro de lo que Milgrim había esperado. Las pantallas estaban cubiertas de densas columnas de lo que interpretó que eran cifras en vez de lenguaje escrito.

Con el conductor detrás, Milgrim se encaminó hacia el cubículo de paredes de madera prensada que era el retrete. Estaba iluminado por una sola bombilla pelada. No había espacio para el conductor, que simplemente se quedó acechando en la puerta. Le pasó la bolsa de papel. Milgrim la abrió, retiró la bolsa de bocadillos, la abrió, sacó el frasquito de tapón azul. Rompió el sello de papel, quitó la tapa y se abrió la bragueta.

—Jódete —murmuró Shombo, sin ningún rastro de ironía.

Milgrim suspiró, llenó el frasco, lo tapó, terminó de orinar en la sucia taza, tiró de la cadena y luego metió el frasco en la bolsa de bocadillos, la bolsa de bocadillos en la bolsa de papel, le tendió la bolsa de papel al conductor, y luego se lavó las manos con agua fría. Parecía que no había jabón por ninguna parte.

Mientras salían de la habitación, vio el reflejo de las brillantes pantallas en los ojos de Shombo.

Cerró con cuidado la puerta tras él.

El conductor le tendió un crujiente sobre manila de un estilo que sugería prácticas bancarias profundamente tradicionales. Dentro, Milgrim palpó las burbujas selladas que contenían su medicación.

—Gracias —dijo.

El conductor, sin decir una palabra, se marchó. Voytek cerró irritado la puerta tras él.

41
Ropa-sarasa

—Vendrá ahora mismo —dijo Jacob, sonriendo tan elegantemente barbudo como siempre cuando se reunió con ella en la entrada de Hormiga Azul—. ¿Qué tal por París? ¿Le apetece un café?

—Bien, gracias. Nada de café.

Se sentía destrozada, y asumía que lo parecía, pero también se encontraba mejor desde que Heidi la obligó a hacer la llamada. Al contemplar la lámpara de lentes usada del vestíbulo, agradeció cualquier distracción o molestia que Bigend pudiera proporcionar.

Y aquí venía, el traje azul que desafiaba la óptica mutado, si ésa podía ser la palabra adecuada, por un polo negro. Tras él, silencioso y alerta, sus dos guardaespaldas porteadores de paraguas. Dejó a Jacob atrás, cogió a Hollis del brazo y la condujo hacia la puerta, seguido por los guardaespaldas.

—No es bueno, Jacob —le dijo en voz baja—. Lo de Sleight.

—¿De veras?

—No estoy seguro del todo aún —dijo él, guiándola hacia la izquierda, luego de nuevo hacia la izquierda en la esquina—. Pero parece probable.

—¿Adónde vamos?

—No muy lejos. Ya no mantengo conversaciones importantes en las instalaciones de Hormiga Azul.

—¿Qué está ocurriendo?

—Debería haber modelado el fenómeno entero. Haber hecho algunas buenas visualizaciones CG. No es exacto, naturalmente, pero sí familiar. Supongo que harán falta cinco o seis años para conseguirlo.

—Según Milgrim, parecía un golpe palaciego, una especie de derrocamiento.

—No tan dramático. Unos cuantos de mis empleados más brillantes se marchan. Los que no han llegado donde esperaban con Hormiga Azul. Muy pocos lo hacen, en realidad. Alguien como Sleight intenta dimitir con los mejores beneficios, naturalmente. Construye su propio paracaídas dorado. Me dejaría sin blanca si pudiera. La información se filtra, antes de que esos grupos se marchen, a los mejores postores. Siempre más que un paracaidista dorado.

La cogió de nuevo por el brazo y cruzó la estrecha calle, tras un Mercedes de paso.

—Demasiadas partes en movimiento para un solo operador. Sleight, probablemente Jacob, y dos o tres más.

—No pareces muy alarmado.

—Me lo espero. Siempre es interesante. Puedo menear otras cosas. Hacer revelaciones. Cuando quieras saber cómo funcionan realmente las cosas, estúdialas cuando se vienen abajo.

—¿Qué significa eso?

—Riesgo aumentado. Oportunidad aumentada. Esto se produce en un momento inoportuno, pero siempre lo parece. Ya hemos llegado.

Se detuvo delante del estrecho escaparate de una tienda del Soho donde un cartel austeramente minimalista anunciaba TANKY & TOJO con letras mayúsculas de aluminio bruñido. Hollis se asomó al escaparate. Un antiguo maniquí de sastre, vestido de algodón encerado, *tweed*, pana, correas de cuero.

Bigend le sujetó la puerta.

—Bienvenidos —dijo un hombrecito japonés con gafas de montura dorada y redonda. No había nadie más en la tienda.

—Estaremos ahí al fondo —dijo Bigend, guiando a Hollis.

—Por supuesto. Me encargaré de que no les molesten.

Hollis le sonrió al hombre, asintió. Él le hizo una reverencia. Llevaba una chaqueta de montar de *tweed* con mangas hechas parcialmente de algodón encerado.

La trastienda de Tanky & Tojo era más ordenada, menos caótica de lo que ella esperaba de este tipo de sitios. No había ningún rastro de empleados que intentaran aliviar el aburrimiento, ninguna huella de humor, ningún detallito de afecto. Las paredes estaban recién pintadas de gris. Unos estantes blancos baratos estaban repletos de material envuelto en plástico, cajas de zapatos, muestrarios de tela.

—Milgrim y Sleight estaban en Carolina del Sur —dijo Bigend, sentándose tras el pequeño escritorio blanco de Ikea. Una de sus esquinas, la que apuntaba en dirección a Hollis, estaba descascarillada, revelando parte del material interior que parecía una mezcla compacta de copos de avena.

Hollis se sentó en un taburete con pinta de ser de los ochenta de terciopelo violeta claro, bulboso, posiblemente el último superviviente de algún establecimiento previo que hubiera en este lugar.

—Sleight organizó que le echáramos un vistazo a un prototipo de ropa. Habíamos detectado ciertos rumores interesantes en la industria al respecto, aunque cuando conseguimos las fotos y los calcos, la verdad, no pudimos ver por qué. Nuestro mejor análisis no considera que sea un diseño táctico. Algo para los *ninjas* de centros comerciales.

—¿Para qué?

—La nueva demografía Mitty.

—Estoy perdida.

—Jóvenes que se visten para sentir que los confundirán con otra gente que tiene capacidades especiales. Una suerte de *cosplay*, en realidad. Endémico. Montones de chicos juegan ahora a los soldados. Los hombres que dirigen el mundo no, ni los chicos que se dedican con más ansia a hacerlo en el futuro. Ni los que son soldados de verdad, claro. Pero muchos de los demás se visten con ropasarasa en un grado o en otro.

—¿«Ropa-sarasa»?

Bigend enseñó los dientes.

—Hicimos que un grupo de antropólogos culturales entrevistaran a los soldados norteamericanos que regresaban de Irak. Ahí es donde oímos por primera vez el término. No es del todo denigratorio, ojo. Son profesionales auténticos que requieren de verdad estas cosas…, alguno de ellos, al menos. Aunque por lo general parecen bastante menos fascinados por ellas. Pero es esa fascinación la que nos interesa, claro.

—¿Ah, sí?

—Es una obsesión no sólo con la idea de la cosa adecuada, sino de la cosa especial. Fetichismo de equipamiento. La costumbre y la semiótica de las unidades policiales y militares de élite. El intenso deseo de poseer lo mismo, claro está, y a su vez estar asociado con ese mundo. Con su competencia, su arrogante exclusividad.

—A mí me suena a moda.

—Exactamente. Pantalones, pero sólo los adecuados. Nunca podríamos haber orquestado un instrumento tan poderoso de deseo consumista. Es como sexo embotellado.

—No para mí.

—Tú eres mujer.

—¿Quieren ser soldados?

—No se trata de ser. Se trata de ser identificados como tales. Por secreto que sea. Imaginar que pueden ser confundidos, o al menos asociados con los soldados. Virtualmente, ninguno de estos productos será utilizado para nada que se parezca ni de manera remota a aquello para lo que fueron diseñados. Naturalmente, eso se cumple en la mayoría de los productos militares tradicionales. Hay universos enteros de fantasías masculinas en estos sitios. Pero el nivel de motivación del consumidor que estamos viendo, el hecho de que a menudo sean bienes de lujo, hace que tengan un precio como tales. Eso es nuevo. Cuando esto me llamó la atención, me sentí como un neurocirujano que descubre a un paciente cuyo sistema nervioso está completamente expuesto de manera congénita. Todo es tan desnudamente obvio. Es fantástico, en realidad.

—¿Y eso tiene relación con los contratos militares?

—Profundamente, aunque no de forma sencilla. Un montón de los mismos jugadores coinciden donde se origina el tema. Pero nuestro comprador civil, tu Walter Mitty del siglo veintiuno, lo necesita igual que un *mod*, en esta calle, en 1965, necesitaba el grado de comodidad justo en una chaqueta.

—Me parece ridículo.

—Es casi exclusivamente una cosa de tíos.

—Casi —coincidió Hollis, recordando el sujetador del ejército israelí de Heidi.

—Milgrim y Sleight estaban en Carolina del Sur porque parecía que allí alguien podía estar a punto de conseguir un contrato con el Departamento de Defensa. Un contrato de pantalones. Como es algo en lo que hemos intentado meternos activamente, decidimos echarle un vistazo más de cerca a su producto.

—¿Al producto de quién?

—Todavía estamos investigando eso.

—No es el tipo de cosa en las que te imaginara implicado. Contratos militares, nada menos. No lo entiendo.

—Es el único sector de la industria del vestido que no tiene la disfunción fantástica de la moda. Y hay márgenes de beneficio muchísimo mayores. Pero al mismo tiempo todo lo que funciona, en la moda, funciona también con los contratos militares.

—No todo, sin duda.

—Más de lo que imaginas. Los militares, si lo piensas bien, fueron los que inventaron las marcas. Toda la idea de ir «de uniforme». La industria global de la moda se basa en eso. Pero la gente cuyo prototipo enviamos a Milgrim a fotografiar y calcar, en Carolina del Sur, evidentemente han captado a Sleight. Y aquí estamos.

—¿Dónde?

—En una posición de posible peligro —contestó él con total firmeza.

—¿Porque Sleight es tu especialista personal?

—Por quienes son y lo que parecen ser ellos. He hecho que un especialista mucho más personal investigara por mí, siguiendo a

Sleight y las diversas arquitecturas que ha estado levantando, las que me ha contado y las que no. Ya he pasado por esto antes, como te dije. Así que en la mayoría de los casos, no estaría tan preocupado, y desde luego no de esta forma. Pero una de esas personas estaba aquí, en Londres. Os siguió a Milgrim y a ti a París, con la ayuda de Sleight.

—Milgrim lo llama Foley.

—Debemos asumir que ese Foley te seguía a ti también. Esa intersección que mencioné, entre la élite real y los *ninjas* de centro comercial. Puede ser un segmento problemático en este diagrama de Venn concreto.

—Lo vi —dijo Hollis—. Me siguió hasta el sótano del edificio donde había ido a…

Vaciló.

—A encontrarte con Meredith Overton. Milgrim me informó anoche, en París. Y no le hizo ninguna gracia encontrarse con Rausch.

—A mí tampoco, aunque me pareció que Rausch se sobresaltaba más que yo al verme. Creyó que le estabas vigilando. ¿Está con Sleight?

—Lo dudo —dijo Bigend—. No es tan rápido. ¿Sabes ya quién diseña los Sabuesos de Gabriel?

—No. Pero o bien lo sabe ya Meredith, o cree que puede averiguarlo.

—¿Y qué crees que hará falta para inducirla a que nos lo diga, o a que lo averigüe y nos lo diga?

—Tiene una línea de calzado. Fracasó a nivel financiero, y el grueso de la última temporada acabó donde no debía.

—Sí. La estamos investigando ahora. Era una buena línea. Preludió la mejor de las tendencias Harajaku.

—Cree que esas zapatillas suyas están en un almacén de Seattle. Tacoma. En alguna parte. Imagina que Hormiga Azul podría averiguar dónde. Cree que si las encuentran puede reclamarlas legalmente.

—¿Y entonces?

—Las vendería. En eBay, dice. Ahora tienen más valor, evidentemente.

—Pero sobre todo como estrategia de relanzamiento —dijo Bigend—. Las ventas de eBay atraerían a los especuladores, generarían atención en la industria.

—No lo mencionó.

—No querría. Tiene que buscar nueva financiación. O relanza la línea ella misma o se la vende a las marcas fantasma.

—¿Las qué?

—Las marcas fantasma. Hay tipos que buscan marcas, a veces extintas, con óptica icónica o una narrativa viable, las compran y luego sacan un producto desnaturalizado con la antigua marca. Las zapatillas de Meredith probablemente tendrán suficiente caché como producto de culto para garantizar eso a una escala pequeña pero interesante.

—¿Y por algo así vas detrás de los Sabuesos de Gabriel?

—Me interesa más su reinvención de la exclusividad. Muy por delante, digamos, de la marca Burberry que sólo puedes comprar en un establecimiento especial en Tokio, pero no aquí, ni en la Red. Eso es exclusividad geográfica de la vieja escuela. Los Sabuesos de Gabriel son otra cosa distinta. Hay algo espectral por medio. ¿Qué te dijo Overton?

Hollis recordó a Ajay introduciendo la cuchilla en la base de la figurita de la Hormiga Azul, allá en la Número Cuatro.

—Conocía a alguien, en la escuela de moda de aquí, o por aquí, que a su vez conocía a alguien en Chicago. Cree que esa persona de Chicago es quien diseña los Sabuesos.

—¿Crees que no lo sabe?

—Puede que no. Dice que acabó en una lista de correo que anunciaba ventas de Sabuesos.

—Suponíamos que tenía que haber una —dijo él—. Hemos hecho bastantes esfuerzos para encontrarla. Pero nada.

Hollis cogió uno de los muestrarios de tela del estante que tenía más cerca. Era sorprendentemente pesado, su cubierta de grueso cartón marrón, marcada con un largo número con rotulador negro. Lo abrió. Gruesas telas principalmente sintéticas, extrañamente mantecosas al tacto, como muestras de las pieles de ballenas robóticas.

—¿Qué es esto?

—Con eso hacen Zodiacs —contestó él—. Las barcas inflables.

Hollis devolvió el muestrario a su estante, decidiendo mientras lo hacía que éste no era el momento para sacar a colación el micro instalado en la figurita, aunque hubiera estado dispuesta a hacerlo.

—El mismo Foley puede que no sea tan peligroso, aunque no lo sabemos —dijo Bigend—. Es un fantasioso, diseñando para consumidores fantasiosos. Pero la persona que lo emplea es otro cantar. No he podido averiguar tanto como quisiera. En estos momentos tengo que salir de Hormiga Azul y esquivar a Sleight y su arquitectura incluso para las investigaciones más básicas.

—¿Qué quieres decir con que es peligroso?

—No es bueno saber, ni que sepan de ti —dijo Bigend—. No es bueno que te vean como competidor. Resulta que ese pequeño acto de espionaje industrial en Carolina del Sur puso a Sleight en su campo. Con lo que he podido descubrir hasta ahora, eso hace que nos consideren el enemigo.

—¿Quiénes son?

—Fueron, en algún momento, la gente que nuestra nueva demografía imagina. ¿Qué estás mirando?

—Tu traje.

—Es de Mr. Fish.

—No lo es. Me dijiste que nadie podía encontrarlo.

—Puede que esté vendiendo muebles en California. Antigüedades. Ésa es una versión. Pero encontré a su cortador.

—¿De verdad que te preocupan esos contratadores? ¿Foley?

—Contratistas, más bien. En el otro sentido más digno de aparecer en las noticias. Tengo un montón de cosas en juego, Hollis.

Uno de mis proyectos a largo plazo, algo que se desarrolla de fondo, acaba de mostrar fuertes indicios de que va a dar frutos. Es frustrante distraerse ahora, pero estoy decidido a no dejar pasar ningún balón. Aunque salir lastimado sería como perder un balón.

La miraba ahora con algo que ella interpretó como la artera imitación de la preocupación humana, pero Hollis comprendió que eso indicaba que tal vez hubiera algo que temer. Se estremeció en aquel ridículo taburete de terciopelo.

—Florencia —dijo él—. Tengo un apartamento. Precioso. Te enviaré para allá. Hoy.

—Tengo a Meredith en juego. Va a venir con George. Probablemente esté aquí ya. Reg lo necesita en el estudio. No puedes asignarme una tarea específica y luego quitarme de en medio cuando estoy a punto de completarla. No trabajo para ti de esa forma.

Todo eso era cierto, pero después de haber llegado hasta el buzón de voz de Garreth, sentía que necesitaba estar aquí, donde le había dicho que estaba, al menos hasta que descubriera dónde se encontraba él.

Bigend asintió.

—Comprendo. Y quiero la identidad del diseñador de los Sabuesos. Pero debes tener cuidado. Todos debemos tener cuidado.

—¿Quién es Tanky, Hubertus? Suponiendo que ese de ahí fuera sea Tojo.

—Supongo que soy yo —respondió él.

42

Elvis, Graceland

Winnie Tung Whitaker llevaba una variante azul claro de la sudadera con el monograma de la bandera del estado de Carolina del Sur.
Milgrim se la imaginó comprando toda la gama de colores en alguna
tienda de saldos, a la salida de la autopista que llevaba al Restaurante Familiar de Ciudad Límite. El azul la hacía parecer más una madre joven, cosa que evidentemente era, que una persona agresiva,
como le acababa de decir que era. No dudaba que fuera ambas cosas. La parte agresiva quedaba expresada ahora mismo por un par
de gafas de sol impresionantemente feas con marcos de aleación
mate que llevaba sobre el liso pelo negro, aunque se notaba sobre
todo por la expresión de sus ojos.

—¿Cómo conocías este sitio? —preguntó Milgrim. Sus primeros platos acababan de llegar. Estaban en una pequeña cafetería
vietnamita.

—Google —respondió ella—. ¿No crees que soy agresiva?

—Lo creo —dijo Milgrim, inquieto. Probó rápidamente su ca-
lamar con chile.

—¿Cómo está?

—Bueno.

—¿Quieres una empanadilla?

—No, gracias.

—Están buenísimas. Las probé cuando estuve aquí antes.

—¿Ya has estado aquí?

—Me alojo cerca de aquí. En Kentish Town.

—¿El hotel?

—El barrio. Estoy en casa de un detective retirado. Scotland

Yard. En serio —sonrió—. Hay un club, la Asociación Internacional de Policía. Nos conecta para que podamos alojarnos en las casas de los miembros. Ahorra dinero.

—Qué bien.

—Tiene tapetes —sonrió—. De encaje. Me asustan. Y soy una maniática de la limpieza. De otro modo, no podría permitirme estar aquí.

Milgrim parpadeó.

—¿No podrías?

—No somos precisamente una gran agencia. Puedo llegar a ciento treinta y seis dólares al día, comida e imprevistos. Más para el hotel, pero aquí no es suficiente. Es el lugar más caro en el que he estado nunca.

—Pero eres una agente especial.

—No tan especial. Y ya tengo bastante presión de mi jefe.

—¿Sí?

—No le parece que la cooperación entre la embajada y los británicos vaya a ninguna parte. Y tiene razón. No le hace gracia que vaya por Londres a mi aire, haciendo investigaciones fuera de Estados Unidos, sin la coordinación adecuada. Quiere que vuelva.

—¿Te marchas?

—¿Es que te viene mal? —pareció como si estuviera a punto de echarse a reír.

—No lo sé, tú dirás.

—Tranquilo, no vas a librarte de mí tan fácilmente. Se supone que tengo que volver a casa y trabajar con el FBI para que los británicos colaboren, cosa que será lenta de narices, aunque salga bien. Pero el tipo con quien tengo el contacto en firme se habrá marchado ya.

Milgrim advirtió que pensar en esa persona hacía que los ojos le brillaran, y eso le hizo recordar su reacción inicial hacia ella en Convent Garden.

—Reclutar a un ciudadano norteamericano en el Reino Unido no tiene problemas —dijo ella—, pero ¿interactuar con ciudadanos que no son norteamericanos, en el transcurso de una investigación criminal o un asunto de seguridad nacional? Ni hablar.

—¿No?

Milgrim tenía la sensación de que acababa de penetrar alguna modalidad preocupantemente familiar, demasiado parecida a un trapicheo de drogas. Las cosas se ponían seriamente *transaccionales*. Miró a los otros comensales. Uno de ellos, sentado a solas, leía un libro. Era ese tipo de lugar.

—Si lo hiciera, los británicos se molestarían —dijo ella—. Demasiado.

—Supongo que no querrías eso.

—Ni tú tampoco.

—No.

—Tu tarea está a punto de volverse mucho más específica.

—¿Mi tarea?

—¿Cómo va tu memoria?

—Los últimos diez años o así, no lineal. Todavía sigo recomponiéndola.

—Pero si te cuento una historia, una historia bastante complicada, ¿retendrías la idea general y algunos detalles?

—Hubertus dice que soy bueno con los detalles.

—¿Y no la inflarás, distorsionarás, inventarás chorradas sin pies ni cabeza cuando se la cuentes más tarde a otra persona?

—¿Por qué iba a hacer eso?

—Porque es lo que suele hacer la gente con la que trabajo.

—¿Por qué?

—Porque son mentirosos patológicos, narcisistas, impostores vocacionales, alcohólicos, drogadictos, perdedores crónicos y gilipollas. Pero tú no vas a ser así, ¿verdad?

—No —dijo Milgrim.

La camarera llegó con sus platos de *pho**.

---

* Plato de fideos de arroz de la cocina vietnamita. (*N. del T.*)

—Currículum vítae —dijo ella, y sopló en su *pho*, las tiras de ternera todavía brillantes—. Cuarenta y cinco años.

—¿Quién es?

—Tú escucha. Año 2004: dimite de su puesto, quince años como oficial en el ejército norteamericano. Rango de comandante. Los últimos diez años estuvo con el Primer Grupo de las Fuerzas Especiales en Okinawa, en Fort Lewis, cerca de Tacoma. Pasó la mayor parte de su carrera destinado en Asia. Gran experiencia en las Filipinas. Después del Once-S, estuvo destacado en Irak y Afganistán. Pero antes de que el ejército descubriera cómo encargarse de la contrainsurgencia. Dimite porque es el clásico promotor de sí mismo. Cree que tiene buenas posibilidades de hacerse rico como asesor.

Milgrim escuchaba con atención, sorbiendo metódicamente el caldo con la cuchara de porcelana blanca. Eso le daba algo que hacer, y lo agradecía mucho.

—De 2005 a 2006 intenta conseguir trabajo como contratista civil con la CIA, interrogatorios y todo eso.

—¿Y todo eso?

Ella asintió con gravedad.

—Se encargan de que sus talentos y experiencia no se pierdan. Anda por la zona del Golfo durante dos años, ofreciendo servicios de asesoramiento en materias de seguridad para compañías petrolíferas y otras grandes corporaciones en Arabia Saudí, los Emiratos Árabes y Kuwait. Intenta colocarse como consultor de los ricos gobiernos árabes, pero a estas alturas los peces gordos de esa industria ya han reaccionado. No lo consigue.

—¿Se trata de Foley?

—¿Quién es Foley?

—El hombre que nos siguió en París.

—¿Te parece que tenga cuarenta y cinco años? Tal vez no seas tan buen informante después de todo.

—Lo siento.

—De 2006 al presente. Ahí es donde la cosa se pone buena. Vuelve a lo que conocía mejor antes del Once-S, explota antiguos contactos en Filipinas e Indonesia. Traslada su negocio al sureste asiático, que es una mina de oro para él. Las grandes compañías están más concentradas en Oriente Próximo a estas alturas, y los operadores más pequeños pueden ganar más pasta en el sureste asiático. Empieza haciendo el mismo trabajo de asesoría de seguridad para clientes corporativos en Indonesia, Malaisia, Singapur y Filipinas. Cadenas hoteleras, bancos… Juega con las conexiones políticas de esos clientes corporativos para hacer trabajo de asesoramiento para esos gobiernos. Ahora enseña tácticas, estrategias de contrainsurgencia, para lo que tal vez sólo esté ligeramente preparado. Interrogatorios, para lo que no está. Y más. Ese tipo de cosas. Instruye unidades policiales, probablemente a los militares también, y aquí es donde empieza en serio a meterse en el mundo del comercio de armas.

—¿Eso es ilegal?

—Depende de cómo lo hagas —se encogió de hombros—. Naturalmente, tiene sus antiguos colegas trabajando para él a estas alturas. Mientras enseña tácticas, también especifica el equipo que necesitarán esas operaciones. Empieza con poca cosa, equipando a escuadrones policiales antiterroristas con armas especiales y chalecos antibalas. Material proporcionado por las compañías norteamericanas donde tiene lazos amistosos. Pero si los oficiales de los ejércitos de estos países se enteran de lo que está haciendo y se llevan una tajada, algo a lo que muchos están dispuestos, y también se sienten impresionados por su labor de Rambo, el clásico comando norteamericano con muchas capacidades pero con más visión para los negocios, pueden empezar a hablar con él sobre el equipo que necesitan las fuerzas convencionales de sus ejércitos —soltó la cuchara—. Y ahí es donde empezamos a hablar de dinero de verdad.

—¿Está vendiendo armas?

—No del todo. Se convierte en una especie de contacto. Concierta tratos con contactos en Estados Unidos, gente que trabaja para compañías que construyen vehículos tácticos, vehículos aéreos no tripulados, robots de eliminación de explosivos, equipo de detección y eliminación de minas… —se acomodó y volvió a recoger la cuchara—. Y uniformes.

—¿Uniformes?

—¿Qué creen tus amigos de Hormiga Azul que encontraron en Carolina del Sur?

—¿Un contrato con el ejército?

—Exacto, pero con el ejército equivocado. En este momento, al menos. Y en este momento el hombre que acabo de describirte considera que tus jefes son sus competidores directos y agresivos. Esos pantalones son su primer intento para contratar el equipo él mismo. No será sólo el contacto.

—No me gusta la pinta que tiene eso —dijo Milgrim.

—Bien. Lo que tienes que recordar con estos tipos es que no saben que son timadores. Son demasiado confiados. La omnipotencia, la omnisciencia… es parte de la mitología que rodea a las Fuerzas Especiales. He sufrido a todos esos tipos intentando llevarme al huerto cada vez que era su último día en Bagdad —alzó el puño, mostrándole a Milgrim la sencilla alianza de boda de oro—. Tu tipo puede entrar por la puerta y prometer que va a entrenarse en algo que no sabe hacer personalmente, y ni siquiera darse cuenta de que está alardeando sobre sus propias capacidades. Es una clase especial de credibilidad, una especie de equipo táctico físico, instalado durante su entrenamiento. El ejército lo hizo pasar por *escuelas* que prometieron enseñarle cómo hacerlo *todo*, todo lo que importa. Y los creyó. Y en ese tipo está interesado hoy tu señor Bigend, aunque no lo esté en serio más adelante.

Milgrim tragó saliva.

—Entonces ¿quién es Foley?

—El diseñador. No se pueden hacer uniformes sin un diseñador. Estuvo en Parsons, la Nueva Escuela de Diseño.

—¿En Nueva York?

—Dudo que encajara. Pero no le hagas caso. Yo voy detrás de Michael Preston Gracie.

—¿El comandante? No comprendo qué es lo que ha hecho.

—Delitos que implican un montón de acrónimos oficiales. Delitos que tardaría toda la noche en explicarte adecuadamente. Cazo entre los matorrales de las reglas. Pero lo bueno de estos tipos, para mí, es que cuanto más pequeña es la transgresión, con más lentitud la manejan. Vigilo los matorrales en busca de las ramitas que han roto. En este caso, fue ORMD.

—¿ORMD?

—O-R-M-D. Las iniciales de las Oficinas de Reutilización y Marketing de Defensa. Manipula a sus antiguos compañeros del ejército. Ilegalmente. El equipo se vende a entidades extranjeras, ya sean compañías o gobiernos. El servicio de aduanas advierte un envío, todo curiosamente nuevo y flamante. No hay ninguna violación de las regulaciones internacionales sobre el tráfico de armas, pero sí advierten lo nuevo, lo flamante. Yo lo examino, resulta que esas radios nunca iban a ser enviadas a la ORMD, después de todo. Miro con un poco más de atención y la compra de la ORMD tampoco era correcta. Veo que el tipo está implicado en montones de estas compras, en montones de contratos. Nada grande, pero el dinero va sumando. Esos pantalones tuyos me parece que son el principio de la fase de legitimización. Parece que ha empezado a hacerle caso a los abogados. Puede que incluso haya algo de blanqueo de dinero. ¿Cómo te dije que se llamaba?

—Gracie.

—¿Nombre de pila?

—Peter.

—Te daré una regla nemotécnica: Elvis, Graceland.

—¿«Elvis, Graceland»?

—Preston, Gracie. Presley, Graceland. ¿Cómo se llama?

—Preston Gracie. *Mike.*

Ella sonrió.

—¿Qué se supone que tengo que hacer con esto?

—Díselo a Bigend.

—Pero entonces sabrá de tu existencia.

—Sólo lo que le digas. Si estuviéramos en Estados Unidos, lo haría de otra forma. Pero aquí eres mi única fuente, y se me acaba el tiempo. Dile a Bigend que hay una dura agente federal que quiere que se fije en Gracie. Bigend tiene dinero, conexiones, abogados. Si Gracie le hace la puñeta, asegurémonos de que sepa cómo hacerle la puñeta a su vez.

—Estás haciendo lo que hace Bigend —dijo Milgrim con tono más acusador de lo que pretendía—. Lo haces *para ver qué pasa.*

—Lo hago porque me encuentro en situación de hacerlo. Tal vez, de algún modo, consiga que Michael Preston Gracie la joda. O lo jodan. Tristemente, es sólo un gesto. Un gesto en la cara del universo gilipollas, debido a mi creciente frustración con sus habitantes. Pero tienes que decírselo a Bigend, rápido.

—¿Por qué?

—Porque tengo el plan de vuelo de Gracie con APIS*, vía CBP**. Viene de camino. Atlanta vía Ginebra. Parece que tiene una reunión, cuatro horas sobre el terreno. Luego se irá a Heathrow.

—¿Y tú te marchas?

—Es una putada, pero sí. Mis hijos y mi marido me echan de menos. Tengo nostalgia de casa. Supongo que ya es hora.

Soltó la cuchara y pasó a los palillos.

—Díselo a Bigend. Esta noche.

* Sistema Avanzado de Información de Pasajeros. *(N. del T.)*
** Protección de Aduanas y Fronteras. *(N. del T.)*

43

Ichinomiya

—Gracias por recibirme con tan poca antelación —dijo Meredith Overton, sentada en un sillón directamente bajo la panoplia de colmillos de narval. Llevaba una chaqueta de *tweed* que podría haber salido de Tanky & Tojo, si hicieran ropa de mujer. Había telefoneado a Hollis cuando volvía de su reunión con Bigend en la extraña, estéril como un quirófano, plateada furgoneta que conducía Aldous, uno de los altos guardaespaldas negros.

—Es el momento ideal —dijo Hollis—. Acabo de verlo. Estará encantado de ordenar a un equipo de investigadores de Hormiga Azul que busquen tus zapatillas.

—Siempre que le proporcione la identidad del diseñador de los Sabuesos de Gabriel.

—Sí.

—No puedo —dijo Meredith—. Por eso estoy aquí.

—¿No puedes?

—Lo siento. Un ataque de conciencia. Bueno, un ataque no. Mi conciencia está en bastante buena forma. Ése es el problema. Intenté esquivarla, porque quiero mis zapatillas. George y yo estuvimos despiertos toda la noche, discutiendo sobre el tema, y quedó claro que no es algo que esté dispuesta a hacer. Él está de acuerdo, naturalmente, por mucho que quiera tu consejo para trabajar con Inchmale.

—Puede contar con eso —dijo Hollis—. Creí haberlo dejado claro en París. Soy una hermandad de una sola mujer en ese aspecto. Aconsejo a los afligidos.

Meredith sonrió. La camarera italiana llegó con el café. Hollis supuso que ahora era más o menos la hora del cóctel, y la sala, aunque no estaba abarrotada, se llenaba de un murmullo peculiar, inclinándose lentamente hacia el ruido pleno de más tarde.

—Eres muy amable —dijo Meredith—. ¿Conoces Japón?

—Tokio, sobre todo. Tocamos allí. Escenarios enormes.

—Fui allí cuando estaba preparando mi segunda temporada. La primera, todas las zapatillas eran de cuero. Me sentía más cómoda con eso. Para la segunda temporada, quería hacer algo con tela. La clásica zapatilla de verano. Necesitaba algún tipo de lona artesanal. Densa, duradera, pero con buena mano. Especial.

—¿Mano?

—Cómo se siente al tacto. Alguien me sugirió que hablara con esa pareja de Nagoya. Tenían un taller allí, sobre un pequeño almacén en las afueras de un lugar llamado Ichinomiya. Puedo decírtelo porque ya no está allí. Fabricaban vaqueros con tela sobrante de una fábrica de Okayama. Dependiendo de la longitud del rollo, podían sacar tres pares de vaqueros, o veinte, y cuando el rollo se acababa, se acababa. Me enteré de que también compraban tejido de lona a la misma fábrica, material de los sesenta. Quise verlo y, si era bueno, convencerlos de que me vendieran unos cuantos rollos. Habían intentado usar la lona para hacer vaqueros, pero era demasiado pesada. Eran encantadores. Había montones de muestras de sus vaqueros. Viejas fotografías de hombres americanos con ropa de trabajo. Todas sus máquinas eran antiguas, excepto la que utilizaban para los remaches. Tenían una máquina que cosía en cadena German Union Special. Una máquina para hacer trabillas de los años veinte —sonrió—. Los diseñadores se vuelven pirados de las máquinas. Las máquinas definen lo que puedes hacer. Eso, y hallar los operarios adecuados para ellas.

Añadió azúcar a su café solo, lo meneó.

—Así que subo al desván, en lo más alto del edificio, donde tenían esos rollos de lona, en estantes, montones de ellos. Todos diferentes, la luz no es muy intensa, y me doy cuenta de que no estoy sola. La pareja de japoneses está abajo, en la primera planta, haciendo vaqueros, y no han dicho nada de que hubiera nadie más allí. Puedo oír las máquinas que están utilizando. Debajo hay un establecimiento que fabrica cajas de cartón. También tienen máquinas, una especie de golpeteo lejano. Pero puedo oír a una mujer cantar, como si cantara para sí misma. No muy fuerte. Pero cerca. Hacia la parte trasera del edificio. Allá en el desván, conmigo. Los de los vaqueros no han dicho que hubiera nadie más, pero apenas hablan inglés. Están completamente concentrados en su trabajo. Hacen dos o tres pares al día, sólo ellos dos. Autodidactas. Así que vuelvo a poner en el estante el rollo que estoy mirando. Sigo el sonido de la canción —dio un sorbo de café—. Y al fondo del desván hay una luz, buena luz, sobre una mesa. La mujer está trabajando en el patrón. Grandes cantidades de papel fino, lápices. Canta. Vaqueros negros, una camiseta negra y una de esas chaquetas como la que tú llevas. Alza la cabeza, me ve, deja de cantar. Tiene el pelo oscuro, pero no es japonesa. Lo siento, digo, no sabía que hubiera alguien aquí. No importa, contesta ella, acento americano. Me pregunta quién soy. Se lo digo, y le digo que he venido a mirar las telas de lona. ¿Para qué? Zapatillas, le digo. ¿Es usted diseñadora? Sí, contestó, y le muestro las zapatillas que llevo puestas. Que son mías, de la primera temporada, piel de vaca, de la fábrica Horween, Chicago, gran vulcanización blanca, de donde salieron las primeras Vans. Y ella me sonríe, y sale de detrás de la mesa, y entonces puedo ver que las lleva puestas, las mismas zapatillas, mis zapatillas, pero en negro. Y me dice su nombre.

Hollis sujetaba su café con ambas manos, inclinada hacia delante en su silla, al otro lado de la mesita.

—Y por eso ahora sé que no puedo decírtelo —continuó Meredith—. Y aunque vayas allí, la pareja ya no está, ni está ella.

—Le gustaban tus zapatillas.

—Le encantaban. No estoy segura de que le gustaran a nadie más, hasta ese punto. Ella consiguió aquello de lo que yo intentaba escapar. Las temporadas, las tonterías, el material que se gastaba, que se caía, no era real. Yo fui una vez esa chica que paseaba por París camino de la siguiente sesión de fotos, sin dinero para un billete de metro, y me imaginé aquellas zapatillas. Y cuando te imaginas algo así, te imaginas un mundo. Imaginas el mundo de donde vienen esas zapatillas, y te preguntas si podría suceder aquí, en este mundo, el mundo donde existen todas las chorradas. Y a veces sí puede suceder. Durante una temporada o dos.

Hollis soltó su taza.

—Quiero que sepas que me parece bien que no sigas contando más. Lo entenderé.

Meredith sacudió la cabeza.

—Acabamos cenando, bebiendo sake, en aquel tugurio al fondo de la calle. Todas las tazas de sake eran distintas, usadas, viejas, como si alguien las hubiera sacado de un mercadillo solidario. Eso fue después de que ella me ayudara a elegir mi tela. Era la diseñadora de los Sabuesos. No necesita a nadie como tu señor Bigend.

—No es mi señor Bigend.

—De toda la gente del mundo, no necesita a ése.

—Muy bien.

—Y por eso no puedo intercambiar su nombre por mis zapatillas. Por mucho que quiera recuperarlas.

—Si le digo que no quieres decírmelo, intentará encontrar esas zapatillas. Y cuando las tenga, enviará a otra persona a negociar. O vendrá él mismo.

—Ya lo he pensado. En realidad, es culpa mía. Por haber pensado siquiera en traicionar a una amiga —miró a Hollis—. No la he visto desde entonces. Ni he estado en contacto con ella. Sólo esos correos electrónicos anunciando las sueltas. Le envié un par de zapatillas con la lona que ella me ayudó a elegir. A aquel lugar de Ichinomiya. Así que no puedo hacerlo.

—Yo tampoco lo haría —respondió Hollis—. Mira, para mí esto es solo un trabajo, y ojalá no lo tuviera. Ni siquiera es un trabajo. Solo Bigend sobornándome para que haga algo por él. Lo mejor, para ti, sería que no le dijera que hemos tenido esta conversación.

Le diré que has dejado de devolverme las llamadas. Dile a George que le diga a Reg que le diga a Bigend que te deje en paz.

—¿Funcionaría eso?

—Tal vez —dijo Hollis—. Bigend valora la opinión de Reg en algunas cosas. Reg lo aconseja sobre música. Creo que le cae bien. Si llega a pensar que Bigend te está molestando, cosa que a su vez molestaría a George y pondría en peligro el siguiente álbum de los Bollards, hará todo lo que pueda para que Bigend dé marcha atrás. Pero no es que ése sea mi mejor plan: es el único.

—¿Qué vas a hacer?

—Le diré que no he podido contactar contigo.

—No me refiero a eso —dijo Meredith—. ¿Seguirás buscándola?

—Ésa es una buena pregunta.

44
Las verbales

Ante la ventana de su habitación, Milgrim contemplaba a alguien en el canal que recibía lo que Aldous llamaría las verbales. Es decir, una crítica dura, clara violencia verbal, probablemente con la amenaza añadida de lo físico. El receptor, con quien Milgrim se identificó por instinto, era una figura insustancial con una gabardina clara y sucia que le llegaba hasta los muslos, y su acosador, un individuo delgado como un cuchillo con un brillante chándal verde, uno de esos de dos piezas de seda que a veces todavía se empleaban aquí, Milgrim suponía que por nostalgia de un extinto estilo norteamericano de criminalidad triunfal del gueto. Las verbales, lo vio ahora, eran recalcadas con golpecitos con el pulgar en las costillas y el esternón del hombrecillo. Se obligó a darse media vuelta, mientras se frotaba ausente sus propias costillas con una mano.

Había recorrido con Winnie una calle llamada Parkway (¿no salía en el Monopoly?) hasta la calle Mayor y la estación, mientras ella le hacía preguntas por el camino sobre Michael Preston Gracie, y luego se despidió, le dio un fuerte apretón de manos y se marchó bajando unas escaleras mecánicas muy largas.

Él había continuado por la calle Mayor, que seguía pareciendo más bien una calle corriente en algún lugar donde el calzado juvenil y el alcohol eran los productos principales, aunque había grupos de jóvenes en la puerta de varios *pubs*, y allí se encontraba el Holiday Inn.

No quería llamar a Bigend, pero Winnie le había ordenado específicamente que lo hiciera, y él había dicho que lo haría. Abrió el sobre que el conductor le había entregado antes, miró las cápsulas blancas de diversos tamaños en sus burbujas transparentes de dorso de papel de aluminio, la diminuta y maniáticamente precisa etiqueta a mano con tinta Rapidograph púrpura, una hora y una fecha y un día de la semana para cada burbuja. No tenía más idea de quién había preparado esto que de lo que contenían las cápsulas. Se sentía como si estuviera entre dos mundos, dos enormes y aplastantes esferas de influencia, la de Bigend y la de Winnie, una pequeña luna temblorosa intentando hacer lo que le decían ambas. Intentando, supuso, evitar las verbales.

Debería llamar a Bigend ahora. Pero ya no tenía el Neo, recordó, y eso significaba que ya no tenía su número. Podía buscar Hormiga Azul y tratar de hablar por la centralita del hotel, pero dada la situación actual eso no parecía buena idea. Una especie de aplazamiento. Entró en cambio en el cuarto de baño y se dispuso a limpiarse los dientes, la operación en cuatro etapas, advirtiendo que seguía sin tener el colutorio especial. Empezaba a cepillarse con un cepillo nuevo de punta cónica entre los molares superiores traseros cuando sonó el teléfono de la habitación. Reacio a interrumpir la limpieza, salió del cuarto de baño con él metido en la boca, y respondió a la llamada.

—¿Diga?

—¿Por qué suenas tan raro? —preguntó Bigend.

—Lo siento —dijo Milgrim, sacándose el cepillo—, tenía algo en la boca.

—Baja al vestíbulo. Aldous estará allí dentro de poco. Recogerás a Hollis de camino. Tenemos que hablar.

—Bien —dijo Milgrim, antes de que Bigend colgara, pero entonces empezó a preocuparle si podría entregarle el mensaje de Winnie sobre Gracie delante de Hollis.

Volvió de nuevo al cuarto de baño para terminar de limpiarse los dientes.

45

Metralla, supersónica

Heidi, las piernas fuertes y blancas con sus pantalones cortos negros de ciclista, los hombros cuadrados con su más compleja chaqueta negra de *majorette*, estaba acurrucada una vez más, como una gárgola, en el filo de la cama Piblokto Madness, los dedos de los pies encogidos. Dos dardos plateados, como balas en una bandolera, colgaban del grueso cordón de la ajada parte frontal de la chaqueta, sus plumas rojo sangre de plástico fino como el papel apuntaban hacia el techo de la Número Cuatro.

Hacía girar un tercero entre el pulgar y el índice, como si estuviera decidiendo si fumárselo.

—Tungsteno y renio —dijo—. Aleación, son superpesados.

Miró a lo largo de la punta negra del dardo, casi invisible con esta luz. Las pesadas cortinas de múltiples capas estaban corridas, y sólo las diminutas y sobrenaturalmente brillantes bombillas de la biblioteca de la jaula iluminaban la habitación y sus artefactos.

—Son de un sitio que conoce Ajay. Cuestan cien libras la pieza. Si quieres hacer metralla supersónica, la haces con este material.

—¿Y para qué? —preguntó Hollis, también descalza, desde el sillón de rayas que estaba más cerca del pie de la cama.

—Penetración —respondió Heidi, lanzando el dardo por delante de su amiga y clavándolo en el ojo, a tres metros de distancia, de un brillante fetiche negro congoleño.

—No —dijo Hollis—. No querría pagar por tener eso. Creo que es ébano.

—Denso, pero no es rival para el wolframio. El antiguo nombre del tungsteno. Debería haber sido un grupo *heavy*: Wolframio. Tensan las cuerdas de algunos instrumentos con él. Necesitan la densidad. Me lo dijo Jimmy.

El nombre de su amigo y compañero de grupo muerto flotó momentáneamente en el aire.

—No creo que este trabajo con Bigend esté saliendo bien —dijo Hollis.

—¿No? —Heidi sacó un segundo dardo, que empuñó como si fuera la espada de un hada, entre su ojo y las luces de la jaula, admirando la punta.

—No lo lances —advirtió Hollis—. Se supone que tengo que encontrar a alguien para él. La mujer que diseñó esta chaqueta. Aunque puede que él no sepa que es una mujer.

—Entonces ¿lo has conseguido? ¿La has encontrado?

—He encontrado a alguien que la conoció. Meredith, la novia de George.

Heidi alzó una ceja.

—Qué pequeño es el mundo.

—A veces creo que Bigend tiene algo que condensa las cosas, que las une...

—Reg dice que Bigend es productor —dijo Heidi, acercando la punta negra del dardo peligrosamente a su ojo—. De los de Hollywood, no de los de música. Una versión gigantesca de lo que quisiera ser el mierda pinchada en un palo, pero sin la molestia de tener que hacer películas —bajó el segundo dardo, miró seriamente a Hollis—. Tal vez era lo que pensaba con el esquema de Ponzi, ¿no?

—¿No tenías ni idea de que era cosa suya?

—Creo que él tampoco, la mayor parte del tiempo. Sabía delegar. Lo delegó a algún módulo de sí mismo que no tuviera que oír demasiado a menudo. Reg dice que personificó la década de esa forma.

—¿Has visto a Reg ya?

—Almorzamos cuando estuviste en París.

—¿Y cómo fue?

Heidi se encogió de hombros, la hombrera izquierda bordada de negro de la chaqueta se alzó media pulgada antes de caer.

—Muy bien. No suelo tener muchos problemas con Reg. Tengo un truco para ello.

—¿Cuál?

—Ignoro todo lo que dice —respondió Heidi con seriedad absoluta, muy poco típico en ella—. Me enseñó el doctor Fujiwara —frunció el ceño—. Pero Reg tenía sus dudas sobre tu trabajo para Bigend.

—Pero si fue él quien lo sugirió. Fue idea suya.

—Eso fue antes de decidir que Bigend tramaba algo.

—Bigend siempre trama algo.

—Esto es distinto —dijo Heidi—. Inchmale no sabe qué es, ¿no? De lo contrario, lo diría. No sabe guardar un secreto. Pero su esposa ha estado recibiendo señales en el trabajo, una especie de mente colmenar de relaciones públicas londinenses. Los cables zumban, dice. Los cables están que arden, pero no hay ninguna señal real. Una especie de zumbido subsónico. Los relaciones públicas soñando con Bigend. Imaginan que ven su cara en las monedas. Dicen su nombre cuando quieren mencionar a otra persona. Presagios, dice Reg. Como antes de un terremoto. Quiere hablar contigo al respecto. Pero no por teléfono.

—Está pasando algo en Hormiga Azul. Material fantasma corporativo. Hubertus no parece preocupado —Hollis recordó lo que había dicho sobre un proyecto a largo plazo que empezaba a dar frutos, su frustración con el momento de la aparente deserción de Sleight.

—¿No quieres decirle quién fabrica esas chaquetas?

—Por fortuna, no sé quién es. Pero ya le he dicho que Meredith lo sabe. Si ella no quiere decírmelo, y no lo hará, porque no quiere, y yo no quiero que lo haga, irá tras ella. Ya tiene algo que ella quiere, o podría tenerlo, si no lo ha encontrado ya.

—¿Algo te hizo cambiar de opinión?

—Algo la hizo cambiar de opinión a ella. Iba a decírmelo. Luego decidió no hacerlo. Después me contó por qué. Me contó una historia —ahora le tocó a Hollis el turno de encogerse de hombros—. Es algo que pasa a veces.

Puso los pies sobre la alfombra y se levantó y se desperezó. Se acercó a la estantería, donde el dardo estaba perfectamente centrado, una instantánea y convincente asamblea dadaísta, en una profunda órbita de la cabeza de ébano rectilínea. Cuando trató de sacarlo, la cabeza se movió hacia el borde del estante.

—Sí que está bien clavado.

Sujetó la escultura con la mano izquierda y retorció el dardo con la derecha.

—Es la masa. Tras un localizador de fuerza.

Hollis se inclinó y miró la cuenca del ojo izquierdo de la cabeza. Un diminuto agujero redondo.

—¿Cómo aprendiste a hacer eso?

—No lo aprendí. No lo hago. Pasa. Me quito de en medio. Se lo dije a Ajay, dijo que me ama.

—¿Ah, sí? —Hollis miró la punta negra del dardo.

—Le encanta. ¿Qué hay de tu novio?

—Obviamente, no ha llamado.

—Llámalo otra vez.

—No me parece bien.

Se acercó hasta la cama y le ofreció a Heidi el dardo. Ésta lo cogió.

—¿Te peleaste con él?

—No. Yo diría que nos distanciamos, pero no fue así. Cuando estábamos juntos, era como si estuviéramos los dos de vacaciones. De vacaciones de nosotros mismos, tal vez. Pero no teníamos un proyecto. Como un actor entre películas. Y entonces él empezó a alejarse, pero fue gradual. Como una atmósfera. Una especie de bruma. Se hizo más difícil de ver. Menos presente. Y yo empecé a trabajar en el libro. Me lo tomé mucho más en serio de lo que habría esperado.

—Lo sé —dijo Heidi, guardando los dos dardos en los alamares

278 • WILLIAM GIBSON

de la chaqueta, junto al tercero, al parecer sin importarle dónde tenían que ir las puntas negras—. Recuerdo que fui a verte al Marmont. Todas aquellas cosas repartidas sobre las mesas. Vi que estabas trabajando en serio.

—Me ayudó a encontrarle sentido a todo por lo que había pasado. Trabajar para Bigend, estar con Garreth... Creo que hay un
modo en que podré mirar ese libro, un día, y encontrarle un sentido
distinto a lo que sucedió. No es que haya nada que trate de eso. Se
lo dije a Reg, el mes pasado, y él comentó que era un palimpsesto.

Heidi no dijo nada. Ladeó levemente la cabeza, el pelo negro
como un ala de ave de presa, oscilando una pulgada exacta, nada
más.

—Pero ahora no —dijo Hollis—. No quiero mirarlo ahora, y no
me diría nada si lo hiciera. Y dejarle un segundo mensaje sería lo
mismo. Dejé el primero. Hice lo que me dijo que hiciera, excepto
que no lo hice porque conocerlo me hubiera metido en líos. Lo hice
porque oí que estaba herido. No voy a llamarlo por ninguna especie
de orgullo.

—Pensamiento mágico —dijo Heidi—. Es lo que diría Reg.
Pero bueno, él se cree toda esa mierda. Lo sabemos.

El trino mecánico esclerótico del teléfono de la habitación sonó.
Otra vez. Hollis alzó el pesado receptor del cubo de palisandro
cuando sonaba por tercera vez.

—¿Diga?

—Tenemos que hablar —dijo Bigend.

—Acabamos de hacerlo.

—Voy a enviar a Aldous a recogerte, con Milgrim.

—Bien —dijo Hollis, decidiendo que tal vez podría aprovechar
la ocasión para dimitir. Colgó.

—El hombre rata almizclera —comentó Heidi.

—Tengo que reunirme con él, pero voy a dimitir.

—Muy bien —replicó Heidi, rodando hacia atrás, luego hacia
delante, y se levantó de la cama, irguiéndose sin dificultad—. Llé-
vame.

—No creo que le guste.

—Bien. ¿Quieres dimitir? Conseguiré que te dé la patada.

Hollis la miró.

—De acuerdo.

46

Carey y mil rayas

Este hotel donde Hollis se alojaba, que no mostraba ningún cartel, tenía un antiguo mostrador tallado con una muchacha desnuda, aparentemente acariciando a un caballo, aunque la obra era tan intrincada que resultaba difícil decir exactamente qué pasaba, y Milgrim no quería parecer un mirón. Por lo demás, tenía paredes paneladas de oscuro, un par de escaleras de mármol curvadas y la desconfiada mirada del joven sentado tras el escritorio, que lo observaba todo fríamente a través de unas gafas no graduadas con montura de carey. Por no mencionar a su alto y recio socio, vestido con un traje mil rayas, que le había preguntado a Milgrim si podía ayudarlo. Ayudarle, le pareció que quiso decir, a darse media vuelta y volver a la calle donde pertenecía.

—Hollis Henry —había dicho Milgrim, consiguiendo ofrecer una buena aproximación del tono neutral que tanto había oído en Hormiga Azul en circunstancias similares.

—¿Sí?

—Su coche está aquí —decir «furgoneta» había parecido demasiado específico—. ¿Puede hacérselo saber, por favor?

—Pregunte en el mostrador —había respondido el joven alto, dándose la vuelta y regresando a lo que Milgrim supuso ahora que era su puesto en la puerta.

No parecía haber ninguno, o no en el sentido de los que tienen detrás casilleros que parecen palomares, así que continuó, otros tres metros más o menos, hasta donde se hallaba sentado este otro joven, más pequeño y vestido de manera similar. «Hollis Henry», había dicho, intentando de nuevo su tono neutro, aunque no le salió muy bien. Le parecía que sonaba algo sucio, de algún modo, aunque tal vez se trataba de la talla, en la que se había fijado al hablar.

—¿Nombre?

—Milgrim.

—¿Le esperan?

—Sí.

Milgrim, visto a través de lo que imaginaba que era probablemente parte del exoesqueleto real de un animal muerto aunque no extinto, se mantuvo en su sitio mientras sacaban a la luz un teléfono de aspecto muy elegante y antiguo.

—Parece que no se encuentra.

De algún lugar detrás de las escaleras llegó una compleja sacudida de metal y luego el sonido de la voz de Hollis.

—Ésa debe ser ella —dijo Milgrim.

Entonces apareció Hollis, junto a una mujer alta, pálida, de nariz ganchuda y aspecto feroz que podría haber sido capitana de la guardia del palacio de alguna reina gótica, a juzgar por la estrecha chaquetilla corta con sus hombreras con flecos y sus alamares ornados, en un tono que iba desde el marengo al media noche. Sólo le falta un sable, pensó Milgrim, encantado.

—Su coche está aquí, señorita Henry —dijo Carey. Milgrim al parecer se había vuelto invisible.

—Ésta es Heidi, Milgrim —Hollis parecía cansada.

La mano de la mujer, grande y sorprendentemente fuerte, capturó sin esfuerzo la suya, dándole un apretón enérgico y rítmico, posiblemente la mitad de algún sistema encubierto de reconocimiento. La mano de Milgrim pudo escapar.

—Va a venir con nosotros.

—Muy bien —dijo Milgrim mientras la alta, Heidi, se encaminaba hacia la puerta, con paso largo y decidido.

—Buenas tardes, señorita Hyde, señorita Henry —dijo Mil Rayas.

—Querido —dijo Heidi.

—Robert —dijo Hollis.

Abrió la puerta y la mantuvo abierta para ellas.

—Eso sí que es un coche —dijo Heidi al ver el Hilux—. ¿Has perdido el lanzacohetes?

Milgrim miró hacia atrás mientras Mil Rayas cerraba la puerta tras ellos. ¿Existían los hoteles privados? Sabía que aquí había parques privados.

—¿Cómo se llama este hotel? —preguntó.

—Gabinete —respondió Hollis—. Vamos.

47

En el atrio Cuisinart

Heidi, por algún motivo, sabía mucho de vehículos blindados. Tal vez era cosa de Beverly Hills, pensó Hollis, mientras Aldous los internaba en la City, o de un esquema de Ponzi, o de ambas cosas. Heidi y Aldous, con quien Hollis podía verla flirtear, aunque todavía a un nivel de sólida negación, discutían si Bigend había hecho bien o no al insistir en las ventanillas eléctricas para las puertas delanteras, lo que significaba construir una rendija para documentos a prueba de balas en el lado del conductor, por la que podían introducirse papeles sin tener que abrir ni la puerta ni la ventanilla. Las ventanillas eléctricas, sostenía Heidi, significaban que el blindaje de las puertas era inferior, mientras que Aldous insistía firmemente que ése no era el caso.

—Ojalá no tuviera que verlo ahora —dijo Milgrim, junto a Hollis en el asiento trasero—. Tengo que decirle algo.

—Yo también —repuso ella, sin preocuparle que Aldous la oyera, aunque dudaba que lo hubiera hecho—. Voy a dimitir.

—¿Ah, sí? —Milgrim pareció de pronto como falto de algo.

—Meredith ha cambiado de opinión en cuanto a decirme quién es la diseñadora de los Sabuesos. Su motivo para hacerlo me hizo pensar que debería dejar correr el asunto.

—¿Qué vas a hacer?

—Le diré que no puedo hacerlo. Eso debería bastar —deseó sentirse tan confiada como daban a entender sus palabras—. ¿Qué tienes que decirle tú?

—Es sobre Preston Gracie, el hombre para el que trabaja Foley.

—¿Cómo sabes eso?

—Me lo ha dicho alguien —dijo Milgrim, y se estremeció—. Alguien que conocí.

—¿Quién es Preston Gracie?

—Mike. Ella dice que todos se llaman Mike.

—¿Todos quiénes?

—Los soldados especiales.

—¿Es soldado?

—Ya no. Comercia con armas.

—¿Y quién es ella?

—Winnie —dijo Milgrim en voz baja—. Es… policía.

Hollis pensó que parecía como si tuviera que confesar, con total seriedad, que había mantenido una conversación, o tal vez una relación más íntima, con otra especie completamente distinta.

—Bueno, una especie de policía. Peor, probablemente. Una agente del SICD.

Hollis no tenía ni idea de lo que era.

—¿Eso es británico?

—No —dijo Milgrim—, me siguió desde Myrtle Beach. Lo que ella hace tiene que ver con contratos militares, al menos esta vez. Me sacó una foto, en Seven Dials. Luego vino al hotel. ¿Quieres recuperar tu ordenador?

—Claro que no. ¿Por qué te siguió?

—Creyó que podríamos estar relacionados con Gracie. Que Bigend podría estarlo. Luego habló conmigo, y vio que Bigend sólo va detrás de los mismos contratos.

Ella apenas podía oírlo ahora.

—¿Bigend es traficante de armas? —miró la coronilla de Aldous.

—No, pero Gracie está intentando meterse en el mismo tipo de contratos. Legimitización.

—¿Y ella te dijo esto porque…?

—Quiere que Bigend lo sepa —dijo Milgrim tristemente.

—Entonces díselo.

—No debería de haber hablado con ella —dijo él. Unió las manos como un niño que imitara desesperadamente una oración—. Tengo miedo.

—¿De qué?

Sus hombros se encogieron aún más.

—Lo tengo. Soy así. Pero… se me olvidó.

—No pasará nada —dijo Hollis, decidiendo inmediatamente que era ridículo decirlo.

—Ojalá no dimitieras.

Las estrechas calles de la City, sus nombres a menudo comunes y básicos. Ella supuso que tenían que ser realmente antiguas. No conocía esta parte de Londres. No tenía ni idea de dónde estaban.

—¿Cuánto falta? —le preguntó a Aldous.

—Casi hemos llegado.

Había poco tráfico. Unos cuantos edificios muy nuevos, vestigios del bum anterior a la crisis. Pasaron ante uno cuyo logotipo Hollis recordaba de un anuncio en un taxi que había tomado la noche que Inchmale le aconsejó que llamara a Bigend.

Extendió la mano y le dio un apretujón al doble puño cerrado de Milgrim. Sus manos estaban muy frías.

—Relájate. Yo te ayudaré. Lo haremos juntos.

Vio que tenía los ojos cerrados.

«Draw Your Brakes» llenó brevemente la camioneta.

—Aldous —dijo el conductor a su iPhone—. Sí, señor. La señorita Henry, el señor Milgrim y la señorita… —miró a Hollis.

—Dame el teléfono.

Aldous se lo pasó.

—Heidi está con nosotros —dijo.

—No la esperaba —contestó Bigend—, pero puede jugar con los globos. Tenemos que hablar.

—Lo entenderá.

Le devolvió el teléfono a Aldous, que se lo llevó al oído.

—Sí, señor —dijo, y se lo guardó en su chaqueta negra.

—Milgrim y yo tenemos que hablar con Hubertus —le dijo Hollis a Heidi.

Ésta se volvió.

—Creí que querías ayuda.

—La quería, pero se han complicado las cosas —hizo un gesto con los ojos en dirección a Milgrim.

—¿Qué le pasa?

—Nada.

—No dejes que te joda —dijo Heidi, extendiendo la mano para darle un golpecito a Milgrim en la rodilla, lo que hizo que abriera los ojos aterrorizado—. Está lleno de mierda —insistió—, todos lo están.

Eso hizo que Hollis se preguntara, mientras Aldous aparcaba, quiénes eran todos. Figuras de autoridad masculinas, supuso, pues conocía bien a Heidi. Aquello que antes había hecho que sus relaciones continuas con boxeadores profesionales fueran tan implacablemente vivas, y había requerido su separación, en lo posible, de los ejecutivos.

Aldous pulsó varios interruptores en el salpicadero de la camioneta, con los consiguientes chasquidos y tañidos. Abrió su puerta, se bajó, la cerró, abrió la de Hollis y la ayudó a bajar; su mano grande y cálida. Milgrim salió tras ella y dio un respingo cuando Aldous cerró su puerta. Heidi, mientras tanto, había abierto la de su lado y se había bajado. Llevaba pantalones cortos de cuero gris verdoso y botas negras hasta la rodilla cuyas palas de agujeritos tenían suelas de pinchos, más saqueo de la demolición punitiva en curso de las tarjetas de crédito restantes del mierda pinchada en un tanque.

Hollis contempló el edificio ante el que habían aparcado. Parecía un electrodoméstico europeo de los años noventa, algo fabricado por Cuisinart o Krups, plástico gris metálico, sus esquinas suavemente redondeadas. Aldous pulsó algo en un llavero con mando a distancia, haciendo que la camioneta resonara varias veces y diera un escalofrío casi visible de consciencia amplificada.

Lo siguieron a la entrada del edificio, donde esperaba un colega suyo cuyo nombre Hollis nunca había escuchado, igualmente alto pero menos simpático.

—Espero que no quiera una muestra de orina —pareció decir Milgrim, inexplicablemente, aunque ella optó por fingir que no lo había oído.

Atravesaron la puerta, luego pasaron entre dos jamaicanos; la puerta se cerró tras ellos y fueron conducidos al centro del minúsculo atrio del Edificio Cuisinart. Hollis, que tenía una vaga idea de lo que valía el metro cuadrado en la City, supuso que debían de haber sufrido con este volumen de espacio vacío, puramente americano, donde cada centímetro cuadrado podría haber sido llenado con cubículos de oficinas sin ventanas, al estilo colmena. Tal como estaba, se elevaba cinco plantas, envueltas en cada nivel con un balcón interior del mismo plástico de aspecto metálico, o metal de aspecto plástico, que recubría el exterior. Como un modelo, a escala parcial, de un hotel del centro de Atlanta.

Bigend, con su gabardina, estaba en el centro, sujetando un iPhone con ambas manos, los brazos extendidos, los ojos entornados, moviendo ligeramente los pulgares.

—Tengo que hablar con Hollis y Milgrim —le dijo a Heidi, ofreciéndole el iPhone—, pero te gustará esto. Los controles son muy intuitivos. La imagen de vídeo, naturalmente, procede de la cámara en el morro. Empieza con la manta, luego prueba con el pingüino.

Señaló hacia arriba. Todos se volvieron a mirar. Cerca del techo brillante y uniformemente panelado del atrio flotaban un pingüino y una manta raya. El pingüino, plateado, sólo parecía levemente un pingüino, pero la manta, apenas una mancha negra de aspecto diabólicamente dinámico, parecía mucho más realista.

—Pruébalos —dijo Bigend—. Es delicioso, de verdad. Relajante. Las únicas personas que hay ahora mismo en el edificio son empleados míos.

Heidi miró los globos, si es que eran eso, y luego miró el iPhone, que ahora sostenía igual que lo había hecho Bigend. Sus pulgares empezaron a moverse.

—Maldición —dijo a modo de elogio.

—Por aquí —indicó Bigend—. Tengo alquiladas dos plantas de oficinas en el edificio, pero ahora están muy ocupadas. Podemos sentarnos ahí...

Los condujo a un banco en forma de L de malla de aluminio mate, a la sombra de una escalera colgante, el tipo de lugar que habría sido un hueco de fumadores, cuando la gente fumaba en los edificios de oficinas.

—¿Recuerdas aquel marchante de Ámsterdam al que le compramos tu chaqueta? ¿Su misterioso recolector?

—Vagamente.

—Hemos vuelto a eso. O, más bien, lo ha hecho una unidad de inteligencia estratégica comercial que he contratado en La Haya. Un ejemplo de Sleight haciéndome salir de mi zona de comodidad. Nunca he confiado en firmas de seguridad privada, investigadores privados, firmas de inteligencia privada, para nada. Sin embargo, en este caso, no tienen ni idea de para quién trabajan.

—¿Y? —Hollis, sentada ahora, con Milgrim a su lado, observaba con atención a Bigend.

—Voy a enviaros a los dos a Chicago. Creemos que el diseñador de los Sabuesos está allí.

—¿Por qué?

—Nuestro marchante ha hecho tratos posteriores con el recolector que le compró la chaqueta. Tanto el recolector como la chaqueta procedían de Chicago.

—¿Estás seguro?

Bigend se encogió de hombros.

—¿Quién es el diseñador?

—Os envío para que lo averigüéis.

—Milgrim tiene que decirte algo.

Era lo único que se le ocurrió para cambiar de tema y tener tiempo para pensar.

—¿De qué se trata? —preguntó Bigend.

Milgrim emitió un breve y extraño sonido agudo, como si algo reventara. Cerró los ojos. Los abrió.

—La poli de Seven Dials —dijo—. La que me sacó la foto. La de Myrtle Beach.

Bigend asintió.

—Es una agente —continuó, y volvió a cerrar los ojos—. Del Servicio de Investigación Criminal de Defensa.

Milgrim abrió los ojos y descubrió dubitativo que no estaba muerto.

—Esto es, lo confieso —dijo Bigend después de una pausa—, enteramente nuevo para mí. Norteamericana, supongo.

—Eran los pantalones —continuó Milgrim—. Iba tras su pista. Entonces aparecimos nosotros y pensó que podríamos estar relacionados con Foley y con Gracie.

—Como lo estamos, naturalmente, cortesía de Oliver.

Hollis no había oído a Bigend usar el nombre de pila de Sleight desde hacía tiempo.

—Ella quiere que le hable de Gracie —dijo Milgrim.

—Me gustaría que lo hicieras, pero tal vez las cosas se simplificarían si yo hablara con ella primero. No me falta experiencia con los americanos.

—Tiene que regresar —dijo Milgrim—. No va a descubrir aquí lo que necesita descubrir. No es usted lo que pensaba que era. Sólo es un competidor de Foley y Gracie. Pero quiere que sepa de Gracie. Que a Gracie no le gustará que le haga la competencia.

—Ya lo ha demostrado —dijo Bigend—. Compró a Sleight, probablemente en esa feria de muestras del Cuerpo de Marines de Carolina. A menos que él se ofreciera voluntario, una posibilidad que no descarto. ¿Y esa agente federal a la que no has nombrado y que tal vez no tenga nombre te dio un motivo para que quiera que yo sepa todo eso?

—Winnie Tung Whitaker —dijo Milgrim.

Bigend se lo quedó mirando.

—¿Con guión intermedio?

—No.

—¿Lo hizo? ¿Sugirió por qué quería que yo supiera de la existencia de esa persona?

—Dijo que es usted rico y tiene abogados. Que si puede hacer que se le plante usted delante, ella podría hacerlo también. No creo que esté consiguiendo nada. Parecía frustrada.

—Es lógico —reconoció Bigend, inclinándose hacia delante—. ¿Y cuándo hablaste de todo esto con ella?

—Me esperaba en el hotel —dijo Milgrim—, después de que me reuniera con usted. Y he cenado con ella, esta noche. Vietnamita.

—¿Y quién es entonces el jefe de «Foley»?

—Michael Preston Gracie —Hollis vio que Milgrim se aseguraba de que hubiera entendido bien el nombre—. Comandante, retirado, ejército norteamericano, fuerzas especiales. Entrena a la policía de países extranjeros, se encarga de que compren equipo a sus amigos. A veces se trata de un equipo que no deberían poder comprar. Pero se dispone a dedicarse a los contratos como quiere hacerlo usted. Diseño, fabricación de cosas. Ella dijo que era la fase de legitimización.

—Ah —dijo Bigend, asintiendo—. Se ha vuelto lo bastante grande para contratar abogados de verdad.

—Es lo que ella dijo.

—A menudo eso suele ser problemático. Un punto de no retorno. No todo el mundo lo consigue. Para cuando eres lo bastante grande para tener abogados dispuestos a encargarse de tu legitimización, eres demasiado grande y estás demasiado fuera de la ley.

—Conocí a un traficante de droga que compró un concesionario Saab —comentó Milgrim.

—Exactamente —dijo Bigend mirando a Hollis.

—Creo que ella quería que comprendiera que Gracie es peligroso y que considera enemigos a sus competidores —dijo Milgrim.

—«Escucha a tus enemigos, pues Dios habla.»

—¿Qué significa eso?

—Un proverbio yidis —explicó Bigend—. Potencia la reflexión.

Algo se movió a un metro por encima de la cabeza de Bigend. La manta, una sinuosa mancha negro mate, tan ancha, desde la punta de un ala hasta la punta de la otra, como los brazos extendidos de un niño pequeño.

—Joder, qué guai —exclamó Heidi desde el atrio—. ¡He oído todo lo que decían!

—Sé amable —le contestó Bigend, sin molestarse en alzar la cabeza—. Retíralo. Prueba ahora con el pingüino.

Las alas de la criatura se doblaron en silencio, capturando el aire, como una manta raya real, y se alzó nadando lentamente, girando con gracia, casi rozando las escaleras colgantes.

—Completamente adictivo —le dijo Bigend a Hollis—. Tu arte locativo cambiará de nuevo, con los drones de vídeo aéreos baratos.

—Eso no me parece barato.

—No, desde luego que no, pero plataformas más baratas estarán en el mercado por Navidad. De todas formas, los Festos son geniales. Optamos por su pura rareza, el movimiento orgánico, modelados a partir de la naturaleza. No son muy rápidos, pero si la gente los ve, al principio cree que están alucinando.

Milgrim asintió.

—Gracie vendrá —dijo.

—¿A Londres?

—Ella dijo que estaría aquí pronto.

—Tiene a Sleight —dijo Bigend—, así que sabe que echarle un vistazo a los pantalones era simplemente recopilación de datos básica para el negocio. No es que hayamos hecho nada que lo perjudique. Ni tampoco a «Foley», ya puestos.

Milgrim miró alternativamente a Bigend y a Hollis, los ojos muy abiertos.

292 • WILLIAM GIBSON

—Un amigo mío ha tenido un accidente de tráfico —dijo ella—. Tengo que quedarme en la ciudad hasta que sepa cómo está.

Bigend frunció el ceño.

—¿Alguien que yo conozca?

—No.

—Eso no es ningún problema. No planeaba enviaros fuera inmediatamente. Digamos cuatro días más. ¿Sabrás para entonces si tu amigo sale o no del mal trago?

—Eso espero —contestó Hollis.

48

Carabina

—Carabina* —le dijo Heidi a Milgrim mientras se acercaban a la camioneta. Él recordó el arma Mossberg-Taser de color rosa en las manos enguantadas de Bigend, en la oficina de Hormiga Azul, y casi estuvo a punto de decir que no tenía ninguna—, Hollis y yo tenemos que hablar —añadió, aclarando las cosas. Él iría delante con Aldous, su asiento de costumbre.

El conductor, alerta a su salida, tenía el motor en marcha. Los seguros chasquearon al abrirse para ellos. Milgrim y Heidi abrieron sus respectivas puertas. Él subió mientras ella ayudaba a Hollis. Cerró su puerta antes de que Heidi cerrara la suya. Los seguros chasquearon sólidamente al encajar en su sitio. Aldous había señalado orgulloso la estrecha, la extrema regularidad de las aberturas entre las puertas y la carrocería del vehículo. Eran demasiado estrechas para poder insertar ninguna palanqueta, le había dicho, demasiado estrechas incluso para las «mandíbulas de la vida», una expresión con la que Milgrim no estaba familiarizado, pero que consideraba jamaicana, un potente icono de temor existencial.

Se abrochó el cinturón de seguridad, un arnés grueso y complicado, y se acomodó y echó un vistazo alrededor. ¿Dónde estaba ahora exactamente?, ¿cara a cara con las chasqueantes mandíbulas de la vida? Bigend no había parecido tener virtualmente ninguna

---

* «Shotgun» en el original, es también el término que se utiliza para el ocupante del asiento del pasajero, de ahí que Milgrim lo confunda con el arma de fuego mencionada anteriormente. *(N. del T.)*

reacción a la noticia de que tenía a una agente federal en su vida, ni tampoco a la alerta de Winnie referida a Gracie. El ataque de pánico de Milgrim, el segundo en su recuperación, sin contar su reacción inicial a haber sido fotografiado por la policía en el Caffè Nero, había sido para nada. Como todos los otros ataques de pánico que había sufrido, según le había recalcado varias veces su terapeuta. Su mente límbica estaba dominada por el miedo irracional, una especie de montaña rusa permanente, siempre lista para un viaje.

—No te digas a ti mismo que estás asustado —le había aconsejado su terapeuta—, sino que *tienes* miedo. De otro modo, creerás que *eres* miedo.

—No dimitiste —dijo Heidi en el asiento de atrás.

—No —respondió Hollis—. No era el momento adecuado.

—Tienes que probar esos globos. Son la puta caña.

Estaban ya en marcha, los neumáticos rechinaban sobre el asfalto de la City, que no era viejo, sino que estaba siendo repavimentado a medida que se construían edificios.

Milgrim suspiró y se dejó impulsar hacia delante, levemente, contra el arnés del cinturón de seguridad. Suelta la tensión, se dijo. Permanece en el momento, como le había dicho su terapeuta.

En el momento, un brillante coche negro que venía en dirección contraria se cruzó en diagonal. Aldous dio al instante un volantazo a la derecha, dirigiéndose hacia una calle mucho más estrecha, el equivalente de la City a un callejón, oscuras paredes de piedra o de hormigón, sin ventanas. Tras ellos, chirriaron los neumáticos. Milgrim miró hacia atrás, vio los faros abalanzarse hacia ellos.

—Prepárate —aconsejó Aldous, acelerando. En las correas del regazo y el pecho de Milgrim estallaron hilos, formas negras que nacieron al instante, el truco de un mago que lo irguió.

—Hijo de puta —observó Heidi desde el asiento trasero, mientras Aldous seguía acelerando.

Y Milgrim cayó, sorprendido y sin pensar, en la misteriosa alegría de la rotonda de Hanger Lane, perdido en el aullido bajo del supermotor del Hilux.

Constreñido por el inflado arnés antichoque, pugnó por mirar hacia atrás. Vio faros. El coche negro.

Aldous pisó los frenos. El impulso sacudió a Milgrim y lo hizo girar. Un segundo grupo de faros, ante ellos, se acercaba.

—Muy bien, de acuerdo —dijo Aldous, los dientes muy blancos a la luz del vehículo que venía de frente.

Milgrim miró a un lado y vio una pared vacía y antigua, quizás a medio metro de distancia.

—Aldous —dijo Hollis.

—Un momento, por favor, señorita Henry.

El coche que tenían delante estaba ahora a pocos palmos de distancia. Al entornar los ojos para protegerse de las luces del otro vehículo, Milgrim vio, a través del parabrisas del coche, a dos hombres. Uno, el conductor, enmascarado con un pasamontañas negro. El otro iba enmascarado de blanco, aunque de forma extraña y sólo parcial. Y sostenía algo contra el parabrisas que tenía delante. Para que Milgrim lo viera.

El Neo.

Foley, con su gorra de visera corta sobre la cabeza vendada, fijó en Milgrim el único ojo que éste pudo ver, alzó la otra mano, y lentamente sacudió un dedo admonitorio. Su expresión cambió bruscamente cuando Aldous pisó a fondo, soltó el embrague y chocó contra el coche, todavía acelerando. El vehículo de Foley empezó a retroceder mientras su enmascarado conductor giraba el volante, y saltaron unas cuantas chispas como si brotaran de una piedra de afilar. Aldous siguió acelerando, pues la enorme masa de la camioneta y su anormal potencia, advirtió Milgrim ahora, eran básicos para aquella precisión digna de un cártel de la que Aldous estaba tan orgulloso. Milgrim vio que el otro conductor abandonaba el volante y se cubría los ojos. El coche chocó contra la pared contraria, produciendo más chispas, y de repente se encontraron al otro lado de la calle, de vuelta al mundo. El vehículo de Foley, con la pintura arañada hasta el plástico puro, la parrilla del radiador hecha trizas, se quedó inmóvil en la calle, en diagonal, con el conductor pugnando con el volante alrededor de un *airbag* inflado.

Aldous dio marcha atrás levemente, luego condujo con cuidado, en ángulo y velozmente, hacia el coche de Foley. Después giró con tranquilidad, retrocediendo hasta que la masa del vehículo bloqueó el callejón. Milgrim oyó frenos tras ellos, y se volvió y vio al coche negro dar marcha atrás, sus faros retrocediendo. Lo oyó rozar la pared.

—Fiona la llevará a casa, señorita Henry —dijo Aldous, mientras Milgrim se volvía para verlo acariciar rápidamente con el pulgar la pantalla de su iPhone.

—Fiona —dijo esperanzado.

—Tienen que salir todos de aquí, rápido —ordenó el conductor—. Viene la policía. Por favor, vaya con el señor Milgrim, señorita Hyde.

Tocó algo en el salpicadero, haciendo que los arneses inflados se soltaran simultáneamente. Milgrim miró la cosa que le cruzaba el pecho, como un murciélago de goma, un recuerdo de cotillón. Oyó las puertas abrirse.

—Vamos —dijo Heidi.

—Ay —dijo Hollis—. ¡No me pegues!

—¡Muévete!

Milgrim hizo lo que le decían, empujó la puerta y bajó de un salto. Logró morderse la esquina de la lengua en el proceso. Saboreó la sangre, metálica y atemorizante, y entonces supo, de algún modo, que estaba simplemente aquí, vivo por el momento, y que eso era todo. Parpadeó.

Y vio a Foley rodear su coche destrozado, los puños cerrados, y cargar directamente hacia él. Mientras que al mismo tiempo, parecía, el estrecho espacio entre ellos quedaba dividido por la llegada del chasis remendado con cinta de Fiona, como una intrusión de otra dimensión, imposible pero aquí estaba. Foley pareció desvanecerse mientras Fiona, con su casco amarillo, conseguía hacer girar su motocicleta en un círculo sorprendentemente estrecho, el motor rugiendo. Heidi dio entonces un paso adelante, empujando a Hollis ante ella, y de pronto la cogió y la sentó en la grupa de la moto, como quien monta a un niño en un poni. Milgrim vio que Fiona le alcanzaba a Hollis el casco del pasajero y volvió a oler la laca mientras Heidi se lo ponía en la cabeza a su amiga y le daba un golpe con los nudillos al casco amarillo de Fiona. Vio que ésta hacía un gesto con el pulgar sin quitar la mano del acelerador, y entonces se marchó rugiendo, con Hollis rodeándola con los brazos.

—¿Dónde está Foley? —preguntó Milgrim, tratando de mirar en todas direcciones a la vez.

—Por ahí —respondió Heidi, señalando calle abajo—. Su conductor lo recogió. Vamos por allí. Venga —señaló más allá del vehículo, hacia el pasadizo.

—Mi portátil —dijo Milgrim, recordando. Corrió hacia la parte trasera de la camioneta, metió la mano y sacó su bolsa.

—Aguanta firme —le pidió Heidi a Aldous, que estaba encendiendo ahora un cigarrillo, con un elegante encendedor de plata. Le dio un leve puñetazo en el hombro al pasar.

Y por primera vez Milgrim oyó las sirenas, extrañas, británicas, muchas.

Tan rápido como pudo, siguió la alta y recta espalda de Heidi.

49

Great Marlborough

Todo fue avanzar, girar, avanzar, volver a girar, y el fuerte olor a laca.

Su cuerpo se acordaba de inclinarse hacia delante en las curvas, abrazando lo que consideró que era una chica fuerte, pues definitivamente allí había pechos, a través de capas de Cordura reforzada. Podía ver muy poco más allá de la visera manchada, bajo los aleteos de murciélago de las farolas. Por delante, el amarillo del casco del piloto, arañado en diagonal, como por tres grandes garras. Al otro lado un borrón de abstracta textura londinense, tan carente de significado como los *skins* de muestra de un programa de gráficos. La marquesina de un Pret A Manger, ladrillo, posiblemente el círculo redondo de un cartel de Starbucks, más ladrillo, algo en aquel tono oficial de rojo. Y casi todo, supuso, al servicio de la evasión, una ruta que ningún coche podía seguir. Por fin pareció haber relativamente poco tráfico.

Y entonces redujeron la velocidad, pararon, la motorista entró marcha atrás en un hueco de aparcamiento. Cuando apagó el motor, Londres quedó instantánea y extrañamente silencioso. La piloto se quitó el casco amarillo, así que Hollis la soltó, y luego estiró los brazos y se quitó el suyo, y ahora vio que era negro.

—Tal vez quieras ir al baño —dijo la chica, de veintitantos, el rostro afilado, el pelo castaño claro despeinado por el casco. La laca no podía ser suya.

—¿El baño?

—Abajo —dijo la muchacha, indicando un cartel: MUJERES—. Está limpio. Abre hasta las dos. Gratis —parecía muy seria.

—Gracias —respondió Hollis.

—Fiona —dijo la chica, por encima del hombro.

—Hollis.

—Lo sé. Date prisa, por favor. Comprobaré mis mensajes.

Desmontó, vio cómo la chica hacía lo mismo. Fiona frunció el ceño.

—Por favor. Date prisa.

—Lo siento, estoy un poco aturdida.

—No te preocupes —dijo Fiona, que no parecía británica ni nada más en particular—. Si no vuelves, bajaré a buscarte.

—Bien.

Hollis bajó las escaleras, sintiendo que las rodillas se le comportaban de forma extraña y se internó en los azulejos blancos baratos, el olor de un desinfectante muy moderno.

Sentada en un reservado, con la puerta cerrada, pensó durante un instante en gritar. Trató de recordar si se había golpeado la cabeza con algo, porque sentía como si el cerebro fuera demasiado grande para ella, pero creía que no. No habría sido posible, con lo que Aldous le había hecho a los cinturones de seguridad, que recordaba como una especie de abrazadera en el cuello, además de un cojín triangular biomórfico sobre el pecho. Supuso que si ibas a chocar con otros coches, era lo que uno quería.

—Dios mío —dijo, recordando—. Era Foley.

Foley el de Milgrim, el de la gruta iluminada de azul bajo el Salon du Vintage, buscando simultáneamente lo peor para vestir y parecido de algún modo a una versión adulta y aterradora de aquella fotografía de Diane Arbus del chico emocionalmente perturbado, el de la granada. Vendado, como si tuviera una herida en la cabeza.

Aquí tenían papel higiénico sorprendentemente resbaladizo. En un club, habría considerado que era retro de forma deliberada.

Arriba, en la pequeña isla de asfalto que supuso podría ser una diminuta plaza pública, la chica llamada Fiona esperaba cerca de su motocicleta, pellizcando los píxeles de la pantalla de su iPhone. La otra media docena de motos allí aparcadas eran igualmente grandes y de aspecto duro. Un par de mensajeros fumaban en la acera, más allá del final de la cola de motos, como caballeros de colores primarios sucios, las placas serradas de fibra de carbono dándole a sus espaldas un aspecto jurásico. Cabellos informes y barbas, como extras de una película de Robin Hood. Tras ellos, reconoció la falsa fachada Tudor del Liberty. Great Marlborough Street. No muy lejos de Portman Square. Parecía que había estado fuera días.

—¿Lista? —dijo Fiona, tras ella.

Se dio la vuelta mientras la motorista se guardaba el teléfono en un bolsillo delantero de su chaqueta negra.

—¿Dónde están Heidi y Milgrim?

—Mi siguiente trabajo —contestó—, después de que te deje en el hotel.

—¿Sabes dónde están?

—Podemos encontrarlos —dijo Fiona, pasando la pierna por encima de la moto. Llevaba botas negras hasta las rodillas, con hebillas laterales de arriba abajo, las punteras gastadas y reducidas a un gris claro. Le tendió el casco.

—Me hace daño en la cabeza —dijo Hollis.

—Lo siento, es de la señora Benny. Lo cogí prestado.

Hollis se lo puso y montó tras ella, sin esperar más explicaciones.

50

Bank-Monument

A Milgrim no le había gustado jamás la City. Siempre le había parecido demasiado monolítica, aunque en alguna escala más antigua de monolitos. Demasiado pocos escondites. Falta de espacio intermedio. Le había estado dando la espalda a la gente como él desde hacía siglos, y eso le hacía sentirse como una rata que corría por un zócalo carente de agujeros. Lo sentía ahora, muy fuerte, aunque no corrían. Caminaban, pero con prisa, debido a las largas piernas de Heidi.

Llevaba puesta una chaqueta negra Sonny que ella había comprado a un agradable limpiador de oficinas de aspecto turco, aquí en Lombard Street, pagándole con un fajo de billetes. O al menos eso era lo que tenía bordado en el pecho izquierdo, en blanco, en lo que por lo demás era una aproximación muy buena al logo de Sony. Su chaqueta estaba dentro de la bolsa, encima del portátil. La transacción también incluyó un gorro de punto gris, que Heidi se había calado hasta las cejas, ocultando completamente a la vista su pelo negro. Le había dado la vuelta a su chaqueta, revelando un impresionante forro de seda escarlata. La charreteras se habían vuelto hombreras, exagerando sus hombros ya de por sí formidables. Milgrim supuso que eso se debía a su preocupación por ser reconocidos, bien por cualquiera de los socios restantes de Foley o por las siempre vigilantes cámaras, que él advertía ahora en todas partes.

Lamentó inmediatamente haber pensado en Foley. El asunto con la camioneta y los dos coches había sido muy feo, y no podía dejar de pensar que la culpa era suya. Lo que Foley llevaba en la cabeza era definitivamente una venda, y Milgrim sólo podía asumir que tenía algo que ver con el guardaespaldas de aquella joven madre rusa de París. Si Sleight había enviado a Foley tras el Neo, como era la intención de Milgrim, lo habría enviado de hecho tras aquel cochecito de aspecto ominoso. Y había sucedido porque él, Milgrim, había cedido a un desconocido impulso a la rebelión. En realidad, lo había hecho por furia, por resentimiento, y porque podía hacerlo.

Heidi sacó ahora su iPhone. Pulsó la pantalla con el pulgar una vez. Escuchó, alejó luego el teléfono como si ignorase un mensaje que había oído antes. Cuando se lo llevó a la boca, dijo:

—Escúchame, Garreth. Hollis Henri está metida en un lío gordo ahora. Intento de secuestro, me pareció. Llámala.

Pulsó de nuevo el teléfono.

—¿Quién era ése?

—El buzón de voz del ex de Hollis. Espero.

—¿El que salta de edificios?

—El que no le devuelve las puñeteras llamadas —dijo Heidi, guardando el teléfono.

—¿Por qué no pillamos un taxi? —Milgrim había visto pasar a varios.

—Porque ellos no pueden detener a un tren.

En el cañón de King William ahora, más tráfico, más taxis, la cinta de la bolsa clavándosele en el hombro, la chaqueta Sonny oliendo leve, pero no desagradablemente a especias de cocina, quizá por una comida reciente. Tenía hambre ahora, a pesar del vietnamita con Winnie. Recordó el dispositivo USB de Hollis, la conexión del móvil en el túnel del Canal. Se preguntó si los móviles funcionaban en el metro de Londres. Creía que en el de Nueva York no: nunca había tenido uno allí. Si funcionaban, podría enviarle a Winnie un mensaje cuando estuvieran en el tren. Contarle lo de Foley y el Hilux. ¿Había sido un intento de secuestro? Suponía que sí, o algo aún peor, pero ¿por qué iba alguien a intentar una cosa así con los pasajeros de una camioneta blindada Jankel de las que usan los cárteles? Pero entonces recordó que los graduados de la Escuela de

Diseño Parsons probablemente no estaban enterados de ese tipo de cosas.

Una entrada de Bank Station, el tráfico peatonal acelerando el paso a su alrededor, y allí estaba la Línea Central, irían directos a Marble Arch, cerca de Portman Square, y caminarían hasta el hotel. Más rápido que un taxi, probablemente, y tal vez podría conectar con Twitter.

Heidi se dio de pronto media vuelta, echando atrás un lado de su chaqueta del revés. Como para mostrarle un gran broche que ahora vio que llevaba allí, tres cohetes, tal vez, el morro hacia abajo, plateados y con cola escarlata. Y tras arrancar uno, lo lanzó detrás de ellos, haciendo girar todo el cuerpo.

Alguien chilló, el sonido más terrible que Milgrim había oído jamás, y continuó mientras Heidi, dura como un policía cualquiera, bajaba corriendo las escaleras y entraba en Bank-Monument.

51
Alguien

Hollis estaba tendida, completamente vestida, sobre la colcha de terciopelo bordada de la cama Piblokto Madness, contemplando la leve oscilación de las enormes sombras curvas que proyectaban los halógenos de la biblioteca-jaula, reducidos hasta casi estar apagados. En cierto sentido, decidió, ya no sabía literalmente dónde se encontraba. En la Número Cuatro, en el Gabinete, desde luego, pero si acababa de ser uno de los objetivos de un intento de secuestro, como Fiona parecía creer, ¿estaba todavía la Número Cuatro en el mismo sitio? Una cuestión de contexto. El mismo lugar, pero con un significado diferente.

Fiona había insistido en traerla aquí, y luego había mirado en el cuarto de baño y en el armario, donde en cualquier caso no había espacio para esconderse. Si los laterales de madera de la cama no hubieran llegado hasta la alfombra, Fiona habría mirado debajo también. Echa la cadena, le había ordenado antes de marcharse a buscar a Milgrim y Heidi, algo que parecía relativamente segura de poder hacer. Por lo que sabía, ambos estaban bien. No parecía tener más idea que Hollis de lo que había sido el intento de atraparlos en la camioneta, aunque también ella había identificado a Foley, su sombra del Salon du Vintage. ¿Cómo lo había llamado Bigend? ¿Un fantasioso? ¿Cómo pudo esperar entrar en la supercamioneta blindada de Aldous? El vehículo era capaz de sellarse herméticamente, lo sabía porque a Aldous le encantaba explicar sus muchas características. Tenía tanques de aire comprimido y podía atravesar nubes de gas lacrimógeno o de cualquier otro tipo. También le ha-

Alguien • 305

bía contado que podía conducirla bajo el agua, con un *snorkel* extensible. Una bóveda acorazada de banco con ruedas, su «cristal» fabricado con un nanomaterial israelí secreto que Aldous estaba particularmente orgulloso de que Bigend hubiera podido conseguir. ¿Era posible que Foley no tuviera idea de lo que era la furgoneta plateada? Después de todo, al menos para Hollis, se parecía a cualquier otra camioneta similar de la variedad de cuatro puertas, de las que gustan a los hombres, su caja acortada a la mitad por la extensión de la cabina. La caja estaba cubierta por una tapa acanalada, pintada del color del resto del vehículo. Tal vez allí era donde tenía el suministro de aire. ¿Y qué le había pasado a Foley desde que lo viera en París? ¿Un accidente? ¿Una herida en la cabeza?

Llamaron a la puerta. Dos golpes, breves, bruscos.

—¿Señorita Henry?

Una voz de hombre.

—Soy Robert, señorita Henry.

Su voz sí que parecía la de Robert. Hollis se sentó en la cama, se levantó, se dirigió a la puerta.

—¿Sí?

—Alguien ha venido a verla, señorita Henry.

Era tan curioso que el hombre de seguridad de un hotel dijera algo así, y lo hiciera con una alegría extraña, que ella retrocedió un paso, escrutó rápidamente el estante más cercano y cogió la misma cabeza de ébano en punta que Heidi había convertido en diana antes. Invertida, parecía confortablemente pesada, su peinado serrado añadía dientes al potencial del instrumento romo.

Abrió la puerta, dejando la cadena puesta, y se asomó. Allí estaba Robert, sonriendo. Garreth la miraba desde el nivel de la cintura del hombre de seguridad. Ella no pudo comprender ese hecho, y no lo hizo hasta que abrió la puerta, aunque nunca consiguió, luego, recordar que la había cerrado ni quitado la cadena. Tampoco pudo recordar lo que dijo, pero fuera lo que fuese, eso sí lo recordaba, había causado que una expresión de alivio cruzara el rostro de Robert, y su sonrisa se hizo más intensa.

—Siento no haber podido devolverte la llamada —dijo Garreth.

Ella oyó el fetiche de ébano golpear la alfombra, rebotar. Vio la ancha espalda de Robert desaparecer a través de una de las puertas del pasillo verde.

Garreth estaba sentado en una silla de ruedas.

O no en una silla de ruedas, vio, cuando los dedos de su mano derecha se movieron sobre un *joystick*, sino uno de esos ciclomotores eléctricos para discapacitados, negros con neumáticos grises, como el retoño de una silla de oficina suiza y un juguete caro de los años treinta. Mientras rodaba y cruzaba el umbral, ella se oye a sí misma decir:

—Oh, Dios.

—No fue tan malo como parece —dijo él—. Jugar la carta de discapacitado con tu portero.

Soltó un bastón negro del lado del vehículo, pulsó un botón. Un cuadrángulo de soportes de punta de goma se abrió en el extremo.

—No mucho, al menos.

Usando el bastón para apoyarse, se incorporó despacio, dando un respingo, sin apoyar ningún peso en su pierna derecha.

Y entonces los brazos de ella lo rodearon, uno de él la rodeó a ella, y el rostro de Hollis se llenó de lágrimas.

—Creí que habías muerto.

—¿Quién te dijo eso?

—Nadie. Pero me lo imaginé cuando me dijeron que habías saltado de ese horrible edificio. Y nadie sabía dónde estabas…

—En Múnich, cuando llamaste. Una sesión íntima con cinco neurocirujanos, tres alemanes, dos checos, para restaurar algo de sensación en esta pierna. Por qué no llamé. No quisieron darme el teléfono.

—¿Salió bien?

—Duele.

—Lo siento.

—Eso es bueno, en este caso. ¿No deberías cerrar la puerta?

—No quiero soltarte.

Él le acarició la espalda.

—Mejor tras una puerta cerrada.

Ella fue a poner la cadena.

—¿Para quién es esto? —preguntó él. Hollis se dio la vuelta. Garreth estaba mirando la cabeza fetiche—. ¿Para defenderte del lío gordo en el que tu airada batería dice que estás metida?

—¿Heidi?

—Me dejó un mensaje en el buzón de voz. Hace como una hora.

—¿Cómo convenciste a Robert para que te trajera aquí arriba?

—Le mostré el vídeo tomado en plano subjetivo del salto desde el Burj. El acceso de minusválidos es por la parte de atrás. Tu hombre tuvo que ayudarme a entrar. Como no estabas aquí, dije que esperaría en el vestíbulo trasero, mientras trabajaba con mi portátil. Él volvió a comprobar cómo estaba, naturalmente. Vio el vídeo, nos pusimos a charlar. Le expliqué que era amigo tuyo —sonrió—. ¿Eso es whisky?

—¿Quieres una copa?

—No puedo. Los analgésicos. Pero a ti te vendría bien. Se te ve un poco pálida.

—Garreth…

—¿Sí?

—Te he echado de menos.

Aquello sonó increíblemente estúpido.

—Yo también —Garreth no sonreía ahora—. Supe que había metido la pata, de verdad. Cuando el Lotus me arrolló.

—No tendrías que haber saltado.

Él negó con la cabeza.

—No tendría que haberme marchado.

Se acercó lentamente a la cama, apoyándose en el bastón de cuatro patas. Se volvió, con la misma lentitud, y se sentó con cuidado.

—Te envía recuerdos.

Hollis no tenía ni idea de la edad del viejo. Le calculaba setenta años, al menos.

—¿Cómo está?

—No demasiado contento conmigo. No es probable que siga siéndole útil. Creo que considera que la historia se ha terminado, para ambos.

Ella se sirvió medio dedo de whisky en un vaso alto.

—Nunca comprendí exactamente qué le motivaba —dijo.

—Una especie de ardiente furia swiftiana que sólo puede expresar a través de hazañas perversas y diabólicamente complejas que parecen *gestos* surrealistas.

Sonrió.

—¿Y eso fue lo de Vancouver?

—Ésa fue buena. Y te conocí.

—¿Y luego te fuiste a hacer otra antes de las elecciones?

—La noche de las elecciones en realidad. Pero eso fue distinto. Simplemente nos estábamos asegurando de que no sucediera algo esa vez.

El whisky le quemó la garganta. La hizo lagrimear. Se sentó, torpemente junto a él, temiendo lastimarlo si el colchón se movía.

Él le rodeó la cintura con un brazo.

—Me siento como un estudiante en el cine —dijo él—. Con una chica que no soporta el whisky.

—Tienes el pelo más largo —dijo ella acariciándolo.

—Te crece en el hospital. Unas cuantas intervenciones. Me queda por asesinar a un fisioterapeuta, pero aún no he tenido mi última oportunidad —le cogió el vaso, lo olisqueó—. Un lío gordo, dijo tu Heidi. Una mujer dura. Dime: ¿cómo de gordo?

—No lo sé. Estaba en una camioneta esta noche, en la City, después de una reunión con Bigend, y un coche nos cortó el paso. Nuestro conductor se metió en un pasaje, una especie de callejón, y creo que iban a por nosotros, porque apareció otro vehículo en el otro extremo y enfiló contra nosotros. El conductor tenía puesto un pasamontañas. Nos quedamos atrapados entre los dos coches.

—¿Qué sucedió?

—Aldous, nuestro conductor, empujó al coche de delante hasta la calle y luego lo aplastó. Es una camioneta blindada, un Totoya, casi un tanque.

—Un Hilux —dijo él—. ¿Blindaje Jankel?

—¿Cómo lo sabes?

—Es una especialidad que tienen. ¿De quién es?

—De Bigend.

—Creía que querías librarte de él.

—Lo quería. Y lo quiero. Pero volvió, hace unos días, y accedí a hacer un trabajo. Pero todo ha salido mal.

—Cojonudo. Pero ¿cómo de mal exactamente?

—Su experto en tecnología y seguridad ha desertado. Tiene grandes planes para un contrato militar. En Estados Unidos.

—¿El experto?

—Bigend. Quiere diseñar ropa para los militares. Dice que es algo a prueba de recesión.

Él se la quedó mirando.

—Vaya. ¿Sabes quién fue a por vuestra camioneta?

—Alguien a quien Bigend fastidió. Otro contratista. Oí el nombre antes, pero no puedo recordarlo. Un traficante de armas norteamericano, creo.

—¿Quién te ha dicho eso?

—Milgrim. Alguien que trabaja para Bigend. O más bien tiene un *hobby*.

—Qué ambiente más crepuscular—dijo él, echando un vistazo alrededor.

Hollis se levantó y se acercó al mando. Subió los halógenos.

—Alguien ha ido a un montón de ventas de saldos —dijo él—. Esto parece un Museo de la Humanidad.

—Es un club. Inchmale se hizo miembro. Todo es así.

Él contempló las costillas de ballena.

—Portobello Road alucinando con ácido.

Hollis vio que la pernera derecha de sus pantalones negros había sido abierta por la costura interna, del dobladillo a la entrepierna, y la habían vuelto a cerrar con pequeños imperdibles negros.

—¿Por qué tienes imperdibles en la pierna?

—Me he vuelto gótico. Es difícil encontrar los negros adecuados. De esta forma yo mismo me cambio las vendas. Tengo los repuestos en la parte trasera de mi silla de inválido —sonrió—. Los puntos empiezan ya a picar —frunció entonces el ceño—. Pero no son bonitos de ver. Mejor dejarlos así —olió de nuevo el whisky, tomó un sorbito. Suspiró—. ¿Ése es tu lío gordo, entonces?

—Había un microrrastreador dentro de esto —dijo ella, recogiendo la figurita de la Hormiga Azul de la mesilla de noche—. Puede que estuviera desde Vancouver o tal vez lo pusieran algo más tarde.

Abrió el cajón y sacó el micro, con su bolsita.

—¿Bigend? ¿Sleight?

—¿Quién es ése?

—El especialista en tecnología de Bigend. El desertor reciente. Ajay lo dejó fuera, cuando Heidi lo volvió a montar. Dijo que había más opciones, dejándolo fuera.

—¿Quién lo dejó fuera?

—Ajay. El *sparring* favorito de Heidi en su nuevo gimnasio, en Hackney. Es fan tuyo. Un verdadero pirado.

—Para variar —dijo él. Palpó el terciopelo bordado de la cama—. Ven y siéntate aquí. Haz feliz a un viejo.

52

El asunto con más detalle

Heidi dijo que no había cobertura en el metro, así que Milgrim no se molestó en probar el módem USB. El trayecto hasta Marble Arch fue rápido, él sentado y ella de pie, mirando incesantemente a los otros pasajeros en busca de signos de foleyismo incipiente.

Heidi todavía llevaba puesta la chaqueta del revés. Mientras se bamboleaba ante él, Milgrim pudo observarla, la chaqueta abierta una y otra vez, e identificar lo que antes había creído un broche y que eran tres dardos, de los que se usaban aquí para jugar en los *pubs*. A veces, en la tele del hotel, había visto competiciones hipnóticamente tediosas que hacían que el golf pareciera un deporte de contacto. Pero ahora comprendió lo que había hecho ella. Le quedaban dos. No le gustaba. Se suponía que debía estar agradecido por que hubiera hecho lo que hizo, dadas las circunstancias, pero de todas formas no le gustaba. Aunque advirtió que no la encontraba aterradora, por poco que quisiera ver su lado malo.

Cuando salieron del metro vio que había un KFC junto a Marble Arch, pero estaba cerrado. Olía fatal, y le asaltó un inesperado y potente golpe de nostalgia y deseo. La morriña, otra sensación que había aplastado con la medicación, en alguna sala sin ventilar del yo, por abstracta que pudiera ser la idea.

Pero entonces Fiona hizo sonar la bocina de su moto, dos veces, en la acera, llamándolos. Milgrim se acercó mientras ella se alzaba la visera, el ángulo concreto en donde la línea de su pómulo se cruzaba con el borde del casco amarillo le sorprendió de un modo innombrable, pero que le resultó agradable.

—Ven conmigo —dijo ella, ofreciéndole el casco negro. Alzó la barbilla para hacer contacto ocular con Heidi, que venía tras Milgrim—. Enviaré un coche a recogerte.

—A la mierda —dijo ella—. Iré andando. ¿Dónde está Hollis?

—En el Gabinete. Voy a llevarme a Milgrim.

—Adelante —dijo Heidi, cogiendo el casco negro y colocándoselo a Milgrim en la cabeza. La laca seguía allí. Le dio al casco un duro golpe con los nudillos, como señal de partida. Él pasó la pierna sobre el asiento de detrás de Fiona y la rodeó con los brazos, consciente de lo que había debajo del equipo. Parpadeó ante la novedad. Volvió el casco para ver marcharse a Heidi, tenuemente, a través de la miserable visera.

Fiona puso la motocicleta en marcha.

—Haz de más —dijo Bigend, sentado tras un escritorio Ikea blanco muy básico. Tenía una esquina rota y estaba repleto de muestrarios de telas.

—¿Cómo? —Milgrim estaba sentado en un ridículo taburete violeta, con un mullido y barato tapizado.

—Una expresión arcaica —dijo Bigend—. Se refiere a los haces de leña. Cuando se cargaba un haz de más, había que soltar uno. Significaba que algo era excesivo, demasiado populoso.

—Foley —dijo Milgrim—. En el coche delante de nosotros.

—Eso ya lo sé.

—¿Dónde está Aldous?

—Sometido a interrogatorio por diversos tipos de policía. Es bueno en eso.

—¿Lo detendrán?

—No es probable. Pero cuando Fiona se reunió contigo, en París, le dijiste que habías ido a las Galerías Lafayette. Que Foley te había seguido hasta allí, como habías supuesto que haría, y que te libraste del Neo tras decidir que Sleight lo estaba utilizando para permitir que Foley te rastreara. Lo dejaste caer, creo que me dijo, en un cochecito de bebé.

—No era un cochecito exactamente. Era más moderno.

—¿Hubo algún motivo para elegir ese cochecito en concreto?

—La mujer, la madre, era rusa. La estuve escuchando.

—¿Qué tipo de mujer te pareció que era?

—La esposa de un oligarca, un hipotético oligarca...

—¿O un gánster?

Milgrim asintió.

—¿Acompañada por al menos un guardaespaldas, imagino?

Milgrim volvió a asentir.

Bigend se lo quedó mirando.

—Qué travieso.

—Lo siento.

—No es que no quiera que te vuelvas más activo —dijo Bigend—, pero ahora que comprendo lo que hiciste, veo que has sido irresponsable. Impulsivo.

—Usted es el impulsivo —dijo Milgrim, sorprendiéndose a sí mismo.

—Se supone que tengo que ser impulsivo. Se supone que tú debes ser relativamente circunspecto —frunció el ceño—. O, más bien, se supone que no debes serlo, pero es lo que espero de ti, basándome en la experiencia. ¿Por qué lo hiciste?

—Estaba cansado de Sleight. Nunca me ha gustado demasiado.

—No es de extrañar —coincidió Bigend.

—Y nunca había pensado antes que pudiera seguirme con el Neo. Lo habría aceptado, si fuera algo que usted quisiera que hiciese, pero entonces expresó desconfianza hacia él, recelo... —Milgrim se encogió de hombros—. Me sentí impaciente, furioso.

Bigend lo estudió, el extraño azul catódico de su traje pareció flotar en la retina de Milgrim en alguna profundidad especial.

—Creo que entiendo —dijo—. Estás cambiando. Me dijeron que era de esperar. Lo evaluaré en el futuro.

Sacó un iPhone de un bolsillo interior y entornó los ojos para mirar la pantalla, lo guardó.

—La mujer de Seven Dials. La agente federal. Tengo que saber más de ella. Todo.

Milgrim se aclaró la garganta, algo que nunca intentaba hacer en situaciones como ésta. Tenía la bolsa en los pies, con el portátil dentro, y ahora resistió la urgencia de mirarla.

—Winnie —dijo— Tung Whitaker.

—¿Por qué llevas el logo de Sonny? —interrumpió Bigend.

—Heidi compró la chaqueta a un limpiador.

—Es una marca china, si se puede llamar marca. Es un logotipo, más bien. Se usa para el mercado africano.

—Creo que no era africano, sino eslavo.

—Jun —llamó Bigend—, ven aquí.

Un hombre pequeño, japonés, con gafas doradas redondas, vino desde la tienda a oscuras. Milgrim no lo había visto cuando Fiona lo trajo, sólo al otro conductor, el hombre de las muestras de orina.

—¿Sí?

—Milgrim necesita ropa. Prepárale un traje.

—¿Quiere ponerse en pie, por favor? —preguntó Jun. Llevaba una especie de gorra de caza decididamente británica, quizá Kangol. Milgrim la asoció con el Bronx de otra época. Tenía un bigote pequeño y muy fino.

Se puso en pie. Jun caminó a su alrededor.

—Noventa de cintura —dijo—. ¿Noventa de tiro?

—Noventa y dos.

Miró los zapatos de Milgrim.

—¿Cuarenta y uno?

—Cuarenta y dos.

—El ocho británico —dijo Jun, y volvió a la parte delantera de la tienda, donde Milgrim sabía que estaba sentado el conductor de las muestras de orina, con su paraguas.

—No está interesada en usted —dijo Milgrim—. Creía que era socio de Gracie. No tenía forma de saber qué era lo que vio en Myrtle Beach. Así que me siguió hasta aquí. Y creo…

—¿Sí?

—Creo que quería ver Londres.

Bigend alzó una ceja.

—Pero la policía, las autoridades, no la ayudaron mucho con usted. Dijeron que tenía conexiones con ellos.

—¿De veras?

—Pero le preguntaron por su camioneta.

—¿Le preguntaron qué?

—Sentían curiosidad.

—Pero ¿qué quería ella de ti?

—Pensaba que si descubría más cosas sobre usted, sabría más de Gracie, de Foley. Pero en cuanto supo que era sólo un competidor, que estaba interesado en los contratos con los militares norteamericanos, dejó de interesarle.

—¿Le dijiste eso?

—Y dejó de interesarle —repitió Milgrim.

Hubo un momento de silencio.

—Comprendo lo que quieres decir —dijo Bigend.

—No le ofrecí ninguna información. Respondí a preguntas concretas. No sabía qué hacer.

Jun regresó con los brazos llenos de ropa, y la puso sobre el escritorio tras apartar los muestrarios de tela. Había un par de zapatos marrones muy nuevos y muy brillantes.

—Póngase en pie, por favor.

Milgrim obedeció.

—Quítese la chaqueta.

Bajó la cremallera de la Sonny y se la quitó. Jun le ofreció una chaqueta de fragrante *tweed*, se la quitó inmediatamente, probó otra, igualmente resplandeciente, dio la vuelta, abotonó la chaqueta, asintió.

—¿Por qué no me lo dijiste en su momento? —preguntó Bigend.

—Quítese los pantalones, por favor —dijo Jun—, y también la chaqueta.

—Estaba demasiado ansioso —dijo Milgrim—. Tengo un trastorno de ansiedad.

Se sentó en el horrible banco y empezó a quitarse los zapatos. Después se puso en pie y fue sacándose los pantalones, agradecido por tener algo que hacer.

—No hice que me siguiera. Usted me envió a Myrtle Beach.

—Puede que tengas un trastorno de ansiedad, pero definitivamente estás cambiando.

—Quítese la camisa, por favor —dijo Jun.

Milgrim obedeció. Se quedó allí de pie, con los calcetines y los calzoncillos negros de las Galerías Lafayette, con la peculiar consciencia de que algo acababa de cambiar, aunque no estaba seguro de qué era. Jun se había dedicado a desabrochar y desdoblar una camisa de cuadros y ahora le ayudó a ponérsela. Tenía el cuello ancho, y mientras se la abrochaba descubrió que los puños se extendían casi hasta el codo, con muchos botones perlados.

—¿Has estado en Florencia? —preguntó Bigend mientras se abrochaba aquellos peculiares puños.

—¿Florencia? —Jun acababa de tenderle un par de pantalones de pana.

—La Toscana es preciosa. Mejor en esta época del año. La lluvia. La luz es más sutil.

—¿Me va a enviar a Italia?

—Con Hollis. Quiero que los dos os marchéis de aquí. Alguien está enfadado con vosotros. Generaré tráfico intenso en Hormiga Azul para hacer creer que ambos estáis en Los Ángeles. Tal vez eso convenza a Oliver.

Milgrim oyó aquel grito, fuera de Bank Station, inspiró profundamente, pero no logró decir nada. Se subió la cremallera de sus nuevos pantalones. Eran muy extraños y estrechos en los tobillos, y con vueltas.

—Siéntese, por favor —dijo Jun, que estaba soltando los cordones de los zapatos marrones. Eran zapatos bajos con puntera más estrecha de lo tradicional, con suelas gruesas de tacón.

Milgrim se sentó. Jun se arrodilló, lo ayudó a ponerse los zapatos, ató los cordones y les hizo un lazo. Se levantó, probándolos. Decidió que le estaban bien, pero eran muy duros y pesaban. El japonés le tendió un estrecho y pesado cinturón de cuero de color similar, con una pulida hebilla de latón. Se lo puso.

—Corbata —dijo Jun, ofreciendo una de seda con arabescos.

—No uso corbata, gracias —repuso Milgrim.

Jun dejó la corbata sobre la mesa, le ayudó a probarse la chaqueta, luego volvió a coger la corbata, la dobló y la metió en el bolsillo del pecho de la chaqueta. Sonrió, le dio una palmadita en el hombro y se marchó.

—Eso está mejor —dijo Bigend—. Para Florencia. *Bella figura.*

—¿Voy a volver a Candem?

—No. Por eso le devolviste a Fiona la llave. Ella va a ir a recoger tus cosas y a dejar libre la habitación.

—¿Adónde voy a ir?

—A ningún sitio. Dormirás aquí.

—¿Aquí?

—Una colchoneta de gomaespuma y un saco de dormir. Estamos al lado de Hormiga Azul, pero ellos no lo saben.

—¿No saben qué?

—Que yo soy Tanky.

—¿Qué significa eso?

—Tanky y Tojo. El nombre del establecimiento. Yo soy Tanky, Jun es Tojo. Es sorprendente, de verdad.

—¿Ah, sí?

—Pareces un vividor a la caza del zorro. Su habilidad para la contradicción es brillantemente subversiva.

—¿Hay wifi?

—No, no hay wifi —dijo Bigend.

—Lo que ella quería que le comunicara —dijo Milgrim—, Winnie Tung Whitaker, es que Gracie cree que es usted su competidor. Lo que significa, para él, que es su enemigo.

318 • WILLIAM GIBSON

—No soy su enemigo.

—Me mandó robar el diseño de sus pantalones.

—«Espionaje comercial.» Si no hubieras lanzado a Foley contra unos rusos al azar, todo esto habría sido mucho más fácil. Y no me estaría distrayendo de cosas importantes. Sin embargo, me alegro de que tengamos esta oportunidad para discutir el asunto con más detalle, en privado.

—Los polis corruptos son una cosa —dijo Milgrim—. ¿Un antiguo militar de las Fuerzas Especiales corrupto, que se dedica al comercio ilegal de armas? Creo que puede ser algo muy distinto.

—Un *hombre de negocios*. Yo lo soy también.

—Ella dice que cree que puede hacer de todo, que lo enviaron *a escuelas*.

—No sería mi primer traficante de armas, ¿sabes? —dijo Bigend, incorporándose. Se alisó el traje, que necesitaba un planchado, según advirtió Milgrim—. Mientras tanto, Hollis y tú podéis ir a los museos, disfrutar de la comida. Extraordinaria, de verdad.

—¿La comida?

—Lo que consiguieron hacer contigo en Basilea. Estoy realmente impresionado. Ahora veo que ha tardado un poco en cuajar.

—Eso me recuerda... —dijo Milgrim.

—¿Qué?

—Tengo hambre.

—Bocadillos —dijo Bigend, señalando una bolsa de papel marrón que había sobre la mesa—. Pollo y beicon. Me pondré en contacto mañana, cuando el viaje esté preparado. Te quedarás encerrado aquí dentro. Se activará el sistema de alarma. Por favor, no intentes salir. Jun estará aquí a eso de las diez y media. Buenas noches.

Cuando Bigend se marchó, Milgrim se comió los dos bocadillos, se limpió con cuidado los dedos y luego se quitó los zapatos nuevos, examinó el logotipo de Tanky & Tojo estampado en el interior anaranjado de las suelas de cuero, los olió, los puso sobre la mesa blanca. Notó el frío del suelo de vinilo gris a través de los calcetines. La puerta que conducía al otro lado de la tienda, que Bigend había cerrado al salir, parecía de poca calidad, de las huecas. Vio una vez a un camello llamado Fish romper como si nada la fina piel de madera de una de esas puertas. Estaba llena de bolsas de plástico con Valium mexicano falsificado. Acercó la oreja a ésta, contuvo la respiración. Nada.

¿Estaba el hombre de las muestras de orina sentado allí fuera con su paraguas? Lo dudaba, pero quería asegurarse. Encontró el interruptor de la luz, lo pulsó. Permaneció un momento en la oscuridad, luego abrió la puerta.

La tienda estaba iluminada, pero tenuemente, por medio de farolillos de papel blanco torcidos y por lámparas de pie. Desde aquí, el escaparate parecía uno de esos grandes Cibachromes de una galería de arte: la fotografía de una pared de ladrillo vacía al otro lado de la calle, un leve fantasma de *graffiti*. De repente pasó alguien, con una capucha negra. Milgrim tragó saliva. Cerró la puerta. Volvió a encender las luces

Se dirigió al fondo, sin molestarse ya en no hacer ruido, abrió una puerta similar pero más pequeña, y encontró una habitación pequeña y limpia con un lavabo en una esquina y una taza muy nueva. No había más puertas. No había entrada trasera. Supuso que el barrio, como buena parte de Londres, no tenía callejones como los norteamericanos.

Encontró una virginal plancha blanca de gomaespuma, de quince centímetros de grosor, el doble de ancho, enrollada en un grueso cilindro erecto. Estaba sujeta por tres tiras de cinta adhesiva transparente, el logotipo de Hormiga Azul repetido en ellas a intervalos regulares. A su lado había una salchicha gruesa y sorprendentemente pequeña de lo que parecía ser seda oscuramente iridiscente, y una botella de plástico de agua mineral, de Escocia.

El cajón superior del escritorio contenía sus instrucciones de montaje de Ikea y un par de tijeras con asas transparentes. Los otros dos cajones estaban vacíos. Milgrim usó las tijeras para cortar la cinta, liberando la gomaespuma, que permaneció levemente doblada, en la dirección en la que había sido enrollada. Puso hacia abajo, sobre el frío vinilo, la parte cóncava, y cogió la salchicha de seda. En un lado tenía bordado MONT-BELL. Jugueteó con el cierre de plástico del cordón, lo aflojó y sacó el contenido densamente compacto. El saco de dormir, cuando lo desplegó, era muy liviano, muy fino, alargado, y con la misma iridiscencia, negro púrpura. Descorrió la cremallera y lo extendió sobre la cama. Cogió la botella de agua y la llevó a la mesa, recuperó su bolsa del suelo y la colocó junto a la botella. Acercó la silla de Bigend, se sentó, abrió la bolsa, y sacó su arrugada chaqueta de algodón. Miró las solapas de *tweed* de la chaqueta nueva, sorprendido al verlas. Las mangas de la camisa eran demasiado extrañas, pero no se veían debajo de la chaqueta. Hizo a un lado su vieja chaqueta, sacó el Mac Air, el cable y el adaptador de corriente, y el módem USB rojo de Hollis.

La corriente eléctrica en el Reino Unido era algo distinta y brutal, y sus enchufes triples, enormes, los apliques de pared a menudo equipados con sus propios interruptores, un toque particularmente ominoso parecido a llevar cinturón y tirantes a la vez.

—Haz de más —dijo, conectando el cable al enchufe más cercano a la mesa. Buscó «Tanky & Tojo» en Google y descubrió enseguida que Jun, Junya Marukawa, tenía su propio establecimiento en Tokio, que Tanky & Tojo tenía muchas entradas en la Red y que una sucursal SoHo abriría el año que viene en Lafayette. No había ninguna mención a Hubertus Bigend. El estilo de Jun, evidentemente, era una aproximación japonesa a algo que al menos un escritor llamaba «tradición transgresiva».

Entonces pasó a Twitter, conectó, vio que no había nada nuevo de Winnie, y empezó a componer mentalmente su mensaje para ella mientras se deshacía de las tres chicas desconocidas con números en vez de apellidos que querían seguirlo.

53
Grillo

El sonido de grillo del teléfono la despertó, aunque no supo al instante si estaba dormida o no. Había yacido toda la noche enroscada junto a él, despierta durante la mayor parte del tiempo debido a la necesidad de procesar el hecho de que él estaba aquí. Olía a hospitales. Era por algo que usaba para atender las heridas. No la había dejado ver su pierna herida, que describía como «una obra en progreso».

Se había sentado en el sillón para cambiar las vendas, en una bolsa negra de basura que sacó de la mochila que colgaba tras la silla-ciclomotor, y luego se quitó los imperdibles del interior de la pernera de su pantalón. Ella tuvo que esperar en el cuarto de baño, apoyada contra las tuberías que calentaban las toallas que rodeaban la ducha, y lo escuchó silbar, deliberadamente desafinado, para burlarse de ella.

—Ya —llamó por fin—. Ya estoy decente.

Cuando ella salió del cuarto de baño, lo encontró cerrando con los imperdibles el dobladillo del pantalón. La bolsa negra que había extendido sobre la silla estaba ahora sobre la alfombra, con algo anudado en una de sus esquinas.

—¿Duele hacer eso? —le preguntó.

—En realidad, no —contestó él—. El resto, la reconstrucción, la fisioterapia, eso fue menos divertido. ¿Sabes que tengo un fémur de ratán? —le sonrió con perversidad irguiéndose en el asiento.

—¿Qué es eso?

—Ratán. El material con el que hacen las cestas y los muebles. Como el mimbre. Han encontrado un modo de convertirlo en una copia perfecta del hueso humano.

—Te lo estás inventando.

—Están empezando a probarlo con los humanos. Conmigo, de hecho. Funciona de puta madre con las ovejas.

—No pueden convertirlo en hueso.

—Lo meten en hornos, con calcio y otras cosas, bajo presión y durante mucho tiempo y se convierte en hueso, o casi.

—Ni de coña.

—Si lo hubiera pensado, les habría pedido que te hicieran una cesta. Es lo bueno que tiene, puedes construir exactamente el hueso que necesitas con ratán, moldearlo como ratán y luego osificarlo. Un sustituto perfecto. Un poco más fuerte que el original, por cierto. La estructura microscópica permite que las venas lo atraviesen.

—No te burles de mí.

—Cuéntame algo más de lo que le dijo ese tal Milgrim al señor Big End —le había dicho él. Siempre lo pronunciaba así, como si fueran dos palabras.

Encontró el receptor, sintiéndolo más absurdamente enorme que nunca en la oscuridad, lo alzó.

—Estaré allí en diez minutos —dijo Bigend—. Espérame en el vestíbulo.

—¿Qué hora es?

—Las ocho y cuarto.

—Estoy dormida. Lo estaba.

—Tengo que verte.

—¿Dónde está Milgrim? Y Heidi…

—Hablaremos de él en unos momentos. Heidi no tiene nada que ver.

Colgó.

Hollis entornó los ojos para ver el brillo en torno a los bordes de las cortinas. Devolvió el receptor a su horquilla lo más silenciosamente que pudo. La respiración de Garreth era uniforme.

Se sentó, con cuidado. Distinguió sus piernas. Había insistido en dormir con los pantalones y los calcetines puestos. En su pecho desnudo, ella lo sabía ahora, había cicatrices, cerradas pero todavía lívidas, junto a otras más antiguas que ella podría haber dibujado de memoria. Se levantó, se dirigió al cuarto de baño, cerró la puerta tras ella y encendió la luz.

54

Brillo de Air

—Ferguson —dijo Winnie Tung Whitaker—, el del peinado *mullet*, iba en el vuelo a Heathrow de Gracie, desde Ginebra.

Ante el brillo de la pantalla del Air y el teclado retroiluminado, Milgrim permanecía agazapado delante de la mesa, cubierto por el saco de dormir MontBell. Había tratado de conciliar el sueño, pero no dejaba de levantarse para conectarse a Twitter. Al sexto o séptimo intento, la respuesta de ella había sido este número de Estados Unidos. Al comprobar su tarjeta, vio que era el número de su móvil. Una rápida búsqueda en la guía de teléfonos de papel bajo los muestrarios había proporcionado los prefijos necesarios.

—¿El de los pantalones? —preguntó, esperando estar equivocado.

—*Mike* Ferguson. ¿Ves? Te lo dije.

—¿Cuándo vuelves?

—La verdad es que esta historia tuya puede requerir un permiso en ruta.

—¿Qué es eso?

—El único timo que se nos permite a los empleados federales, como nos gusta llamarlo. Ahora mismo estoy en DT. Deber temporal, viaje de negocios. Si puedo conseguir un permiso, puedo tomarme dos días de vacaciones. Dieciséis horas de permiso anual. Cuando vi tu *tweet*, envié un correo electrónico a mi jefe. Me costará el sueldo —no parecía muy feliz al respecto—. Por otro lado, esto se está poniendo realmente interesante. Aunque no es que mi jefe lo encuentre lo bastante interesante como para mantenerme aquí con

325 • Brillo de Air

los gastos pagados. Pero ese truquito que hiciste en París, no me lo habría esperado de ti. ¿Qué ocurre?

—No lo sé.

Era cierto.

—Era el graduado de Parson, el diseñador, el hipotético chico de Operaciones Especiales. Y ese estúpido atentado contra el vehículo de tu jefe sería también él.

—Lo era —dijo Milgrim—. Lo vi.

—Quiero decir que no eran ni Gracie ni Ferguson. Todavía estaban en la aduana de Heathrow. Pero cuando terminaron allí, sin duda que se enterarían de lo que ha hecho y de lo que ha sucedido. Lo interesante, entonces, es cómo puede reaccionar Gracie. Si fuera listo, lo dejaría correr, despediría al diseñador. Que claramente no tiene ni idea. Y no es que Gracie no sea inteligente. Lo es, y mucho. Pero no es listo. ¿Se lo dijiste a Bigend?

—Sí —contestó Milgrim—. Creo que le dije todo lo que querías que le dijera.

—¿Le hablaste de mí?

—Le mostré tu tarjeta.

La tenía ahora allí delante en la mesa.

—Descríbeme su reacción.

—No parecía preocupado. Pero no lo parece nunca. Dijo que había tenido alguna experiencia con los agentes federales norteamericanos.

—Puede que tenga un poco menos de doscientos kilos de un soldado especial altamente entrenado pronto, entre los dos. Tendrás que mantenerme informada. ¿Tienes un teléfono?

—No —dijo Milgrim—. Lo dejé en París.

—Twitéame. O llama a este número.

—Me alegro de tu permiso.

—No es cosa hecha todavía. Esperemos que salga bien. Cuídate.

Y colgó.

Milgrim volvió a poner el liviano auricular de plástico en su hue-

326 • WILLIAM GIBSON

co en lo alto del teléfono, haciendo que un panel blanco retroiluminado se apagara.

Miró el reloj en la esquina superior derecha de la pantalla. Jun
tenía que llegar dentro de unas pocas horas. Todavía no habría ama-
necido. Envuelto en el MontBell, volvió a la colchoneta de gomaespuma.

55

El señor Wilson

Había poca gente desayunando.

El muchacho italiano y otro camarero preparaban unos biombos, al oeste del bastidor de narval. Ella los había visto desplegar antes para aumentar la intimidad de los desayunos de trabajo. Los biombos estaban hechos de lo que suponía eran tapices muy antiguos, gastados hasta no tener ningún color concreto, una especie de caqui abigarrado, pero ahora advirtió que mostraban escenas de *Blancanieves* de Walt Disney. Al menos no parecían ser pornográficas. Estaba a punto de ocupar su sitio de costumbre, bajo los colmillos en espiral, cuando el muchacho italiano reparó en ella.

—Usted estará aquí, señorita Henry —e indicó la mesa recién aislada por los biombos.

Entonces Bigend apareció en lo alto de las escaleras, moviéndose rápidamente, la gabardina en el brazo, el aura de su traje azul casi dolorosa.

—Es Milgrim —dijo cuando la alcanzó—. Traiga café —le ordenó al muchacho italiano.

—Ahora mismo, señor.

Se marchó.

—¿Le ha pasado algo a Milgrim?

—A Milgrim no le ha pasado nada de nada. Milgrim me ha pasado a mí.

Colocó la gabardina sobre el respaldo de la silla.

—¿Qué quieres decir?

—Trató de cegar a Foley, o como se llame, en Bank Station. Anoche.

—¿Milgrim?

—No es que me lo haya contado —dijo Bigend, sentándose.

—Cuéntame qué ha sucedido.

Se sentó frente a él.

—Fueron al apartamento de Voytek esta mañana. Se llevaron a Bobby.

—¿Bobby?

—Chombo.

El nombre, al escucharlo, le hizo recordar al hombre. Lo había visto por primera vez en Los Ángeles, y luego, bajo circunstancias muy distintas, en Vancouver.

—¿Está aquí, en Londres? ¿De quiénes hablas?

—Está en Primrose Hill. O lo estaba hasta esta mañana.

Bigend miró a la muchacha italiana, que llegaba con el café. Le sirvió primero a Hollis, luego a él.

—El café es suficiente por ahora, gracias —le dijo Hollis, esperando darle una oportunidad de huir.

—Muy bien —contestó la muchacha, y se escabulló diestramente tras el biombo Disney y sus aparentes cuatrocientos años.

—Era matemático —dijo Hollis—. ¿Programador? Me había olvidado de él.

Tal vez debido en parte a que Bobby, que tenía una personalidad bastante desagradable por derecho propio, había quedado demasiado afectado por aquella primera experiencia de conocer a Bigend, que en tantos aspectos era tan mala.

—Recuerdo que pensé que parecía que le estabas dorando la píldora en Vancouver. Cuando ya me marchaba.

—Un talento extraordinario. Terriblemente *estrecho* —dijo Bigend con evidente deleite—. Enfocado, por completo.

—Un gilipollas —sugirió Hollis.

—No tiene importancia. Resolví sus asuntos, lo traje aquí, y le ofrecí una tarea. Un desafío verdaderamente digno de sus habilidades. El primero al que se enfrentaba. Le habría proporcionado cualquier clase de estilo de vida, en realidad.

—Recuérdame que sea más gilipollas.

—Y por eso, porque es esencialmente un parásito, con una necesidad emocional de irritar constantemente al anfitrión, y porque quería que el proyecto quedara apartado de Hormiga Azul, hice que Voytek lo alojara en su casa. Le compensé por ello, por supuesto.

—¿Voytek?

—Mi experto en tecnología alternativo. Mi as en la manga contra Sleight. No podía estar seguro de que Sleight no lo descubriera en algún momento, pero es evidente que lo hizo, y descubrió dónde tenía alojado a Chombo mientras trabajaba en el proyecto.

—¿Qué es el proyecto?

—Un secreto —dijo Bigend alzando levemente las cejas.

—Pero ¿quién se llevó a Bobby?

—Tres hombres. Americanos. Le dijeron a Voytek que volverían a por él, y a por su esposa y su hijo, si intentaba alertar a alguien antes de las siete de la mañana.

—¿Amenazaron a la mujer y al niño?

—Voytek entiende ese tipo de cosas. Es de Europa del Este. Aceptó inmediatamente su palabra. Me llamó por teléfono a las siete y veinte. Te llamé de inmediato. Puede que te necesite para que me ayudes con Milgrim.

—¿Quiénes eran?

—Foley, por la descripción. Incapaz de dejar de murmurar acerca de Milgrim. Asumo que los otros dos eran Gracie, el traficante de armas, y alguien más. Gracie estaba claramente al mando, tranquilo, metódico. Voytek dijo que el tercer hombre tenía un corte de pelo *mullet*. Tuve que buscarlo en Google. Parece que Foley ha visitado urgencias dos veces esta semana, y considera que Milgrim es el responsable de ello. Gracie, sin embargo, asume que puede que estuviera siguiendo órdenes. Las mías.

—¿Eso le dijo a Voytek?

—Me lo dijo a mí.

—¿Cuándo?

—Cuando venía de camino. Sleight, obviamente, le ha dado el número de mi móvil privado.

—¿Parecía furioso?

—Parecía que usaba un programa de distorsión de voz —replicó Bigend—. Me dijo lo que exige a cambio del regreso sano y salvo de Bobby, y por qué.

—¿Cuánto?

—Milgrim.

—¿Cuánto quiere?

—Quiere a Milgrim. Nada más.

—Ah, estás aquí —dijo Garreth, desde la abertura entre los dos biombos—. Podrías haber dejado una nota.

Bigend lo miró con una peculiar transparencia infantil. Hollis sólo había visto esta expresión unas pocas veces antes, y la temió.

—Te presento a Garreth —anunció.

—Wilson —dijo Garreth, cosa que no era cierta.

—Imagino, señor Wilson, que es usted amigo de Hollis. ¿El que resultó herido en un accidente de automóvil recientemente?

—No tan recientemente.

—Veo que va a unirse a nosotros —comentó Bigend. Se dirigió entonces al muchacho italiano, que acababa de aparecer, ansioso—. Retire el biombo para que pueda pasar el señor Wilson. Traiga una silla.

—Muy amable —dijo Garreth.

—No hay de qué.

—No creo que te vaya demasiado bien caminar —preguntó Hollis, incorporándose.

Mientras el muchacho apartaba la pantalla, Garreth la atravesó, pesadamente, apoyándose en el bastón cuadrúpedo.

—Cogí la silla de inválido y luego el ascensor de servicio.

Le puso la mano libre en el hombro, apretó.

—No hace falta que te levantes.

Cuando el muchacho lo ayudó a ocupar el sillón de alto respaldo que había traído de una mesa cercana a la de ellos, sonrió a Bigend.

—Éste es Hubertus Bigend —dijo Hollis.

—Un placer, señor Big End.

Se estrecharon las manos.

—Llámeme Hubertus. Una taza para el señor Wilson —le dijo al muchacho italiano.

—Garreth.

—¿Tuvo el accidente aquí en Londres, Garreth?

—En Dubái.

—Ya veo.

—Me perdonarán —dijo Garreth—, pero no pude dejar de oír su conversación.

Bigend alzó imperceptiblemente las cejas.

—¿Cuánto?

—Casi todo. ¿Está considerando entregarles entonces a ese Milgrim?

Bigend paseó la mirada de Garreth a Hollis, y viceversa

—No tengo modo de saber cuánto más puede saber de mis asuntos, pero he invertido mucho en la salud y el bienestar de Milgrim. Esto se produce en un momento muy difícil para mí, ya que no puedo confiar en mi propio personal de seguridad. Hay una lucha interna en la firma, y me desagradaría tener que recurrir a alguna de las muchas firmas de seguridad que hay aquí. El equivalente a matar moscas a cañonazos, en mi experiencia. Milgrim, debido a sus desgraciadas acciones, ha puesto en peligro uno de mis proyectos, un proyecto de vital importancia para mí.

—¡Lo vas a hacer! ¡Lo vas a hacer! —exclamó Hollis—. ¡Vas a entregarles a Milgrim!

—Pues claro que sí, a menos que alguien tenga una sugerencia mejor. Y lo habré hecho mañana a esta hora.

—Gane tiempo —sugirió Garreth.

—¿Cómo?

—Probablemente se me ocurrirá algo, pero necesitaré unas cuarenta y ocho horas.

—Puede que eso me resulte muy arriesgado —repuso Bigend.

—No es tan arriesgado como si llamo a la policía —dijo Hollis—. Y al *Times* y al *Guardian*. Hay un tipo en el *Guardian* que te la tiene especialmente jurada, ¿no?

Bigend la fulminó con la mirada.

—Dígales que lo ha perdido —insinuó Garreth—, pero que lo recuperará. Yo le ayudaré con el mensaje.

—¿Qué es usted, señor Wilson?

—Un hombre hambriento con una pierna jodida.

—Le recomiendo el inglés completo.

56
Siempre es genio

Milgrim, de costado en el saco de dormir, sobre la gomaespuma blanca de aspecto medicinal, estaba atrapado en un frustrante bucle de duermevela, lento y circular. El agotamiento lo empujaba lentamente hacia donde sin duda tendría que haber estado el sueño, y luego se pasaba de la marca y lo lanzaba a un estado de ansiedad aleatoria que no podía calificar del todo como consciencia, y luego volvía atrás, convencido de la promesa del sueño...

Su terapeuta le había dicho, al oír cómo lo describía, que esto era un efecto secundario del estrés (excesivo temor, excesiva excitación), y era lo que le sucedía ahora. Que esto fuera el tipo de problema del que una persona normal podía escapar con la aplicación de una sola píldora de Ativan añadía cierta ironía. Pero le habían dicho que su recuperación dependía de la estricta abstinencia de la sustancia elegida. Que no era la sustancia elegida, mantenía su terapeuta, sino la sustancia necesitada. Era la primera píldora, se dijo, repitiendo esas enseñanzas como un rosario, mientras volvía a oscilar hacia la falsa promesa del sueño, lo que se le exigía que no ingiriera. Las otras no suponían ningún problema porque, si evitaba con éxito la primera, no habría más. Excepto aquella primera, que, potencialmente al menos, estaba siempre allí. Mierda. Golpeó la ansiedad aleatoria, vio aquellas chispas salir volando de los guardabarros del coche de Foley mientras Aldous conducía marcha atrás a través de aquel estrecho espacio.

Trató de recordar lo que sabía de coches para explicar aquellas chispas. Eran casi todo de plástico ahora, los coches, con trozos de metal dentro. La superficie había sido reducida, supuso, hasta el metal, produciendo chispas, y entonces tal vez el metal se había corroído... Eso ya lo sé, estúpido, le dijo su mente.

Le pareció oír algo. Entonces supo que no se había equivocado. Sus ojos se abrieron de golpe en la pequeña oquedad del MontBell, la oficina levemente iluminada por el baile de formas abstractas en la pantalla del Air.

—Shombo siempre —oyó decir a Voytek en voz alta, el acento inconfundible, cada vez más cerca, resentido— es un genio. Shombo es un codificador genio. Shombo, ya lo digo: Shombo codifica como follan los viejos.

—Milgrim —llamó Fiona—. Hola, ¿dónde estás?

57
Algo improvisado

La crisis actual, por mucho que la procesión fuera por dentro, no parecía haber afectado el apetito de Bigend. Todos tomaron el inglés completo. Bigend se entregó a él con fruición, mientras Garreth llevaba todo el peso de la conversación.

—Esto es un intercambio de prisioneros —dijo—. Un rehén por otro. Su hombre asume, correctamente, que es improbable que acuda usted a la policía.

Bigend miró significativamente a Hollis.

—Podemos dar por hecho que no cuenta usted con mucha infraestructura aquí —continuó Garreth—, o de lo contrario no habría enviado a un idiota a por Milgrim. Tampoco, a estas alturas, la tiene usted, dada la situación de su empresa, y podemos asumir que él lo sabe gracias a su topo.

—¿Puede uno ser topo de sí mismo? —preguntó Bigend—. Yo diría que todo el mundo lo es en cierto grado.

Garreth no le hizo caso.

—Su topo sabrá que no es usted muy proclive a contratar seguridad externa por los motivos ya citados. Su hombre lo sabrá también. Como su hombre nunca habría preparado un plan de secuestro tan ridículo, podemos asumir que quien lo planeó fue Foley. Por tanto, o su hombre no estuvo presente durante el intento o se quitó de en medio. Mi suposición es que venía de camino, probablemente porque sentía que Foley estaba metiendo la pata. Foley probablemente actuó cuando lo hizo para coger a Milgrim antes de que llegara el jefe.

Hollis nunca había oído a Garreth desentrañar una situación

concreta de esta forma, aunque algo en su tono le recordó ahora sus explicaciones sobre la guerra asimétrica, un tema en que tenía un claro y profundo interés. Recordó que le había contado cómo el terrorismo se centraba casi exclusivamente en la marca, pero sólo un poco menos que la psicología de las loterías, y cómo eso le había hecho pensar en Bigend.

—Así que es probable que estemos tratando con un plan improvisado por su parte —dijo Garreth—. Su hombre ha optado por un intercambio de prisioneros. Con ellos se puede jugar, naturalmente. Aunque su hombre lo sabe, desde luego, y está familiarizado con todas las tácticas aplicables, incluida la que imagino que es más probable que emplee.

—¿Y es…?

—¿Ese Milgrim es obeso? ¿Extremadamente alto? ¿De aspecto memorable?

—Olvidable —dijo Bigend—. Unos sesenta y cinco kilos.

—Bien —Garreth untó de mantequilla una tostada—. En todo intercambio de prisioneros es necesaria una sorprendente cantidad de confianza mutua. Por eso es una especie de juego.

—No les vas a entregar a Milgrim —dijo Hollis.

—Necesito ver más para asegurarme el éxito, señor Wilson, si me perdona por ser tan franco —observó Bigend, usando el tenedor para untar alubias en un cuarto de rebanada de tostada.

—Dios está en los detalles, dicen los arquitectos. Pero tiene usted un problema más grande. Contextualmente.

—¿Se refiere a la extraña disposición de Hollis de entregarme al *Guardian*?

—A Gracie —dijo Garreth—. Imagino que está haciendo esto porque considera que lo ha estado usted jodiendo, y a base de bien. ¿No le pidió dinero?

—No.

—¿No quiere dinero su topo?

—Estoy seguro de que sí —replicó Bigend—, pero imagino que no sabrá cómo actuar con esta gente. Imagino que estaba buscando un contexto donde traicionarme con beneficios, pero entonces lo encontraron ellos. Es probable que les tenga miedo, y sin duda por buenos motivos.

—Si les entregara a Milgrim y recuperara intacto a su Bobby, volverían —dijo Garreth—. Es usted muy rico. Ese militar corrupto puede que no esté pensando todavía en esos términos, pero su topo sí.

Bigend parecía extrañamente pensativo.

—Pero si lo hace como yo lo haría —continuó Garreth—, los habrá jodido de verdad, de un modo muy formal y personal. Irán a por usted.

—Entonces, ¿por qué lo sugiere?

—Porque entregarles a Milgrim no es una opción —dijo Hollis.

—La cosa es que necesita al mismo tiempo joderlos y neutralizarlos de un modo serio y continuado.

Bigend se inclinó ligeramente hacia delante.

—¿Y cómo lo haría?

—No estoy preparado para decírselo en este momento.

—¿No va a proponer una acción violenta?

—No al modo en que imagino que se refiere, no.

—No comprendo cómo puede montar algo muy sofisticado en tan corto periodo de tiempo.

—Tendría que ser algo improvisado.

—¿Improvisado?

Pero Garreth había vuelto a su desayuno.

—¿Y cuánto tiempo hace que conoces al señor Wilson, Hollis? —preguntó Bigend con un tono que parecía digno de alguna carabina de Jane Austen.

—Nos conocimos en Vancouver.

—¿De veras? ¿Tuvisteis tiempo de haceros amigos?

—Nos conocimos hacia el final de mi estancia.

—¿Y sabes que es alguien capaz de la manera en que dice ser capaz?

—Sí, aunque tengo el acuerdo con él de no decir nada más que eso.

—La gente que dice tener capacidades de ese tipo suelen ser a menudo mentirosos compulsivos. Aunque lo más peculiar al respecto es que, según mi experiencia, mientras que en la mayoría de los bares de Estados Unidos hay alcohólicos que dicen haber sido miembros de las Fuerzas Especiales de la Marina, a veces hay antiguos miembrosde las Fuerzas Especiales de la Marina, en esos mismos bares, que son alcohólicos.

—Garreth no es un miembro de las Fuerzas Especiales de la Marina, Hubertus. No sé qué diría que es. Es como tú en ese aspecto. Único. Si te dice que cree que puede recuperar a Bobby y neutralizar esta amenaza, entonces…

—¿Sí?

—Entonces creo que puede.

—¿Y qué propondría que hiciera, entonces, si aceptara su ayuda? —le preguntó Bigend a Garreth.

—Necesitaría una idea de los recursos tácticos que pueda tener usted en Londres, si tiene alguno, y que no estén comprometidos. Necesitaría un presupuesto abierto para actuar. Tendría que contratar a algunos especialistas. Más gastos.

—¿Y cuánto quiere usted, señor Wilson?

—No quiero nada —respondió Garreth—. No quiero dinero. Si puedo hacer esto para propia satisfacción, e imagino que también sería para la suya, dejará marchar a Hollis. La liberará de lo que sea que esté haciendo para usted, le pagará lo que crea que le debe y accederá a dejarla en paz. Y si no está de acuerdo con eso, le aconsejo que empiece a buscar ayuda en otra parte.

Bigend, con las cejas levantadas, miró a Garreth y a Hollis.

—¿Y tú estás de acuerdo con eso?

—Es una proposición completamente nueva para mí —se sirvió un poco de café, para ganar tiempo para pensar—. Lo cierto es que yo pondría una condición adicional.

Los dos la miraron.

—La diseñadora de los Sabuesos —le dijo a Bigend—. La dejarás en paz. Deja de buscar. Retira a todo el mundo permanentemente.

Bigend frunció los labios.

—Y encontrarás las zapatillas de Meredith —añadió Hollis—. Y se las darás.

Se produjo un momento de silencio. Bigend se quedó mirando su plato, las comisuras de la boca hacia abajo.

—Bien —dijo por fin mirándolos—, nada de esto habría sido atractivo en lo más mínimo antes de las siete y veinte de esta mañana, pero aquí estamos, ¿no?

58
Altanero

Voytek estaba muy enfadado por algo, probablemente por lo que le había causado que tuviera un ojo casi morado, amarillento, manchado. Sobre todo, parecía enfadado con Shombo, el joven a quien Milgrim había visto en Biroshak & Hijo, aunque a Milgrim le costaba trabajo imaginar que Shombo fuera capaz de golpear a nadie. A él le había mirado como si levantarse de la cama hubiera supuesto un desafío desagradable.

A Milgrim le habría gustado ir delante con Fiona, en el asiento de copiloto, pero ella insistió en que se sentara detrás con Voytek, en el suelo de esta diminuta furgoneta Subaru, que tenía poco más que el espacio de una lavadora-secadora, y estaba repleta de cajas de plástico de cartón grandes y negras, que casi parecían de plástico, y que supuso pertenecían a Voytek. Todas tenían PELICAN escrito en la tapa, claramente un logotipo en vez de un indicador de contenido. Voytek llevaba puestos los pantalones grises de un mono de trabajo con el texto EQUIPO B.U.M. escrito en mayúsculas muy grandes en el trasero, rastros de lo que Milgrim interpretó como contratiempos de cocina en la parte delantera, gruesos calcetines grises, aquellas mismas pantuflas de fieltro grises y una chaqueta celeste, muy antigua, muy sucia con el logotipo de Armstrad en la espalda, las letras agrietadas y descascarilladas.

El Subaru tenía cortinas grises en todas partes excepto en el parabrisas y las ventanillas laterales delanteras. Todas corridas ahora. Cosa que estaba muy bien, supuso Milgrim, ya que tenía un montón de cristales, además de una luneta superior en lo alto del vehículo, a través de la cual, al mirar hacia arriba, podía ver las ventanas superiores de los edificios ante los que pasaban. No tenía ni idea de dónde se encontraban ahora, ni idea de qué dirección habían tomado al salir de Tanky & Tojo, ni hacia dónde iban. A reunirse de nuevo con Bigend, supuso. Como las muestras de orina pero más frecuentes, las reuniones con Bigend marcaban su existencia.

—No vine a este país para que los paramilitares me aterrorizaran —declaró Voytek roncamente—. No vine a este país para que me putearan. Pero me están puteando. Siempre. Es un Estado carcelario, un Estado policial. Orwell. ¿Has leído a Orwell?

Milgrim, tratando de adoptar su mejor expresión neutra, asintió, las rodillas de sus nuevos pantalones de pana delante de la cara. Esperó que no se le estuvieran arrugando.

—La bota de Orwell en la cara para siempre —comentó Voytek con gran amargura formal.

—¿Por qué quiere que lo recojas? —preguntó Fiona como si preguntara por alguna tarea de oficina rutinaria, la mano izquierda manejando incesantemente el cambio de marchas.

—El taller del diablo —replicó Voytek, disgustado—. Quiere ocupar el mío. Mientras engorda con la sangre del proletariado.

Esta última frase tuvo para Milgrim un profundo encanto nostálgico, y se sintió impulsado, sin pensar, a repetirla en ruso, viéndose por un instante en la clase en Columbia donde la escuchó por primera vez.

—Ruso —precisó Voytek, entornando los ojos, igual que otra persona podría decir «sífilis».

—Lo siento —dijo Milgrim por reflejo.

Voytek guardó silencio, visiblemente molesto. Ahora estaban en una larga recta, y cuando Milgrim miró hacia arriba, no había edificios. Un puente, supuso. Redujeron la velocidad, giraron. Más edificios, más bajos, más descuidados. El Subaru traqueteó al pasar por encima de algo, entonces se detuvo. Fiona apagó el motor y salió. Milgrim, tras apartar las cortinas, vio el taller de motos de Benny. Y al propio Benny que se acercaba. Fiona abrió la puerta trasera y cogió una de las cajas de Pelican de Voytek.

—Con cuidado —advirtió Voytek—, con mucho cuidado.

—Lo sé —respondió Fiona, pasándole la caja a Benny.

Éste se inclinó hacia delante y miró a Voytek.

—Desacuerdo en el local, ¿no?

Voytek miró a Milgrim.

—La sangre —dijo—. Sorbiéndola.

—Coño mental —observó Benny, cogiendo otra caja antes de retirarse.

Voytek se escurrió por la zona de carga con su anuncio de EQUIPO B.U.M. y salió con las dos cajas restantes. Se marchó.

Milgrim salió, las rodillas entumecidas, y miró alrededor. No había nadie a la vista.

—Parece más tranquilo —comentó.

—Ya es la hora del té —dijo Fiona. Lo miró—. Eso es de la tienda.

—Sí —contestó Milgrim.

—No te sienta mal —aprobó ella, algo sorprendida—. Le has quitado la mayor parte de la altanería.

—¿Ah, sí?

—No llevarías una de esas correítas en la cartera —observó ella—. Y no te pondrías uno de sus sombreros.

—¿La altanería?

—Las pijadas —dijo Fiona, cerrando la puerta trasera de la furgoneta—. Necesitamos tus cosas —continuó, y dio la vuelta para abrir la puerta lateral. Le entregó a Milgrim su mochila, y una bolsa de Tanky & Tojo que contenía las ropas que llevaba puestas antes (menos la chaqueta Sonny) y la salchicha MontBell empaquetada de nuevo. Sacó el saco de dormir cerrado y una bolsa de basura negra—. Éstas son tus cosas del Holiday Inn.

Milgrim la siguió hasta el garaje repleto de basura.

Mientras se acercaban a la entrada del cubículo Vegas de Bigend, salió Benny. Fiona le entregó las llaves de la furgoneta.

—Los carburadores de la moto están perfectos —le dijo—. Dale las gracias a Saad.

—De nada —contestó Benny, guardándose las llaves sin detenerse.

Milgrim la siguió al interior. Sobre la mesa había dos de las cajas de Voytek, abiertas. Las otras dos, todavía cerradas, estaban en el suelo. Tenía puestos unos grandes auriculares negros y plateados y estaba montando algo que a Milgrim le pareció una raqueta de squash sin encordar.

—Dejadme —les espetó Voytek terminantemente, sin molestarse en mirarlos—. Yo barreré.

—Vamos —le dijo Fiona a Milgrim, soltando la gomaespuma y la bolsa negra que contenía las cosas del hotel—. Podrá hacerlo más rápido solo.

Milgrim soltó la salchicha junto a la gomaespuma, pero conservó su mochila. Al salir de la habitación, vio que Voytek daba un paso adelante y se acercaba a una pared alzando la raqueta con las dos manos con una especie de deliberación eclesiástica.

—¿Qué está haciendo? —le preguntó a Fiona, que miraba una motocicleta cuyo motor yacía esparcido en piezas sobre el suelo.

—Busca micros.

—¿Los ha encontrado antes?

—Aquí no. Pero este lugar es todavía secreto, por lo que yo sé. Aparecen en Hormiga Azul todas las semanas. Bigend tiene una caja de caramelos llena. Siempre dice que me hará un collar con ellos.

—¿Quién los pone allí?

—Supongo que gente especializada en el espionaje comercial estratégico. El tipo de gente que él se niega a contratar.

—¿Pueden descubrir cosas haciendo eso?

—Una vez —dijo ella, y tocó el borde roto de la cubierta de la moto con la yema de un dedo, de una forma que él envidió—, me envió por toda la ciudad con una pistola Taser.

—¿Esa que da descargas?

—Sí.

—¿Te envió a que le dieras una descarga a alguien?

—Tenía un cable LAN conectado. Fingí ir a una entrevista de trabajo. Cuando tuve la oportunidad, lo enchufé, sin que me vieran, al primer conector LAN disponible. Me valía cualquiera. Llevaba la Taser en el bolso. La pulsé. Sólo una vez.

—¿Y qué pasó?

—Se cargó el sistema entero. Todo. Lo borró todo. Incluso las partes de otros edificios. Luego borré las huellas, la tiré a la basura y me marché.

—¿Eso fue porque habían robado algo?

Ella se encogió de hombros.

—Lo llama lobotomía.

—Limpio —anunció Voytek sombrío, mientras salía con dos de sus cajas. Milgrim sabía a estas alturas que no pesaban nada, porque había visto que estaban compuestas por relleno de gomaespuma negra. Las depositó en el suelo y regresó a por las otras dos.

—¿Cuándo va a venir él? —preguntó Milgrim.

—No lo esperamos —contestó ella—. Sólo quiere que estés en un lugar seguro.

—¿No va a venir?

—Tan sólo estamos matando el tiempo —repuso ella, y sonrió. No era una persona que sonriera muy a menudo, pero cuando lo hacía, descubrió él, parecía que significaba algo—. Te enseñaré a manejar los globos. Me estoy volviendo muy buena.

59
El arte de la cosa

Después de un intercambio mutuo de varios números de teléfono, que anotaron e introdujeron en sus móviles, Bigend se marchó.

Garreth había insistido también en establecer códigos con los que poder indicar que estaba hablando bajo coacción o que creía que la conversación estaba siendo controlada de algún modo. Hollis, que descubrió que tenía mucha hambre, aprovechó la ocasión para atacar el desayuno. Garreth empezó a escribir en su cuaderno, en taquigrafía o con su letra imposible, ella nunca había sido capaz de dilucidarlo.

—¿De verdad crees que cumplirá su acuerdo, si logras hacer lo que sea que pretendes hacer? —le preguntó mientras él le ponía el capuchón a su bolígrafo.

—Inicialmente. Imagino que luego se las apañará para empezar a ver que en realidad ha hecho un acuerdo distinto, y que cualquier malentendido posterior es cosa nuestra. Pero entonces será cuestión de recordárselo, y al mismo tiempo recordarle exactamente cómo se ha resuelto esta pequeña dificultad. Parte integral de todo esto, y por qué es necesario que salga muy bien, es la necesidad de impresionar a Bigend con la idea de que no querría que nada parecido a esto le sucediera a él. Sin murmurar siquiera una amenaza, ojo, por lo que espero que vuelvas a meter en la caja a tu hombre del *Guardian*. Si es quien creo que es, me hace querer creer que el calentamiento global no lo ha causado el hombre, sólo por chincharlo.

—¿Dónde encaja tu excéntrico mentor en todo esto?

—Estará en segundo plano, si es que va a estar implicado, y me alegro por ello. Se sentía más feliz con la administración anterior de Estados Unidos. Era más fácil moverse por ahí.

—¿Ah, sí?

—Entonces había menos ambigüedad flotando en el aire. Necesitaré su permiso para utilizar el material que empleamos para otra acción. Pero Gracie parece perfecto para su inquina, ya que detesta especialmente a los que se lucran con la guerra. Que por cierto no es que ahora abunden menos que antes, aunque sean un poco menos descarados. También necesitaré que me ponga en contacto con Charlie. Un tipo encantador de Birminghan. Gurka.

—¿Gurka?

—Un cielo de persona. Te encantará.

—Que me zurzan, pero si es el saltador pródigo.

Hollis se dio media vuelta al oír la voz de Heidi y se la encontró allí, en la abertura entre los biombos, con Ajay asomado detrás de su hombro.

—¿Qué es esto? —Heidi empujó el marco de caoba de uno de los biombos, haciendo que toda la estructura se tambaleara de forma alarmante—. ¿Planeando montároslo aquí mismo?

Garreth sonrió.

—Hola, Heidi.

—Me enteré de que estabas bien jodido —dijo ella. Llevaba una sudadera gris bajo su chaqueta de *majorette*—. Pero a mí me pareces que estás igual que siempre.

—¿Qué hizo Milgrim anoche? —preguntó Hollis—. Bigend dice que hirió a alguien.

—¿Milgrim? No podría hacerle daño a una mosca ni aunque fuera necesario. El cabrón del coche que nos perseguía. Se lo tenía bien merecido —alzó la mano e hizo un gesto conciso como de arrojar un dardo—. Renio. Gritó como una perra.

—Es un gran honor —dijo Ajay, a espaldas de Heidi, los ojos muy abiertos por la emoción. Ella lo rodeó con un brazo y lo empujó hacia delante.

—Ajay —lo presentó Heidi—. El *sparring* más rápido que he

tenido jamás. Fuimos a Hackney esta mañana y nos zurramos la badana a base de bien.

—Hola, Ajay —dijo Garreth ofreciéndole la mano.

—No me lo puedo creer, de verdad —contestó Ajay, estrechándosela—. Me alegra ver que no estás tan mal como todos creíamos. Tengo descargados todos tus vídeos. Son fantásticos.

Hollis casi esperaba que fuera a pedirle un autógrafo; el peinado en cascada le temblaba de excitado placer.

—¿Qué tipo de *sparring*? —preguntó Garreth.

—Un poco de todo, en realidad —contestó Ajay, modesto.

—¿De veras? Deberíamos hablar. Da la casualidad de que necesito a alguien rápido.

—Muy bien —dijo Ajay pasándose la mano por la cascada—. Muy bien.

Como un niño al que acaban de decirle en julio que ahora mismo, oficialmente, absolutamente, es Navidad.

—¿No lamentas no haber dimitido antes de que se complicara todo? —preguntó Heidi. Estaban de vuelta en su habitación, donde Hollis vio que la Bestia Calzadora ya había sido pintado en parte, aunque todavía no había empezado a construirlo. Olía levemente a esmalte en aerosol.

Negó con la cabeza.

Ajay caminaba nervioso de un lado a otro junto a la ventana.

—Cálmate, joder —le ordenó Heidi—. Elvis no va a marcharse. Acostúmbrate.

Garreth había pedido que lo llevaran a la Número Cuatro para poder hacer algunas llamadas y utilizar su portátil. Para llevarlo allí, en la silla, tuvieron que recorrer un pasillo hasta el fondo del edificio y tomar un ascensor de servicio que Hollis no había visto nunca antes. Completamente carente de encanto Tesla, alemán, casi silencioso, y altamente eficaz, los llevó a su planta con rapidez, pero entonces Hollis se confundió en la ruta hasta la habitación. Los pasillos parecían un laberinto. Garreth, sin embargo, recordó el camino exactamente.

—Entonces, ¿quiénes son estos tipos que supuestamente nos están jodiendo vivos? —preguntó Heidi—. ¿Quién es ese capullo de la venda? Vaya matón de mierda.

—Es un diseñador de ropa —contestó Hollis.

—Si todos no son maricas, ¿quién va a por nosotros, entonces?

—El hombre para el que trabaja el diseñador —dijo Hollis—. Un comandante retirado de las Fuerzas Especiales llamado Gracie.

—¿Gracie? ¿Y por qué no Mabel? Te estás inventando todas estas chorradas, ¿verdad?

—Es su apellido. Y el apellido de Garreth, no vaya a ser que se me olvide, es ahora «Wilson». Es lo que le dijo a Bigend en el desayuno. Gracie es traficante de armas. Bigend estaba espiando un negocio suyo, en Carolina del Sur. Bueno, lo estaba haciendo Milgrim, siguiendo órdenes suyas. En el proceso, Oliver Sleight, a quien conociste en Vancouver pero probablemente no recuerdas, el especialista en seguridad de nuevas tecnologías de Bigend, desertó y se pasó al bando de Gracie...

—Pero tú estás enamorada, ¿no? —interrumpió Heidi.

—Sí —contestó Hollis, sorprendiéndose a sí misma.

—Bien. Me alegra que eso esté resuelto. El resto de esta chorrada no son más que chorradas, ¿no? ¿Ajay va a tener que violar su orden de comportamiento antisocial o qué?

Llamaron a la puerta.

—¿Quién coño es? —preguntó Heidi, en voz alta.

—Garreth, cielo.

—Le gustas —dijo Ajay, encantado.

—Tú también le gustas —respondió ella—, así que intenta dejarte puestos los puñeteros pantalones.

Abrió la puerta y la sostuvo mientras Garreth entraba con su ciclomotor, y luego la cerró y echó la llave y la cadena.

—Todo bien —le dijo Garreth a Hollis—. El viejo lo aprueba,

va a llamar al notario para lo del banco, y a Charlie —volvió la silla hacia Ajay—. ¿Conoces a ese tal Milgrim?

—No.

—¿Son Milgrim y Ajay de altura similar?

Heidi alzó las cejas, lo consideró.

—Más o menos.

—¿Constitución?

—Milgrim es un jodido palillo.

—Bigend calculó unos sesenta y cinco kilos. Pero Ajay en realidad no es tan ancho —dijo Garreth, midiéndolo—. Nudoso. Fuerza interior. No hay masa muscular excesiva. Los palillos pueden ser duros. ¿Has actuado alguna vez, Ajay?

—En el instituto —contestó, encantando—. Teatro Juvenil Islington.

—Yo tampoco conozco a Milgrim. Tendremos que hacerlo. ¿Puedes hacer un *rupert** por mí, entonces? ¿Un repaso a las filas para ver qué tal?

Ajay se irguió, los pulgares alineados con las costuras de sus pantalones, asumió una expresión altanera y caminó ante Heidi, dirigiéndole una mirada rápida y desdeñosa.

—Bien —asintió Garreth.

—Milgrim es el típico caucásico de cara pálida —le dijo Heidi a Garreth—. No podrías encontrar a un tipo más blanco.

—Ah, pero ése es el arte de la cosa, ¿no? —señaló él.

---

* Alusión a *El prisionero de Zenda*, como veremos más adelante. *(N. del T.)*

60
Raya

Milgrim, en calcetines y mangas de camisa, estaba acostado en la colchoneta de gomaespuma, agradablemente perdido en una nueva experiencia deliciosamente perfecta. Sobre él, cerca del alto techo de la habitación, iluminada por la gran lámpara de pie italiana con su pantalla plateada, la manta raya negro mate daba lentas volteretas, casi en silencio, el único sonido era el suave chasquido de su membrana llena de helio. No la estaba mirando. Estaba concentrado en la pantalla del iPhone, viendo la imagen de la cámara de la raya según rodaba. Se vio a sí mismo, repetidamente, tendido en el rectángulo blanco, y a Fiona, sentada a la mesa, trabajando en lo que fuera que estaba montando con los contenidos de las cajas que había traído Benny. Luego, mientras la manta seguía rodando, la pared blanca, el techo brillantemente iluminado y otra vez vuelta a empezar. Era hipnótico, y sobre todo porque él causaba el avance, manteniéndolo, ejecutándolo cada vez, con la misma secuencia de movimientos del pulgar sobre la pantalla plana del teléfono.

La raya nadaba en el aire. Modelada a partir de una criatura que nadaba en el agua, se impulsaba por el aire con lenta y fantasmagórica gracia.

—Debe ser maravilloso en el exterior —dijo.

—Más divertido —confirmó ella—, pero no se nos permite. En cuanto alguien sepa que los tenemos, serán inútiles. Y cuestan una fortuna, incluso antes de las modificaciones. La primera vez que intentamos comprar drones, dije que buscáramos algo así —se refería a la cosa rectangular que estaba montando sobre la mesa—. Es más rápido, más maniobrable. Pero él dijo que le parecía que deberíamos recapitular la historia del vuelo, empezar con globos.

—No había globos con alas, ¿no? —preguntó Milgrim, manteniendo la concentración en su trabajo con los pulgares.

—No, pero la gente los imaginaba. Y esta cosa sólo puede permanecer en el aire un rato. Cuestión de baterías.

—No parece un helicóptero. Parece una mesita para muñecas.

—Ocho rotores, eso sí que es potencia. Y están protegidos. Puede chocar con cualquier cosa y no convertirse en chatarra instantáneamente. Deja la raya y mira esto.

—¿Cómo la paro? —preguntó él, ansioso de repente.

—Para solo. La aplicación la enderezará.

Milgrim contuvo la respiración, apartó los pulgares de la pantalla. Alzó la mirada. La raya siguió rodando, ejecutó un extraño aleteo con la punta de las alas y luego flotó suspendida, meciéndose suavemente, con su superficie dorsal hacia el techo.

Se levantó y se acercó a la mesa. Nada había sido más agradable como esta tarde con Fiona, en el cubículo Vegas de Bigend, aunque seguía sorprendiéndole advertir lo agradable que había sido. No había nada que hacer, sino jugar con los caros juguetes alemanes de Bigend, y hablar y aprender cómo funcionaban, mientras los juguetes proporcionaban un tema de conversación perfecto. Fiona estaba trabajando, técnicamente, porque tenía que montar un nuevo aparato con las partes que había en las cajas, pero parecía gustarle eso. Implicaba un puñado de pequeños destornilladores, llaves inglesas con códigos de colores y vídeos de una web en su Air, a través del módem USB rojo. Una compañía de Michigan, dos hermanos, gemelos, con gafas idénticas y camisas de cambray.

No parecía un helicóptero, aunque sí tenía aquellos ocho rotores. Estaba hecho de gomaespuma negra, con un parachoques de otro material negro por todo el reborde, y dos filas de cuatro agujeros, donde iban instalados los rotores. Se alzaba ahora sobre cuatro patas curvas de alambre, unos quince centímetros sobre la mesa. Sus cuatro baterías, que en este momento estaban cargándose en un

352 • WILLIAM GIBSON

interruptor de la pared, iban encajadas en cada una de las esquinas, para equilibrar el peso. Tenía debajo un fuselaje más fino de estilizado plástico negro donde iban la cámara y los componentes electrónicos.

—No se puede probar bajo techo —dijo ella, soltando el destornillador—. Ya está. Estoy agotada. Se acabó por hoy. ¿Nos echamos una siesta?

—¿Una siesta?

—En tu colchoneta. Es bastante ancha. ¿Dormiste anoche?

—La verdad es que no.

—Entonces echémonos una siesta.

Milgrim miró de una pared vacía a la siguiente, y luego a la manta raya y el pingüino plateado.

—De acuerdo —dijo.

—Apaga el portátil.

Ella se levantó mientras Milgrim cerraba el Air. Se acercó a la luz de la pantalla y la redujo.

—No puedo dormir con estos pantalones puestos —dijo—. Son de Kevlar.

—Bien.

Se oyó un chasquido de velcro, y luego el sonido de una cremallera. Una grande, por el sonido. Algo, tal vez el Kevlar, cayó al suelo. Ella salió de los pantalones reforzados, descalza ya, y se dirigió a la colchoneta de gomaespuma blanca, que parecía brillar levemente.

—Vamos —dijo—. Apenas puedo mantener los ojos abiertos.

—De acuerdo.

—No puedes dormir vestido de Tanky & Tojo.

—Cierto.

Milgrim empezó a quitarse la camisa, que tenía demasiados botones en cada manga. Cuando se la quitó del todo, la colgó en el respaldo de la silla, encima de su chaqueta nueva, y luego se sacó los pantalones.

Pudo verla, tenuemente, sacando el MontBell de la bolsa. Sintió ganas de gritar, o de cantar, o algo. Se acercó a la colchoneta, y entonces se dio cuenta de que llevaba puestos los calcetines negros de las Galerías Lafayette. No le pareció bien. Se detuvo a quitárselos y estuvo a punto de caerse.

—Venga, métete —dijo ella, después de abrir el saco todo lo que daba de sí—. Menos mal que nunca uso almohada.

—Yo tampoco —mintió Milgrim, sentándose, mientras guardaba rápidamente los calcetines bajo el filo de la colchoneta. Metió las piernas dentro del MontBell y se tendió, muy recto, junto a ella.

—Esa Heidi y tú —dijo Fiona—, no sois pareja, ¿verdad?

—¿Yo? ¡No!

Se quedó allí acostado, los ojos muy abiertos, esperando su respuesta, hasta que la oyó roncar suavemente.

61
Reconocimiento facial

Se ducharon con H. G. Wells y Frank, la pierna vendada de Garreth, apresada en algo que parecía un condón inhumanamente grande y abierto. Al secarlo, ella vio un poco más de Frank, «Frankenstein». Mucha evidencia de lo que llamó cirugía heroica. Tantos puntos como una colcha remendada, y de hecho ella sospechó que habían hecho literalmente un remiendo, pues la parte trasera de su otra pantorrilla tenía una ordenada cicatriz de la que habían tomado la piel para injertarla. Y dentro de Frank, si Garreth simplemente no le estaba tomando el pelo, un buen pedazo de hueso ratán recién forjado. La musculatura de Frank estaba considerablemente reducida, aunque Garreth tenía esperanzas de recuperarla. Esperanzas generalizadas, se alegró ella de ver, y duras manos sensibles que se deslizaban por todo su cuerpo.

Ahora él estaba tumbado en la cama Piblokto Madness, con la bata que no era de terciopelo del Gabinete, con Frank metido dentro de un envoltorio negro y de aspecto resbaladizo, abrochado con velcro, a través del que una máquina del tamaño y la forma nostálgica de la funda de una máquina de escribir portátil bombeaba agua helada, muy rápidamente. Heidi había usado algo parecido en su última gira para aliviar los dolores en las muñecas y las manos que había empezado a causarle la batería. La de Garreth había llegado una hora antes, por mensajería, un regalo del viejo.

Estaba hablando con el viejo ahora; igual que a una esposa en un matrimonio muy veterano, le pareció. Podían abarcar mucho con muy pocas palabras, y tenían su propio argot, bromas internas de infinita profundidad aparente, una especie de charla gemela. Garreth tenía puestos unos cascos, conectados a su portátil negro sin nombre, apoyado en el terciopelo bordado que tenía al lado, y la conversación, supuso, se llevaba a cabo a través de una de las redes oscuras que frecuentaban. Imaginaba que éstas eran internets privadas, sin licencia ni políticas, y Garreth había comentado una vez que, al igual que la materia oscura y el universo, las redes oscuras eran probablemente el componente mayor, si hubiera algún modo de medirlas con precisión.

Hollis no los escuchaba. Se encontraba en el cálido y humeante cuarto de baño, secándose el pelo.

Cuando salió, él estaba mirando el fondo redondo de la jaula de pájaros.

—¿Seguís hablando?

—No —Garreth se quitó el auricular.

—¿Todo bien?

—Está hecho. Resuelto.

—¿Qué quieres decir? —Se acercó a él.

—Tenía algo de lo que no me había hablado nunca. Grailware. Me lo va a dar. Para esto. Significa que está terminado. Acabado.

—¿El qué está terminado?

—El negocio. Su loca carrera. Si no lo estuviera, no me lo habría dado nunca.

—¿Puedes decirme de qué se trata?

—Invisibilidad. Un sello.

—¿Un sello?

—El sello del olvido.

—Esa cosa te está congelando la sangre del cerebro.

Él sonrió, aunque ella pudo ver la pérdida, el dolor.

—Es un gran regalo. Tu hombre se subirá por las paredes si sabe que nosotros lo tenemos y él no.

Ella comprendió que se estaba refiriendo a Bigend, y sintió pánico.

—Entonces lo querrá para él, sea lo que sea.

—Y por eso no debe saberlo. Lo convenceré de que Pep ha permanecido fuera de los circuitos comerciales.

—¿Pep?

—Un pequeño catalán loco. Un maestro ladrón de coches perfecto —miró el reloj, su austero dial negro. Los hombres que protegían a la reina, le había contado una vez, no tenían permitido llevar zapatos con suela de goma, ni relojes de cara negra. ¿Por qué?, le preguntó ella. Yuyu, le contestó—. Llegará de Fránckfort dentro de veinte minutos.

—¿Cómo es que estás montando todo esto tan rápidamente, y tienes tiempo de enjabonarme la espalda y todo lo demás? No es que me queje, pero...

—El viejo —dijo él—. No puedo librarme de él. Lo está haciendo él. Es modular. Somos así de buenos. Tenemos nuestros pequeños negocios, nuestras piezas, nuestra gente. Vamos muy rápido. Tenemos que serlo, ya que los mejores se presentan bruscamente. O se presentaban.

—¿Puedes ser de verdad invisible? ¿O son más trolas, como lo de tus huesos de ratán?

—Herirás los sentimientos de Frank. Considéralo como un hechizo de olvido. O de no recordar. El sistema te ve, pero te olvida inmediatamente.

—¿Qué sistema?

—¿Has visto unas cuantas cámaras en esta ciudad? Te habrás fijado en ellas, ¿no?

—¿Puedes hacer que te olviden?

Él se apoyó en un codo, frotó instintivamente la resbaladiza y fría superficie de la pieza que le rodeaba la pierna, y luego se secó rápidamente la palma con la colcha bordada.

—El santo grial de la industria de vigilancia es el reconocimiento facial. Naturalmente, dicen que no lo es. Ya está aquí, hasta cierto grado. No está operativo, sino en estado larval. No pueden leerte si eres negro, dicen, y podrían confundirte a ti conmigo, pero el *hardware* y el *software* tienen potenciales, a la espera de una actualización posterior. Lo que hay que comprender, para comprender el olvido, es que nadie le presta mucha atención a lo que ve una cámara dada. Son digitales, después de todo. Los datos acumulados se quedan allí, almacenados. No son imágenes, sólo unos y ceros. Si sucede algo que requiere un escrutinio oficial, los unos y ceros se convierten en imágenes. Pero —extendió la mano para tocar el borde del fondo de la biblioteca-jaula— digamos que hay un acuerdo de caballeros.

—¿Qué caballeros?

—Los sospechosos habituales. La industria, el gobierno, ese lucrativo sector al que es tan aficionado el viejo; podría ser cualquiera de los dos, o ambos.

—¿Y el acuerdo?

—Digamos que hace falta el SBS para sacar a una docena de posible yihadistas del sótano de una mezquita. O de sindicalistas, si estuvieran allí abajo, promiscuos como son. ¿Qué pasaría?

—¿Qué? —dijo Hollis.

—Y que no querrían ser vistos, nunca. Y desconectar las cámaras no sería una opción, naturalmente, ya que bien podrías pagar por ello, más tarde, en la BBC. Pongamos que tus chicos de las Fuerzas Especiales llevan el sello del olvido…

—¿Y eso es…?

—Reconocimiento facial, después de todo, ¿no?

—No lo entiendo.

—Lo entenderás muy pronto. Viene de camino, por mensajero. Su último regalo.

—¿Te dijo eso?

—No —contestó él, tristemente—, pero los dos lo sabíamos.

62

Despertar

Milgrim despertó con una pierna sobre las suyas, doblada por la rodilla, el interior del muslo y la pantorrilla de Fiona cruzados sobre sus muslos. Ella se había puesto de lado, de cara hacia él, y ya no roncaba, aunque él descubrió que podía sentir su aliento en el hombro. Estaba dormida todavía.

Se preguntó cuánto tiempo podría permanecer en esta extraordinaria posición si se quedaba completamente quieto. Sólo sabía que estaba dispuesto a averiguarlo.

Un acorde de guitarra, arácnido y al mismo tiempo sinuoso y rechinante, llenó el crepúsculo del cubículo Vegas de Bigend, flotando sobre un tamborileo como de lluvia. Milgrim dio un respingo. El sonido se apagó. Volvió de nuevo.

Fiona gimió, extendió el brazo sobre su pecho, se arrebujó. El acorde continuó, como la marea, implacable.

—Mamón —dijo ella, pero no se movió hasta que el acorde sinuoso y rechinante regresó. Rodó apartándose de Milgrim para extender la mano hacia algo—. ¿Diga?

Milgrim imaginó que la colchoneta de gomaespuma era una balsa que hacía retroceder las paredes hasta el horizonte. Pero era una balsa en la que Fiona recibía llamadas.

—¿Wilson? De acuerdo. ¿Sí? Entendido. Pásamelo.

Se sentó con las piernas cruzadas en el mismo borde de la colchoneta.

—Hola. Sí —silencio—. Tendría que vestirme para eso, el chaleco verde, las tiras reflectantes —silencio—. Kawasaki. GT550. Un poco vieja para el trabajo, pero si el baúl es nuevo, debe valer. Benny puede agregarle cualquier cosa. ¿Tiene la URL del fabricante? Si no, puedo medirla. Ya lo he montado. No lo he probado todavía —un silencio más largo—. ¿Trasplante de órganos, plasma? ¿Parte de autopsia? —silencio—. Envíe suficiente gomaespuma precortada de una tienda de fotos, de la que es desechable. Dudo que la vibración le haga mucho bien, pero Benny y yo podremos resolverlo. Sí. Lo haré. Gracias. ¿Puede poner de nuevo a Hubertus, por favor? Gracias —se aclaró la garganta—. Bien, parece que estamos muy ocupados de pronto. No creo que este aparato viaje tan bien. Sus partes móviles son distintas. Sí. Lo ha hecho. Estaba muy despejado. Adiós, entonces.

—¿Hubertus?

—Y alguien llamado Wilson. Se cuece algo.

—¿Qué?

—Wilson quiere que equipe mi moto como si fuera un mensajero médico, con un baúl de aspecto profesional en el asiento trasero, reflectores extras, equipo de protección. Nuestro nuevo aparato va dentro.

—¿Quién es Wilson?

—Ni idea. Hubertus dice que hagamos lo que dice, al pie de la letra. Cuando Hubertus delega, delega —se encogió de hombros—. He hecho una buena siesta —bostezó, se desperezó—. ¿Y tú?

—Sí —dijo Milgrim, dejándolo en eso.

Ella se levantó, se dirigió al lugar donde había dejado los pantalones reforzados. La oyó ponérselos, subirse la cremallera. Contuvo un suspiro.

—Café —dijo ella—. Le diré a Benny que traiga. ¿Con leche?

—Con leche y azúcar —Milgrim tanteó bajo la colchoneta en busca de sus calcetines—. ¿Qué era esa música de tu teléfono?

—He olvidado su nombre. Brillante. Sahariano —se puso las botas—. Oía a Jimi y James Brown en onda media, cuando era pequeño. Añadió unos trastes extras a una guitarra.

Salió sin volver a encender la lámpara italiana. Luz grisácea. Entonces cerró la puerta tras ella.

63
Estays rizados, comida lenta

Con Garreth y Pep, el ladrón de coches catalán, rodeada de motores eléctricos de escobilla para bicicletas, ella se alegró de la llamada de Inchmale. Apenas sabía lo que eran los motores de escobilla, pero Pep quería dos, para tener más velocidad, mientras que Garreth insistía en que dos eran demasiados. Si uno de ellos se estropeaba, argumentaba, el peso extra, más la carga del generador, neutralizaría el avance del otro. Pero si sólo había uno, y fallaba, Pep podría pedalear lo mejor que pudiera, sin gastar energía en el peso extra. La claridad con que ella comprendió esto, sin tener ningún conocimiento de qué se trataba, la sorprendió.

Pep parecía como si alguien hubiera hecho una muñeca de manzana con Gérard Depardieu, empapando la manzana en zumo salado de limón y horneándola, y luego dejándola enfriar en un sitio oscuro, para que se endureciera, esperando que no se pudriera. Había evitado pudrirse, a juzgar por su aspecto, pero se había vuelto mucho más pequeño. Imposible juzgar su edad. Desde ciertos ángulos, era el adolescente más ajado del mundo; desde otros, sorprendentemente viejo. Tenía tatuado un dragón en el dorso de su mano derecha, con alas de murciélago, algo sugerentemente fálico que parecía menos un tatuaje que una talla medieval. Sus uñas, casi perfectamente cuadradas, estaban recién manicuradas, pulidas y brillantes. Garreth pareció contento de verlo, pero ella se sentía incómoda.

Inchmale había llamado desde el salón, donde pudo oír, al fondo, las primeras fases de las copas de la tarde.

—¿Estás embarazada?

—¿Estás loco?

—El portero habló de «ellos» al referirse a ti. Advertí el plural repentino.

—Voy para abajo. En singular.

Dejó a Garreth reprendiendo a Pep por haber pedido algo llamado cuadro Hetchings para una moto que tal vez hubiera que arrojar al Támesis después de utilizarla unas horas. La postura de Pep, cuando ella cerraba la puerta, era que tal vez no hubiera que tirarla, y que «los estays rizados» eran en cualquier caso preciosos. Vio que se miraba las uñas, un gesto que asociaba con los hombres que se hacían la manicura.

Encontró a Heidi e Inchmale acomodados bajo los colmillos de narval. Él servía té con uno de los añejos servicios Bunnykins que eran característicos del Gabinete.

—Buenas tardes —dijo—. Estamos discutiendo la situación de mierda actual, una gama de posibles fans, tu lugar en la misma, la posibilidad de que hayas encontrado una relación viable y continuada.

—¿Qué constituiría eso para mí, en tu opinión? —preguntó ella, tomando asiento.

—Tener alguien con quien estar, para empezar —dijo Inchmale, soltando la tetera—. Pero ya sabes que ya pensaba antes que es un buen tipo.

—Eso era lo que decías de Phil Spector.

—Achaques de la edad, mala suerte. Los genios. ¿Limón?

Ofreció una rodaja de limón cortado en un ornamentado exprimidor de plata.

—Nada de limón. ¿Qué son «estays rizados»?

—Cosas de corsetería.

—Acabo de oír a un ladrón de coches catalán usar esa expresión.

—¿Hablaba inglés? Tal vez intentaba describir un peinado.

—No. Es parte de una bici.

—Yo apuesto por la corsetería. ¿Sabes que Heidi le ha clavado a un tipo un dardo de reno?

—De renio —corrigió ella.

—El renio es la leche, sí, y puede que pida algo dentro de poco. Pero tú —le dijo a Hollis— pareces haber firmado con una empresa en transición.

—¿Y por recomendación de quién?

—¿Adivino el futuro? ¿Me has visto hacerlo alguna vez?

Probó su té. Devolvió la taza al platillo. Añadió un segundo terrón de azúcar.

—Angelina me ha dicho que la comunidad de relaciones públicas de Londres se están comportando como perros antes de un terremoto, y de algún modo todo el mundo sabe, sin saberlo, que es por Bigend.

—Está pasando algo en Hormiga Azul —aventuró Hollis—, pero no sabría decirte exactamente qué. Quiero decir, no sé exactamente qué. Pero Hubertus no parece tomárselo demasiado en serio.

—¿Y lo que pasó anoche en la City, tampoco se lo toma en serio?

—No creo que sea lo mismo. Pero no puedo hablar de ello.

—Por supuesto que no. Ese juramento que hiciste, cuando te uniste a la agencia. El ritual con la calavera de Gerónimo. Pero, según Angelina, no es que él tenga problemas, ni que Hormiga Azul tenga problemas, es que está a punto de volverse exponencialmente más grande. Los de relaciones públicas saben de estas cosas.

—¿Más grande?

—Órdenes completas de magnitud. Las cosas están cambiando, antes de lo previsto. Se están preparando para saltar al barco de Bigend.

—¿Las cosas?

—Las que entrechocan, querida. Como las placas tectónicas, chocando en esta ciudad de antigua noche.

Suspiró. Probó de nuevo su té. Sonrió.

—¿Qué tal con los Bollards?

Su sonrisa desapareció.

—Estoy pensando en llevármelos a Tucson.

—Guau —dijo Heidi—, todo un puñetero movimiento lateral.

—Lo digo muy en serio —dijo Inchmale, y bebió su té.

—Lo sabemos —dijo Hollis—. ¿Se lo has dicho a ellos?

—Se lo he dicho a George. Se lo tomó bastante bien. La novedad de trabajar con una inteligencia excepcional. Clammy, naturalmente, está jodido.

—Entonces cámbiale el nombre —dijo Heidi, exprimiendo una cuña de limón sobre su té con el instrumento afiligranado que Inchmale había usado antes.

—¿Qué pasó después de que te fueras con Milgrim anoche? —le preguntó Hollis.

—Nos siguieron. Probablemente nos descubrió el otro coche, el que nos hizo meternos en el callejón. Averiguaron adónde nos dirigíamos, se adelantaron, hicieron bajar al tipo de la cabeza vendada y a otro más. Nos esperaron, se pusieron detrás, nos siguieron. Ni idea. Me detuve y compré algo de ropa, fingí que cambiábamos de aspecto.

—¿Había algo abierto?

—Ropa en la calle. Para despistarlos. Luego nos dirigimos al metro. Cuando vi que no estaban dispuestos a que llegáramos… —se encogió de hombros.

—Heidi…

—En la cabeza —dijo ella, marcando con un dedo las raíces de sus rizos, en un saludito involuntario—. Es de hueso. Posiblemente le dolía ya…

—Milgrim tiene problemas por eso. Parece que le echan la culpa a él.

—Tu novio ha contratado a Ajay. ¿De qué va eso?

—Milgrim. Es complicado.

—Tiene a Ajay loco de contento. Presentó la dimisión en su trabajo de gorila.

—¿Gorila?

—Guardia de seguridad en un club guarro. —Heidi contempló la multitud de la tarde—. Ahora se ha vuelto todo secretismo conmigo. Igual que tú.

—Ven a Tucson con nosotros —le dijo Inchmale a Hollis, recuperándose de pronto, a su modo, de lo que ella consideraba su gilipollez externa—. Disfruta un poco del sol. Comida mexicana. Puedes ayudar en el estudio. Le caes bien a George. Clammy, sorprendentemente, no te odia. No me gusta estar cerca de Bigend ahora mismo. Todo a cuenta de la discográfica. Puedes ser productora asociada. Deja que Bigend llegue a la masa crítica que busca. Vete a otra parte. Puedes traerte a tu novio, naturalmente.

—No puedo —dijo Hollis, extendiendo la mano sobre el puf y la bandeja con el servicio Bunnykins para darle un apretón a su huesuda rodilla—, pero gracias.

—¿Por qué no?

—Garreth está intentando resolver el lío con Milgrim. Tiene un acuerdo con Bigend, y me implica a mí. Ahora estoy con Garreth. No pasará nada.

—Como hombre de mediana edad de facultades razonablemente sanas —dijo Inchmale—, debo informarte de que tal vez sí pase algo.

—Lo sé, Reg.

Inchmale suspiró.

—Ven y alójate con nosotros en Hampstead.

—Os vais a ir a Tucson.

—Yo soy quien decide —dijo Inchmale—. No he decidido todavía cuándo nos marchamos. Y está la cuestión de convencer a Clammy y los demás.

—¿Está por ahí Meredith?

—Sí —respondió él, como si no le hiciera demasiada gracia ese hecho—. Distrae a George, y está completamente preocupada con sus cosas.

—Odiaría encontrarme con alguien así —dijo Heidi, mirando a Inchmale—. No creo que pudiera soportarlo.

El iPhone de Hollis sonó en el bolsillo izquierdo de su chaqueta Sabuesos.

—¿Diga?

—¿Estás en el bar? —preguntó Garreth.

—Sí. ¿Qué son «estays rizados»?

—¿Qué?

—«Estays rizados», lo dijo Pep.

—Son las horquillas. Van delante y detrás. En un marco Hetchins, se curvan sobre sí mismas.

—Ah.

—¿Puedes salir a la puerta y echarle un vistazo a una furgoneta? Dice «Comidas lentas» en el costado.

—¿«Comidas lentas»?

—Sí. Sólo tienes que mirarla por mí.

—¿Para qué?

—Para ver si te parece bien.

—¿Bien qué?

—Si tiene aspecto razonable. Si te fijarías o no en ella, si la recordarías.

—Creo que recordaría lo que dice.

—En realidad, eso no me importa —dijo Garreth—. Son las blancas sin rótulo las que la gente imagina que las vigila.

64
Control de amenazas

El cuarto de baño del cubículo de Bigend era como el de un avión, pero más bonito: un diminuto lavabo escandinavo de acero inoxidable de esquinas redondeadas, a juego con los grifos gris metálico. Las tuberías bajo el lavabo le recordaron a Milgrim las de un acuario.

Se estaba cepillando los dientes después de haberse afeitado. Fiona estaba con Benny, supervisando el montaje de algo en la moto. Periódicamente, por encima del zumbido del cepillo de dientes, podía oír, desde el garaje, el breve pero entusiasta golpeteo de lo que suponía una máquina hidráulica de algún tipo.

Estaba pasando algo. No sabía qué, y no quería preguntarle a Fiona para no desestabilizar lo que fuera que había permitido que su muslo y su pantorrilla se cruzaran sobre sus muslos. Y no retirarse inmediatamente al despertar, según comprobó de nuevo en su memoria. Ella tampoco se había ofrecido a decir nada, aparte de que Bigend había delegado en alguien llamado Wilson, cuyas órdenes estaba siguiendo ahora. Pero parecía muy entusiasmada. Concentrada.

No había suficientes toallas en el cuarto de baño de Bigend, aunque las que había eran suizas, y blancas, y muy bonitas, y probablemente nunca habían sido utilizadas antes. Terminó de cepillarse los dientes, se enjuagó, se limpió el dentífrico de la boca con agua fría y se secó la cara. La máquina hidráulica sonó tres veces en rápida sucesión, como si reconociera a uno de los suyos al otro lado de una llanura.

Abrió la puerta plegable, salió, la cerró detrás. Apenas se podía ver dónde estaba en el filo de la pared blanca.

Guardó en la mochila el cepillo de dientes y los útiles de afeitar. Fiona lo había recogido todo en el Holiday Inn. Trató de ordenar el cubículo, enderezando las sillas alrededor de la mesa, y extendió el saco de dormir sobre la colchoneta de gomaespuma por si a Fiona le apetecía echar otra siesta, pero no pareció servir de nada. El cubículo no era muy grande, y ahora tenía demasiadas cosas dentro. El extraño helicóptero-drone rectangular de extraño aspecto sobre la mesa, su Air, las cajas y los elaborados paquetes de los que ella había sacado los diversos segmentos del aparato, su mochila, la chaqueta reforzada y su traje de *tweed* de Tanky & Tojo en los respaldos de las sillas. Todo estaba del modo en que este tipo de espacio de pronto parecía mucho menos especial si tenías que vivir en él, aunque fuera durante unas pocas horas.

Sus ojos se dirigieron hacia el Air. Se sentó, conectó con Twitter. Había un mensaje de Winnie: «Conseguí el permiso, llámame».

«Sin teléfono», tecleó él, y se preguntó entonces cómo describir dónde se hallaba, qué estaba haciendo. «Creo que B me ha retirado del mapa. Pasa algo.» Parecía estúpido, pero lo envió de todas formas.

Actualizó dos veces. Entonces: «Consigue un teléfono».

«De acuerdo.» Envió. O twiteó, o como se llamara. Con todo, se alegró de que ella hubiera logrado su permiso. Todavía estaba aquí. Se rascó el pecho, se levantó, se puso la camisa, abotonó la pechera y unos cuantos botones de los puños de cada manga, la dejó sin metérsela por dentro del pantalón, se puso los zapatos nuevos. Los viejos eran más cómodos, pero no pegaban con la pana. Se dirigió a la puerta, intentó abrirla. No tenía echada la llave. No lo esperaba tampoco. La máquina hidráulica resonó, dos veces.

Abrió la puerta, salió, le sorprendió descubrir que ya no era de día. La suciedad del garaje de Benny, bajo la brillante luz fluorescente, hizo que el cubículo pareciera al instante limpio como un quirófano. Fiona y Benny estaban mirando la moto de ella, que ahora tenía una brillante caja blanca con lados levemente torcidos hacia dentro sujeto al sillín donde Milgrim se sentaba, tras ella. Parecía sólido, cara, pero no dejaba de antojársele una nevera de cerveza. Había algo en el lado, con letras negras y claras.

—¿Cruces rojas? —le preguntó Fiona a Benny.

Éste tenía una llave eléctrica amarilla en la mano, de la que salía un tubo de goma rojo.

—Los transeúntes te pararían por la calle para que les dieras los primeros auxilios. Ésta es una cesta estándar para trasladar ojos frescos. Copiada de una que sólo sirve para eso, por su aspecto.

—¿El nombre y los números?

—Los verás cuando los recibas. El camión era de una casa de atrezo, del Soho —se quitó el cigarrillo de detrás de la oreja, lo encendió—. Cine y televisión. ¿Ése es el plan, entonces? ¿Estás haciendo tele?

—Porno —dijo Fiona—. A Saad le gustará.

—No, qué va.

Fiona, al advertir a Milgrim, se dio la vuelta.

—Hola.

—¿Puedes prestarme tu teléfono? Tengo que hacer una llamada.

Ella rebuscó en los pantalones reforzados, sacó un iPhone que no era el que Milgrim había usado con la raya Festo, y se lo pasó.

—¿Tienes hambre? Podemos pedir *doner.*

—¿Qué?

—*Doner. Kebab.*

—A mí me apetece curry —dijo Benny, estudiando con atención la punta iluminada de su cigarrillo, como si de pronto pudiera ofrecerle consejos para comer curry.

—Voy a hacer esta llamada…

Se detuvo.

—¿Sí?

—¿Esto es… un teléfono de Hormiga Azul?

—No. Es nuevo. Igual que el de Benny. Todos tenemos material nuevo, y hemos eliminado los antiguos.

—Gracias —dijo Milgrim, y volvió al cubículo Vegas. Buscó la tarjeta de Winnie, a la que había añadido los prefijos de llamada, y marcó.

Ella respondió a la segunda llamada.

—¿Sí?

—Soy yo —dijo Milgrim.

—¿Dónde estás?

—Suth-uk. Al otro lado del río.

—¿Haciendo?

—Echamos una siesta.

—¿Charlasteis de algo antes?

—No.

—¿Crees que ha pasado algo? Twiteaste.

La palabra le sonó rara, sobre todo porque sabía que no era parte de su vocabulario habitual.

—Algo pasa. No sé qué. Ha contratado a alguien llamado Wilson y ha delegado —se alegró de recordar la palabra.

—Control de amenazas —dijo ella—. Se está quedando sin recursos. Eso demuestra que se lo toma en serio. ¿Has conocido a Wilson?

—No.

—¿Qué les ha dicho Wilson que hagan?

—Han puesto una caja en la moto de Fiona. De las que usan para transportar ojos.

Hubo un perfecto silencio digital.

—¿Quién es Fiona?

—Conduce. Para Bigend. Motocicletas.

—Muy bien —dijo Winnie—. Empezaremos de nuevo. Tarea.

—¿Tarea?

—Quiero que conozcas a Wilson. Quiero que averigües cosas de él. Lo más importante, el nombre de la empresa para la que trabaja.

—¿No está trabajando para Bigend?

—Trabaja para una de las empresas de seguridad. Bigend es el cliente. No le preguntes. Sólo averígualo. Cuidado, que es sibilino. Tú puedes ser sibilino también. Me lo dice el instinto. ¿De quién es el teléfono que estás usando?

—De Fiona.

—Acabo de enviarle por correo electrónico el número a alguien, y me dicen que el GPS es muy curioso. A menos que te hayas teleportado por arte de magia.

—Es nuevo. Bigend se lo acaba de dar.

—Podría haber sido Wilson, el consultor de control de amenazas. Ganándose el suelo, si ése es el caso. Muy bien. Ya tienes tu tarea. Adelante. Llama, twitea.

Colgó.

La habitación se llenó con aquel extraño acorde sub-Hendrix, como si arañara un pollo. Milgrim salió corriendo por la puerta, tropezó con un componente del motor y estuvo a punto de caerse, pero consiguió entregarle el teléfono a Fiona. Mientras lo hacía, se preguntó si podría o no ser Winnie.

—¿Diga? Sí. Está en marcha. Muy convincente. Vamos a sustituir mis amortiguadores. Están un poco gastados. ¿Sí? Por supuesto. Tomaré prestada una moto. ¿Rápida? Será un placer —sonrió—. ¿Qué llevaba puesto ayer? —miró a Milgrim—. Se lo diré.

Se guardó el teléfono en el bolsillo del pantalón.

Milgrim alzó las cejas.

—Wilson —dijo Fiona—. Se te requiere lo antes posible, al otro lado del río. Quiere conocerte. Y tienes que llevar lo que llevabas puesto ayer.

—¿Por qué?

—Piensa que el conjunto de Tanky & Tojo no te pega nada.

Milgrim dio un respingo.

—Me estoy quedando contigo —dijo ella, dándole un puñetazo en el brazo—. Estás muy elegante. Voy a pedir prestada una moto rápida en el trabajo mientras Saad se encarga de mis amortiguadores. La de Benny.

—Joder —dijo Benny en voz baja, un sonido leve pero lleno de resignación, como una dificultad inmemorial—. No la vuelvas a cagar, ¿quieres?

65

Piel de leopardo
en miniatura

Se quedó parado en los escalones del Gabinete, mirando luces inesperadas, algo más allá de los árboles, en la intimidad de Portman Square, con Robert vigilante tras ella, después de que la alta furgoneta de Comidas Lentas se marchara, conducida por un joven rubio con una gorra preocupantemente similar a la de Foley.

Sonido de partido de tenis. Había una cancha allí dentro. Alguien había decidido jugar un partido nocturno. A ella le parecía que la pista estaría demasiado húmeda.

Cuando volvió a entrar, Inchmale y Heidi estaban en el vestíbulo. Él se estaba poniendo su Gore-Tex japonés.

—Vamos al estudio a escuchar algunas mezclas. Ven con nosotros.

—Gracias, pero me necesitan.

—Las dos ofertas siguen en pie, Tucson o Hampstead. Podrías alojarte con Angelina.

—Te lo agradezco, Reg. De veras.

—Tranquilamente tozuda —dijo él, y entonces miró a Heidi—. Es mejor que ser violentamente escandalosa —se volvió hacia ella—. Consistente, al menos. Mantente en contacto.

—Lo haré.

Se dirigió al ascensor. Hacia el hurón, en su vitrina. Le rezó en silencio: para que el plan de Garreth, fuera cual fuese, fuera tan parecido a la astucia del hurón como hiciera falta, o que lo que le había sucedido a este hurón concreto, para ganarle esta eterna residencia sonámbula aquí no le sucediera a Garreth, ni a Milgrim, ni a nadie más que le importara.

Sus dientes parecían más grandes, aunque sabía que no podía ser posible. Pulsó el botón, oyó los lejanos chasquidos desde arriba, sonidos de la maquinaria Tesla.

No había advertido que le importaba Milgrim hasta que quedó claro que Bigend era capaz de entregárselo con toda facilidad a Foley y compañía si eso significaba recuperar a Bobby Chombo. Y no es que necesitara a Chombo, lo sabía, sino algo que Chombo conocía o sabía hacer. Eso era lo que le molestaba, junto al hecho de que Milgrim había renacido, o quizá nacido sin más, por un capricho de Bigend, simplemente por ver si era o no posible. Hacer eso, y luego cambiar a la persona resultante, posiblemente para comerciar con su vida por algo que querías, no importa con cuántas ganas, estaba mal.

Cuando llegó el ascensor, hizo a un lado la reja, abrió la puerta, entró. Subió.

Por los pasillos, camino de la Número Cuatro, advirtió que uno de los paisajes contenía ahora dos caprichos idénticos, uno más lejano, en una colina cercana. Sin duda había estado allí siempre, el segundo capricho, inadvertido. No pensaría más en ello, decidió firmemente.

Llamó a la puerta, por si Garreth y Pep estaban todavía trabajando con los estays.

—Soy yo.

—Pasa.

Estaba sentado en la cama Piblokto Madness, la negra venda de la máquina enfriadora de nuevo alrededor de la pierna, el portátil negro abierto sobre su estómago, los auriculares puestos.

—¿Ocupado?

—No. Acabo de terminar de hablar con Big End.

Parecía cansado.

—¿Y eso?

—Ha recibido la llamada. Gracie. Querían a Milgrim esta noche.

—No estás preparado, ¿no?

—No, pero ya lo sabía. Lo ensayé con él. Les dijo que Milgrim se había dado a la fuga, pero que por fortuna está resuelto ya, y que iba a recogerlo. Tuvo cuidado de no decir dónde, exactamente, pero dentro del Reino Unido todavía. Por si Gracie tiene un modo de comprobar el movimiento de pasaportes norteamericanos. Creo que ha ido bien, pero tu Big End... —sacudió la cabeza.

—¿Qué?

—Hay algo que quiere. Que necesita. Pero no es eso, exactamente... Me parece que es como si hubiera estado ganando siempre, y ahora, de repente, existe la posibilidad de que pueda perder, perder de verdad si no puede recuperar a Chombo, en condiciones de trabajo. Y eso hace que sea realmente peligroso —la miró.

—¿Qué crees que puede hacer?

—Cualquier cosa. Literalmente. Por recuperar a Chombo. Nunca he hecho esto antes.

—¿Hacer qué?

—Trabajar por beneficio de un cliente. Me preocupa haberlo sacado del infierno.

Ella se sentó en el filo de la cama, puso la mano sobre la pierna que era como habían sido las dos, antes de Dubái.

—El viejo dice que capta un olor muy peculiar en Big End ahora mismo. Dice que es diferente, más fuerte. No logra localizarlo.

—Reg dice lo mismo. Se lo cuenta su esposa, que trabaja aquí como relaciones públicas. Dice que es como los perros antes de un terremoto. No saben qué es, pero es él, de algún modo. Pero me tienes preocupada. Se te ve agotado.

Lo estaba, ahora. Las arrugas de sus mejillas eran algo más profundas.

—Esos cinco neurocirujanos no esperaban que hicieras esto, ¿no?

Él señaló la funda negra perlada.

—Frank está tranquilo. Tú deberías estarlo también.

—Me gustaría poder decir que ojalá no te hubiera llamado, pero sería mentira. Aun así, me preocupo por ti. No sólo por Frank —le acarició la cara—. Lamento haberme marchado así.

Él le besó la mano. Sonrió.

—Me alegra que lo hicieras. No me gustaba la forma en que te miraba Pep.

—Ni a mí tampoco. No me gusta Pep.

—Me hizo un gran favor en el Barrio Gótico. Me salvó el cuello. No tenía por qué hacerlo.

—Pep es bueno, entonces.

—Yo no diría tanto. Pero si algo tiene ruedas y puertas cerradas, él puede abrirlo más rápido que su propio dueño, y cerrar las puertas luego y echar el seguro igual de rápido. ¿Cómo es mi furgoneta de los repartos?

—Vegetariana moderna. Resplandeciente.

—Alquilada a través de una agencia especializada en Shepperton, vehículos para cine y televisión. Comidas Lentas no ha empezado a repartir todavía. Están encantados de prestarla para un rodaje artístico por una tarifa por horas muy jugosa.

Había algo en la mesilla de noche. Parte del fuselaje de una maqueta de avión: curva, estilizada, la superficie superior amarilla, moteada de marrón. Ella se inclinó para verlo mejor, vio una diminuta huella de leopardo en el plástico.

—No lo toques. Pica.

—¿Qué es?

—Una Taser.

—¿Una Taser?

—De Heidi. La trajo de Los Ángeles por accidente en su maleta de componentes de Airfix. La metió sin darse cuenta con su equipo para construir maquetas cuando estaba cabreada.

—¿La Administración de Seguridad en el Transporte no lo advirtió?

—Odio comunicarte esta noticia —dijo él, fingiendo grave seriedad—, pero esas cosas suceden. A la AST se le pasan cosas por alto. Es escandaloso, lo sé…

—Pero ¿dónde ha conseguido una cosa así?

—¿En Estados Unidos? Pero al contrario de lo que dicen, lo que pasa en Vegas evidentemente no siempre se queda allí. Alguien de Las Vegas le dio esto a su marido. Como regalo para ella, por cierto. De ahí la huella de leopardo. Es un modelo de señoras, ¿sabes? La AST no lo vio, el servicio de aduanas de Su Majestad no lo vio, pero Ajay sí, esta mañana. Ella no tenía ni idea de que lo había traído. Lo metió en la maleta por error cuando estaba borracha. Lo cual no es ninguna defensa, pero se sabe que ayuda a colar cosas raras por las fronteras de vez en cuando.

—¿Qué vas a hacer con eso?

—Todavía no estoy seguro. «Seguir el accidente. Temer el plan establecido.»

—Creía que te encantaban los planes.

—Me encanta planear. Eso es diferente. Pero la pizca justa de improvisación es la que crea la diferencia.

—¿Con esto se aturde a la gente?

—Lleva un generador dentro, con carga suficiente para tumbarte de culo. Dos dardos serrados y tres metros de cable fino y aislado. Impulsado por gas cautivo.

—Horrible.

—Lo prefiero de lejos a que me peguen un tiro. Aunque no sea agradable.

Se inclinó, recogió el aparato, se acomodó de nuevo contra las almohadas. Sostuvo la Taser entre el pulgar y el índice.

—Suéltalo. No me gusta. Creo que te hace falta dormir.

—Milgrim viene de camino. Y una maquilladora y peluquera. Vamos a reunirnos con Ajay. Fiesta de disfraces.

—¿De disfraces?

—Con maquillaje blanco.

Ocultó la Taser tras la pantalla del portátil. Lo alzó de nuevo. Se detuvo en el apogeo.

—No queremos dejar a Milgrim en manos de Big End cuando esto comience —la miró—. Lo queremos con nosotros, no importa lo que Big End quiera. Necesitaré que haga algo, alguna excusa para que se quede con nosotros.

—¿Por qué?

—Si mi plan no funciona y la cago, como dicen en tu país, y eso es siempre una posibilidad, tu hombre querrá entregarle a Milgrim a Gracie, a toda leche. Con todas sus ganas. Excusas por nuestra conducta. La imposibilidad de conseguir ayuda decente hoy en día. Pero está Milgrim, así que nos llevaremos a Chombo, gracias, y otra vez disculpas por las molestia. O si la caga Gracie, ya puestos…

—¿Cagarla cómo?

—Mi grupito está montado a base de improvisación. Básicamente he tenido que crearlo como si Gracie fuera a jugar limpio, hacer el intercambio de prisioneros y luego llevarse a Milgrim para hacerle un submarino* o una sustracción de dedos…

—¡No digas eso!

—Lo siento. Pero eso sería jugar según las reglas por lo que respecta a Big End. Sabemos que nadie va a coger a Milgrim, pero Gracie no lo sabe todavía. Si las cosas salen según mi plan, Gracie y compañía tendrán suficiente peso encima para no molestar a nadie. Pero si Gracie decide no jugar según las reglas, no tengo gran cosa que arrojarle —alzó de nuevo la Taser, entornó los ojos—. Ojalá hubiera traído unas cuantas más.

* Tortura de inmersión bajo agua. *(N. del T.)*

66
Cremallera

La moto de Benny, Milgrim lo supo ahora, era una Yamaha FZR1000 2006, roja y negra. Estaba reducida, dijo Fiona, lo que quiera que significara aquello, y tenía algo llamado un brazo oscilante Spondon, que permitía que los tirantes de la horquilla se alargaran en la pista de carreras.

—Rápida como una bala —apreció ella.

Se había puesto el mono completo ahora, con las cremalleras y el velcro, el casco amarillo bajo el brazo. Milgrim también llevaba un mono de nailon prestado y Kevlar, tieso y poco familiar, encima del *tweed* y la pana. Las punteras de los brillantes zapatos marrones de Jun parecían fuera de lugar bajo los pantalones Cordura negros. Su mochila, donde llevaba el portátil y las ropas que había usado la noche anterior, estaba sujeta al tanque de la Yamaha, que parecía como si hubiera sido preparado para brotar de entre los muslos del piloto. Una imagen sorprendente, ahora, siendo los muslos los de Fiona.

—Voytek está aquí, para trastar con el pingüino.

Se volvieron al oír su voz. Voytek se acercaba atravesando el patio de motocicletas desierto. Llevaba una caja negra Pelican en cada mano, y Milgrim vio que éstas, al contrario que las otras, parecían pesadas.

—«Trastear» —corrigió Fiona—, no «trastar».

—«Compadezco al pobre inmigrante.» Tú no. Es Bob Dylan.

—¿Por qué te molestas, entonces? —preguntó Fiona—. El de París estaba bien, y acabamos de manejar éste con el iPhone.

—Orden de Wilson. Comisario de todo lo que hay que trastear.

Pasó de largo, luego entró en el cubículo Vegas y cerró la puerta tras él.

—¿Tienes otro casco? —preguntó Milgrim, mirando el negro de la señora Benny, que estaba en el asiento trasero de la Yamaha.

—No, lo siento —respondió Fiona—. Y te tendré que ajustar la correa de la barbilla. Me insistieron en la seguridad.

—¿Quién?

—Wilson.

Le colocó el casco negro, ajustó y cerró la correa de la barbilla. El olor de la laca parecía aún más fuerte ahora, como si la señora Benny hubiera llevado puesto el casco todo aquel tiempo. Milgrim se preguntó si estaría desarrollando una alergia.

Ella se puso los guantes, montó en la brillante Yamaha. Milgrim se acomodó tras ella. El motor cobró vida. Salieron del patio de Benny y entonces la moto pareció hacerse cargo, una criatura muy distinta de la gran moto gris de Fiona. Un intrincado circuito por las calles de Southward, Fiona alerta, supuso Milgrim, a posibles seguidores, y luego a Blackfriars de un tirón, cambiando las marchas, los raíles rojos y blancos pasando veloces de largo. Inmediatamente perdió el sentido de la dirección, una vez que estuvieron al otro lado, y cuando ella se detuvo y aparcó ni se lo esperaba.

Tanteó las correas bajo su barbilla, se quitó el casco de la señora Benny lo más rápido que pudo. Contempló el edificio desconocido.

—¿Dónde estamos?

Ella se quitó el casco amarillo.

—En el Gabinete. La parte trasera.

Estaban en un camino de acceso pavimentado, tras un muro de piedra. Fiona desmontó, Milgrim intrigado como siempre por la ágil flexibilidad que demostraba. Desmontó también, sin ninguna demostración particular de elegancia, y vio cómo ella sacaba una gruesa cadena del maletero de la Yamaha y la ataba a la rueda delantera.

La siguió por los ordenados adoquines hasta una entrada cubierta. Mil Rayas estaba esperando tras una puerta de cristal muy moderna. Los dejó pasar sin que Fiona tuviera que llamar.

—Por aquí, por favor —dijo, y los condujo hasta la pulida puerta inoxidable de un ascensor. Milgrim descubrió que el mono reforzado le hacía sentirse extrañamente sólido, más largo. En el ascensor, notó que ocupaba más espacio. Se irguió, sujetando el casco de la señora Benny ante él con cierta formalidad.

—Síganme, por favor —añadió Mil Rayas, conduciéndolos por una pesada puerta tras otra. Paredes verde oscuro, breves pasillos, sombrías acuarelas de paisajes con ornamentados marcos dorados. Hasta que llegaron a una puerta pintada de un verde aún más oscuro que las paredes, casi negra. Un gran número cuatro de bronce, asegurado con dos tornillos de bronce. Mil Rayas usó una aldaba de bronce que había en el marco de la puerta: una mano de mujer que sostenía un achatado esferoide de bronce. Un único golpe respetuoso.

—¿Sí?

Era la voz de Hollis.

—Robert, señorita Henry. Están aquí.

Milgrim oyó sonar una cadena. Hollis abrió la puerta.

—Hola, Milgrim, Fiona. Pasad. Gracias, Robert.

—No hay de qué, señorita Henry. Buenas noches.

Entraron. La mano de Fiona, ya sin el guante, rozó la suya.

Milgrim parpadeó. Hollis echó la cadena de la puerta tras ellos. Nunca había visto una habitación de hotel como ésta, y Hollis no estaba sola dentro. Había un hombre en la cama (una cama extrañísima), con el pelo corto pero despeinado, y miraba a Milgrim con seriedad, una especie de concentración tranquila que casi le hizo disparar los mecanismos detectores de policías que Winnie había registrado por última vez en Seven Dials. Casi.

—Así que tú eres Milgrim. He oído hablar mucho de ti. Yo soy Garreth. Wilson. Perdona que no me levante. Tengo la pierna jodida y he de mantenerla en alto.

Estaba apoyado en unas almohadas y la pared, entre lo que Milgrim consideró al principio los colmillos de un mamut, ajados paréntesis gemelos grises del ventanal de una iglesia. Un portátil abierto junto a él. Una de sus piernas apoyada en tres almohadas adicionales. Sobre él, suspendida, la jaula de pájaros más grande que Milgrim había visto jamás, llena, según parecía, de montones de libros y luces de cuento de hadas.

—Ésta es Fiona, Garreth —dijo Hollis—. Me rescató de la ciudad.

—Buen trabajo —dijo el hombre—. Y nuestra piloto de drones también.

Ella sonrió.

—Hola.

—Acabo de enviar a Voytek a poner a punto uno de ellos.

—Lo vimos —dijo Fiona.

—No tendría que haber cogido la Taser, pero ya la tendrá.

—¿La Taser?

—Para armar el globo —se encogió de hombros, sonrió—. Tenía una a mano.

—¿Cuánto pesa?

—Doscientos gramos.

—Creo que eso afectará a la altura —dijo Fiona.

—Casi con toda seguridad. Y también a la velocidad. Pero el fabricante del pingüino dice que podrá volar. Aunque no tan alto. Es plateado, ¿no? ¿Mylar?

—Sí.

—Creo que un poco de pintura reflectante le vendría bien. ¿Sabes a qué me refiero?

—Sí —dijo Fiona, aunque Milgrim no lo sabía—. Pero ¿sabes que voy a hacer volar un tipo diferente de vehículo?

—Lo sé.

—¿El baúl está en la moto?

—Sí. Y debería tener amortiguadores nuevos ya.

—¿Qué son amortiguadores? —preguntó Milgrim.

—Absorbedores de vibración —dijo Fiona.

—Dejadme que coja vuestras cosas —dijo Hollis, cogiendo el casco de la señora Benny y luego el de Fiona—. Me gusta tu chaqueta —comentó, advirtiendo el *tweed* de Milgrim cuando se quitó la tiesa chaquetilla de nailon.

—Gracias.

—Por favor, sentaos.

Había dos altos sillones de rayas, colocados de cara al hombre de la cama. Milgrim ocupó uno, Fiona el otro, y Hollis se sentó en la cama. Él vio que le cogía la mano al hombre. Recordó la mañana que pasaron en París.

—Saltaste del edificio más alto del mundo —dijo.

—Así es. Aunque por desgracia no desde la misma cima.

—Me alegro de que estés bien —dijo Milgrim, y vio que Hollis le sonreía.

—Gracias —contestó el hombre, Garreth, y Milgrim vio que apretaba la mano de Hollis.

Alguien llamó dos veces a la puerta, con suavidad, sin emplear la mano de bronce de la mujer. Con los nudillos.

—Soy yo —dijo una voz.

Hollis se levantó, se dirigió a la puerta y admitió a un joven muy guapo y a una chica menos guapa. La chica llevaba un anticuado maletín de cuero negro. A Milgrim el chico le pareció indio, aunque no tenía muy claro cómo era la gente del sur de Asia en general, pero la chica era gótica. No podía recordar haber visto a un gótico de aspecto indio antes, pero si ibas a ver uno, pensó, sería en Londres.

—Mi prima Chandra —dijo el joven. Llevaba unos vaqueros negros muy estrechos y complejamente recortados, un jersey negro y una chaqueta de motero de aspecto antiguo que le quedaba muy grande.

—Hola, Chandra —saludó Hollis.

La joven sonrió tímidamente. Tenía el pelo negro y perfectamente liso, enormes ojos oscuros, y las orejas y la nariz llenas de complejos *piercings*. Los labios estaban pintados de negro, y parecía llevar una especie de uniforme de enfermera edwardiana, aunque también era negro.

—Hola, Chandra —saludó Hollis—. Chandra y Ajay, Fiona y Milgrim. Y Garreth, Chandra.

Ajay estaba mirando a Milgrim.

—Va a ser un poco difícil —dijo, dubitativo.

—Te pintaré las sienes con *spray* —le dijo Chandra a su primo—. Ese material de fibra, en lata. Para cubrir las calvas. Traigo un poco —miró a Milgrim—. Le vendrá bien un corte de pelo. Así que eso juega a nuestro favor.

Ajay se pasó la mano por el pelo, cortado al estilo militar en las sienes, pero con un mechón florido en lo alto. Parecía preocupado.

—Ya crecerá —dijo Garreth—. Milgrim, ¿te importa quitarte los pantalones?

Milgrim miró a Fiona y luego a Garreth, recordando a Jun en la parte trasera de Tanky & Tojo.

—Las pruebas —explicó Garreth—. Ajay necesita ver cómo te mueves.

—Me muevo —dijo Milgrim, y se levantó. Luego volvió a sentarse y se inclinó para soltar los cordones de los zapatos.

—No, no —dijo Fiona, levantándose—. Las cremalleras.

Se arrodilló delante de él y descorrió las cremalleras de un palmo de largo de la parte interior de los pantalones reforzados.

—Levántate.

Milgrim obedeció. Fiona extendió la mano, descorrió la enorme cremallera de plástico, rasgó ruidosamente el velcro y dejó caer los pantalones al suelo. Él notó que se ruborizaba explosivamente.

—Vamos —dijo ella—, da un paso adelante.

67

Un ratón aplastado

Ajay, con expresión dolorida pero estoica, estaba sentado en lo que Milgrim dijo que era un escabel Biedermeier, en la brillante cueva alicatada del enorme cuarto de baño de la Número Cuatro, las toallas extendidas a sus pies, mientras Chandra atacaba cuidadosamente su cascada de pelo con unas tijeras. Milgrim estaba allí dentro con ellos, «moviéndose», como le habían instruido, mientras Ajay, cuando se acordaba de hacerlo, lo estudiaba. Chandra se detenía también periódicamente, observaba a Milgrim, y luego empezaba a recortar de nuevo. Hollis tenía ganas de que hablara alguien.

—¿Qué es esto? —preguntó Milgrim, advirtiendo al parecer la ducha por primera vez.

—La ducha —contestó Hollis.

—Sigue moviéndote —ordenó Ajay.

Milgrim metió las manos en los bolsillos de sus peculiares pantalones nuevos.

—Pero ¿tienes que hacer eso? —preguntó Ajay.

—Estate quieto —ordenó Chandra, que había dejado de recortar.

—¿Yo? —preguntó Milgrim.

—Ajay —dijo Chandra, apartando un trocito húmedo de pelo disperso de su túnica negra. Sus labios negros parecían particularmente dramáticos, con esta luz.

Hollis miró a Fiona, que estaba sentada al pie de la cama, escuchando atentamente a Garreth, haciéndole alguna que otra pregunta, tomando notas en una Moleskine cubierta de pegatinas.

Garreth tuvo que interrumpirse y atender la llamada del hombre que estaba construyendo la bicicleta eléctrica de Pep. Al final éste había tenido que quitar su armazón de estays rizados, ya que tendría que ser «doblada al frío», para hacer sitio para el motor, algo que habían considerado un sacrilegio tanto el constructor como Garreth. Éste había optado por la fibra de carbono, pero luego tuvo que llamar a Pep y decírselo, y eso acabó en un acuerdo para decantarse por motores duales.

Hollis se acordó de cuando observó a un director de un vídeo musical, algo que los Toque de Queda habían podido evitar durante mucho tiempo. Lo hizo más tarde, a través de Inchmale y los diversos grupos que había producido, y que le había parecido mucho más interesante, más divertido, que ningún producto final.

En este caso, todavía no tenía mucha idea de lo que Garreth pretendía rodar.

—Ahora sal y cierra la puerta —oyó decir a Chandra—. Esto huele.

Se dio la vuelta y vio a Milgrim encaminarse en su dirección, mientras Chandra empezaba a agitar una lata de aerosol.

—Mantén los ojos cerrados —le dijo a Ajay.

Milgrim cerró la puerta tras él.

—¿Te encuentras bien? —preguntó Hollis—. ¿Dónde has estado?

—En Southwark. Con Fiona.

Le pareció que hablaba como alguien que describe un fin de semana en un *spa*. Tenía una sonrisita extraña en él.

—Lamento lo de Heidi.

Milgrim dio un respingo.

—¿Algo va mal?

—Ella está bien. Quería decir que lamento que hiriera a Foley, que te creara más problemas.

—Yo me alegro —dijo él—. De lo contrario, nos habrían cogido. O me habrían cogido a mí, al menos.

Y de pronto estuvo extraña y completamente presente, una sola identidad, el agudo acechador en las esquinas fundido con su yo disociado y despistado.

—No habría tenido que ir a Southward.

Durante aquellos pocos segundos, fue alguien a quien ella no conocía. Pero luego volvió a ser Milgrim.

—Esa ducha da miedo —dijo.

—A mí me gusta.

—Nunca he visto nada decorado así —contempló los contenidos de la Número Cuatro.

—Yo tampoco.

—¿Todo es real?

—Sí, aunque hay algunas reproducciones de época. Hay un catálogo para cada habitación.

—¿Puedo verlo?

Sonó el iPhone.

—¿Sí?

—Meredith. Estoy en el vestíbulo. Tengo que verte.

—Tengo invitados...

—Sola —dijo Meredith—. Trae una chaqueta. Ella quiere verte.

—Yo...

—No es idea mía —interrumpió Meredith—, sino de ella. Lo decidió cuando le conté lo que dijiste.

Hollis miró a Garreth, que estaba ocupado con Fiona.

La puerta del cuarto de baño se abrió y allí apareció Ajay, los lados de la cabeza escasamente cubiertos de una especie de no-pelo sintético, aleatoriamente direccional.

—No está muy bien, ¿verdad?

—Es como el vello púbico de un enorme animal de juguete anatómicamente correcto —dijo Garreth, encantado.

—Tiene la textura equivocada, pero tengo otra que debería valer —dijo Chandra—. Y haré un trabajo mejor de aplicación la próxima vez.

—Bajo dentro de un momento —le dijo Hollis al iPhone—. Meredith —le indicó a Garreth—. Voy a bajar a verla.

—No salgas del hotel —ordenó él, y volvió a lo que quiera que le estuviese explicando a Fiona.

Hollis abrió la boca, la cerró, buscó el catálogo de curiosidades encuadernado en cuero para Milgrim, luego cogió la chaqueta Sabuesos y el bolso y se marchó, cerrando la puerta tras ella.

Evitando las acuarelas, se abrió paso entre el laberinto verde y encontró el ascensor allí esperando, chasqueando suavemente para sí. Mientras descendía en la cabina negra, trató de sacarle sentido a lo que había dicho Meredith. Lo lógico era que «ella» fuera la diseñadora de los Sabuesos, pero si era así, ¿le había estado mintiendo ayer?

Tras pasar ante el hurón, salió al sonido del vestíbulo, evidentemente en pleno apogeo ahora, que tanto resonaba en las escaleras de mármol. Meredith esperaba cerca de la puerta, donde Robert se situaba normalmente, aunque él no se veía por ninguna parte. Llevaba una chaqueta de algodón casi transparente de puro gastada sobre el *tweed* que Hollis recordaba de ayer, más agujero que tejido, el platónico opuesto del Gore-Tex japonés de Inchmale.

—Me dijiste que no sabías cómo contactar con ella —le espetó Hollis—. Y desde luego no diste a entender que estuviera en Londres.

—No sabía ni una cosa ni la otra —respondió Meredith—. Inchmale. Clammy me estuvo dando la brasa en el estudio porque le prometiste suavizar las cosas si te ayudaba a encontrarla.

Hollis se había olvidado de eso.

—Así es.

—Inchmale estaba trabajando en una de esas gráficas que hace para cada canción, las que hace en torno al fondo de una taza de café de plástico. ¿Eso es otra chorrada suya o es real?

—Es real.

—Y naturalmente se estaba concentrando o fingía hacerlo. Y de repente dijo: «Conozco a su marido». Nos contó que era otro productor, muy bueno, de Chicago. Había trabajado con él. Dijo un nombre.

—¿Qué nombre?

Meredith la miró firmemente a los ojos.

—Tendría que decírtelo ella misma.

—¿Qué más dijo Reg?

—Nada. Ni una palabra. Volvió a sus rotuladores de colores y su taza de plástico. Pero en cuanto puse las manos en un ordenador, busqué el nombre en Google. Allí estaba. En una búsqueda de imágenes, tres páginas después, allí estaba ella, con él. Fue sólo unas pocas horas después de verte.

—Tuviste una tarde completa.

—¿Dimitiste?

—No tuve la oportunidad, pero mi decisión de dimitir sigue en pie. Más fuerte, si acaso. Estoy harta de Bigend. Han pasado muchas cosas.

—Yo me he pasado un buen rato al teléfono, intentando localizarla a través de su marido. No pude contactar con él. Me entregué a la piedad de Inchmale. Hice que George se encargara, de hecho.

—¿Y?

—Ella me llamó. Está aquí desde hace unas semanas. East Midlands, Northampton, buscando en las fábricas de zapatos. Está haciendo una bota —y de repente Meredith sonrió, luego no—. Se irá pronto.

Hollis estuvo a punto de preguntarle adónde, pero no lo hizo.

—Puedo llevarte con ella ahora. Es lo que quiere.

—¿Por qué…?

—Será mejor que te lo diga ella misma. ¿Vas a venir o no? Se marcha mañana.

—¿Está lejos?

—En Soho. Clammy tiene un coche.

Era japonés, diminuto, y parecía tener por padre un Citroën Dos Caballos y por madre algo de un linaje menos distintivo, pero que obviamente había asistido a una escuela de diseño. No tenía virtualmente ningún asiento trasero, así que Hollis tuvo que doblarse detrás de Meredith y Clammy, viendo cómo un decidido limpiaparabrisas trasero apartaba la lluvia. Nada podría haberse parecido menos al Hillux. Una diminuta retrocamioneta, carente de armadura. Todo, en el tráfico, era más grande que ellos, incluyendo las motocicletas. Clammy lo había comprado de segunda mano, a través de un *broker* de Japón, y lo importó, la única forma de conseguir uno aquí. Tenía el color gris oscuro brillante de los antiguos ventiladores eléctricos, un tono que Inchmale solía definir como de «ratón aplastado», lo que significaba gris con un poco de rojo. Hollis esperó que los otros conductores pudieran verlos. Pero mejor que no si eran del grupo de Foley, de quienes había empezado a preocuparse cuando Clammy entró en Oxford Street. La orden de Garreth de no salir del hotel tuvo de pronto un tipo de sentido distinto. No se había tomado nada de esto demasiado en serio. Se sentía como una observadora, una ayudante, o una enfermera horriblemente falta de habilidades. Pero ahora, se dio cuenta, en esta nueva política de secuestros, ella misma podía ser muy valiosa. Si la atrapaban, atraparían a Garreth. Aunque, por lo que sabía, no tenían ni idea de la existencia de Garreth. Eso dependía, supuso de que todos los miembros del diminuto grupo inmediato de Bigend permanecieran leales. ¿Quién era Fiona? No sabía nada de ella, en realidad. Excepto que no le quitaba el ojo de encima a Milgrim, de manera extrañamente personal. De hecho, ahora que lo pensaba, miraba a Milgrim como si le gustara.

—¿Cuánto queda? —preguntó.

68

Mano-ojo

Ahora le tocó el turno a Milgrim de ocupar el escaño Biedermeier, con los restos de los exuberantes rizos de Ajay cubriendo las toallas extendidas en el suelo. El *sparring* de Heidi estaba en la ducha aterradora, librándose del producto en aerosol que Chandra le había aplicado en los lados de la cabeza. Tozudamente obstinada en no ver a su primo desnudo, ella le daba la espalda a la ducha mientras aplicaba una maquinilla eléctrica a la nuca y las sienes de Milgrim, quien al ver a Ajay desnudo pensó que parecía un bailarín profesional. Era todo músculo, pero no de los que abultaban.

La idea, ahora que Chandra le había echado un buen vistazo a Milgrim y a su pelo tal como estaba el día antes, era darle un corte distinto. No pudo dejar de imaginar una peluca de Milgrim para Ajay, algo que estaba seguro de no haber imaginado nunca antes.

El cuarto de baño empezó a llenarse de vapor, pero oyó a Ajay cerrar la ducha. Pronto apareció con una bata blanca de reborde de pana, anudándose con cuidado el cinturón. Su coronilla era ahora la aproximación inicial de Chandra al aspecto previo de Milgrim, aunque era negro, y estaba mojado. El pelo indeterminadamente marrón de Milgrim caía sobre las toallas.

—Tendré que confiar en que todo esto no sea una broma —le dijo Ajay a Chandra.

—Por el tipo de anticipo que me ha ofrecido tu amigo —contestó Chandra, por encima del zumbido de la maquinilla—, no habrá ninguna broma. Nunca había probado algo así antes. Lo vi en un vídeo. Me saldrá mejor la próxima vez. Baja la barbilla —le dijo a Milgrim—. En realidad, se trata de cubrir las zonas donde no hay pelo. En la parte de arriba. Pasarse con los lados puede que sea demasiado exagerado —apagó la maquinilla.

—De lo que se trata es de dar un paso adelante —dijo Ajay—. Y ser muy eficaces —se secó la cabeza con la toalla.

—¿Sabe esta gente que eres un perfecto idiota? —preguntó Chandra.

—Ajay —dijo Garreth, a través de la puerta.

Él tiró la toalla a un rincón, salió y cerró la puerta.

—Siempre ha sido así —dijo Chandra, pero Milgrim no supo cómo se suponía que debería haber sido—. No fue sólo el ejército.

Le dio unos cuantos cortes rápidos con las tijeras a su coronilla, y luego le quitó la toalla que tenía puesta alrededor del cuello.

—Levántate. Échate un vistazo.

Milgrim se levantó. Un Milgrim diferente, extrañamente militar, quizás más joven, lo miró desde la pared de espejo empañado sobre los lavabos gemelos. Se había abrochado el cuello de su camisa nueva para impedir que el pelo se le metiera por dentro, y esto aumentaba la sensación de extrañeza. Un desconocido, con una corbata de aire.

—Está bien —dijo. Y lo estaba—. No se me habría ocurrido. Gracias.

—Dale las gracias a tu amigo el de la cama —dijo Chandra—. Es el corte de pelo más caro que te harás jamás. Con diferencia.

Ajay abrió la puerta. Llevaba puesta su arrugada chaqueta de algodón. Sus hombros eran un poco demasiado anchos, pensó Milgrim.

—Tus zapatos me están un poco grandes, pero podré meterles algo en la puntera.

—Milgrim —dijo Garreth desde la cama—, ven y siéntate. Fiona dice que tienes un don natural con los globos.

—Tengo buena coordinación mano-ojo —confesó él—. Me lo dijeron en Basilea.

69
El evento privado

—¿Aquí?

Hollis reconoció la tienda de ropa vaquera sin nombre de Upper James Street. Oscura, tenuemente iluminada con velas. Un brillo pulsante, casi invisible.

—Van a celebrar una venta temporal —anunció Meredith.

—No empezará hasta dentro de una hora —informó Clammy, y a Hollis le pareció que estaba curiosamente alegre—. Pero yo soy el primero.

—Es un evento privado, por lo que a ti respecta —le dijo Meredith—. Así que estamos en paz. Pero nada de preguntas. Y nada de molestar después a Bo. Nunca. Si vuelves aquí, no te conocerá.

—Perfecto —replicó Clammy, tamborileando en el volante una señal de complacida expectación.

—¿Quién es Bo?

—La conoces —comentó Meredith—. Vamos. Salgo primero. Están esperando.

Abrió la puerta de pasajeros del cochecito, bajó y empujó hacia delante el asiento. Hollis tuvo que esforzarse para salir.

—Tendrás poco tiempo antes de que lleguemos —dijo Meredith, y volvió a subir al coche. Cerró la puerta y Clammy arrancó, mientras la lluvia tamborileaba en el esmaltado del bajo techo del coche.

La guapa mujer canosa abrió la puerta cuando Hollis estaba a punto de alcanzarla, le indicó que entrara y luego cerró y echó la llave.

—Usted es Bo —observó Hollis. La mujer asintió—. Yo soy Hollis.

—Sí —replicó la mujer.

Olía a vainilla y a algo más, enmascarando el índigo jungla. Las velas parpadeaban con luz mortecina, junto a la enorme plancha de madera pulida que Hollis recordaba de su visita anterior. Velas de aromaterapia, su complicado sebo vertido en vasos de caro aspecto con lados verticales, los pabilos planchas de madera finas como el papel que crujían suavemente mientras las llamas latían. Esmerilado levemente en cada vaso, vio el logotipo de Sabuesos. Entre las velas había un par de vaqueros doblados, un par de pantalones caqui dolados, una camisa de cambray doblada y una bota negra de caña. El liso cuero de la bota captaba la luz de las velas. La tocó con la punta de un dedo.

—El año que viene —dijo Bo—. También con cordones, marrón, pero las muestras no están preparadas.

Hollis cogió los vaqueros doblados. Eran negros como la tinta, inusitadamente pesados. Les dio la vuelta y vio el perro con cabeza de bebé, marcado levemente en un parche de cuero en la cintura.

—¿Son para la venta? ¿Esta noche?

—Vendrán unos amigos. Cuando estuvo usted aquí, no pude ayudarle. Espero que comprenda.

—Comprendo —dijo Hollis, no muy segura de que así fuera.

—Vamos a la parte trasera, por favor. Venga.

Hollis la siguió y atravesaron una puerta parcialmente oculta por una *noren** oscura decorada con peces blancos. Aquí no había ningún escritorio blanco de Ikea, ninguna degradación en la sencilla elegancia de la tienda. Era un espacio más pequeño, pero igual de limpio y ordenado, con el mismo suelo lijado y sin manchas, las mismas velas. Una mujer estaba sentada en una de las dos sillas de

---

* Especie de cortina de tela japonesa. (*N. del T.*)

cocina de madera, viejas y con la pintura descascarillada, acariciando la pantalla de un iPhone. Alzó la cabeza, sonrió, se levantó.

—Hola, Hollis. Yo...

Hollis alzó una mano.

—No me lo diga.

La mujer alzó las cejas. Su pelo era marrón oscuro, brillante a la luz de las velas, bien cortado, pero revuelto.

—Negación —dijo Hollis—. Podría averiguarlo a partir de lo que me dijo Meredith. O podría preguntarle a Reg. Pero si usted no me lo dice, y no hago ninguna de esas cosas, puedo seguir diciéndole a Hubertus que no sé su nombre.

Miró alrededor, vio que Bo se había ido. Se volvió hacia la mujer.

—No soy buena mentirosa.

—Yo tampoco. Soy buena escondiéndome, pero no mintiendo. Por favor, siéntese. ¿Le apetece un poco de vino?

Hollis ocupó la otra silla.

—No, gracias.

Llevaba puestos unos vaqueros que Hollis identificó como los mismos que había visto en la mesa. Aquel negro absoluto. Una camisa azul, arrugada, por fuera. Un par de zapatillas Converse negras muy gastadas, los lados de goma descoloridos.

—No comprendo por qué quiere verme —dijo Hollis— dadas las circunstancias.

La mujer sonrió.

—Fui una gran fan de Toque de Queda, por cierto, aunque no es por eso.

Se sentó. Miró la pantalla brillante del iPhone, luego a Hollis.

—Creo que es por la sensación de haber estado una vez donde usted está.

—¿Y es...?

—Yo también trabajé para Bigend. Un acuerdo idéntico, por lo que me cuenta Mere. Había algo que él quería, la pieza perdida de un puzzle, y me convenció para que se la encontrara.

—¿Lo hizo?

—Lo hice. Aunque no era lo que él imaginaba. Acabó por hacer algo, reestructurando los aspectos de lo que yo le había ayudado a aprender. Algo horrendo en *marketing*. Yo también me dedicaba al *marketing*, pero luego lo dejé, por él.

—¿Qué hacía exactamente?

—Tenía un talento muy peculiar y específico que no comprendía, que nunca he comprendido, y ahora ya no existe. Aunque no es que sea mala cosa haberlo perdido. Derivó de una especie de alergia que tengo desde que era niña.

—¿Una alergia a qué?

—A la publicidad —dijo la mujer—. A los logotipos, en concreto. A las mascotas corporativas. Siguen sin gustarme, por cierto, pero no de forma muy diferente a como a algunas personas no les gustan los payasos o los mimos. Una alergia a cualquier representación gráfica concentrada de una identidad corporativa.

—Pero ¿no tiene una ahora?

La mujer miró su iPhone, frotó la pantalla.

—La tengo, sí. Disculpe que siga con esto. Estoy haciendo algo con mis hijos. Es difícil mantenerse en contacto con las diferencias horarias.

—Su logotipo me preocupa un poco.

—Lo dibujó la mujer que Bigend me envió a buscar. Era cineasta. Murió pocos años después de que la encontrara.

Hollis vio emoción en el rostro de la mujer, una transparencia que fácilmente superaba a su belleza, que era considerable.

—Lo siento.

—Su hermana me envió algunas de sus cosas. Estaba este garabato inquietante al pie de una página de notas. Cuando tradujimos las notas, vimos que trataba sobre la leyenda de los Sabuesos de Gabriel.

—Yo no había oído hablar de ellos antes.

—Ni yo tampoco. Y cuando empecé a hacer mis propias cosas, no quise un nombre de marca, un logotipo, nada. Siempre quitaba las marcas de mis ropas, por esa sensibilidad. Y no podía soportar nada que pareciera haber sido tocado por un diseñador. Con el tiempo, me di cuenta de que si me sentía así por algo, eso significaba que no estaba tan bien diseñado. Pero mi esposo defendió fehacientemente que tenía que haber una marca si íbamos a hacer lo que yo proponía hacer. Y allí estaba aquel garabato al pie de la página —miró de nuevo la pantalla horizontal, luego otra vez a Hollis—. Mi marido es de Chicago. Vivimos allí, después de conocernos, y descubrí las ruinas de las fábricas norteamericanas. Llevaba años vistiéndome con sus productos, repescándolos en almacenes y tiendas de segunda mano, pero nunca había pensado de dónde venían.

—Sus cosas están maravillosamente hechas.

—Vi que una camiseta de algodón americana que costó veinte centavos en 1935 a menudo estaba mejor hecha que casi cualquier cosa que se pueda comprar hoy. Pero si se recreara esa camiseta, y hubiera que ir a Japón para hacerlo, acabaríamos con algo que habría que poner a la venta por unos trescientos dólares. Empecé a encontrarme con gente que recordaba cómo hacer las cosas. Y sabía que mi forma de vestir había llamado siempre la atención. Había gente que quería lo que yo llevaba puesto. Lo que yo administraba, habría dicho Bigend.

—Últimamente se dedica a trajes que causan daño en la retina.

—No tiene gusto ninguno; se comporta como si se lo hubiera hecho extirpar quirúrgicamente. Tal vez lo haya hecho. La búsqueda a la que me envió acabó con mi único talento negociable. Fui una especie de cazadora de novedades, antes de que eso tuviera un nombre, pero ahora es difícil encontrar a alguien que no lo sea. Sospecho que él es responsable de algún modo. Una especie de contagio global.

—¿Y empezó a fabricar ropa en Chicago?

—Empezamos a tener hijos —sonrió, miró la pantalla, la acarició con la yema de un dedo—. Así que no puede decirse que tuviera mucho tiempo. Pero el trabajo de mi marido iba bien. Pude permitirme experimentar. Y descubrí que me encantaba hacerlo.

—La gente quería las cosas que usted fabricaba.

—Fue aterrador al principio. Yo sólo quería explorar los procesos, aprender, que me dejaran en paz. Pero entonces recordé a Hubertus, sus ideas, las cosas que había hecho. Estrategias de guerrilla aplicadas al *marketing*. Extrañas inversiones de lógica de costumbres. La idea japonesa de las marcas secretas. La deliberada construcción de microeconomías paralelas, donde el conocimiento es más congruente que la riqueza. Decidí que tendría una marca, pero sería un secreto. La marca sería precisamente el secreto. Ninguna publicidad. Ninguna. Nada de prensa. Nada de pases. Haría lo que estaba haciendo, ser tan secreta como pudiera, y evitar las chorradas. Y fui muy buena manteniendo el secreto. Eso lo heredé también de mi padre.

—Parece que ha funcionado.

—Demasiado bien, posiblemente. Estamos en un punto en que hay que pasar a otro nivel o dejarlo. ¿Lo sabe él? ¿Sabe que soy yo?

—No lo creo.

—¿Lo sospecha?

—Si lo hace, está fingiendo muy bien lo contrario. Y ahora mismo está centrado en una crisis que no tiene nada que ver con ninguna de nosotras.

—Entonces debe estar en su elemento.

—Lo estaba. Ahora no estoy tan segura. Pero no creo que le esté prestando mucha atención a los Sabuesos de Gabriel.

—Sabrá que soy yo muy pronto. Vamos a salir a la luz. Ya es hora. La venta de esta noche forma parte de ello.

—Seguirá siendo peligroso.

—Eso es exactamente lo que quería decirle. Cuando Mere me habló de usted, me di cuenta de que ya tenía la experiencia de Bigend, pero volvió usted por más, aunque me pareció buena persona.

—Nunca lo planeé así.

—Por supuesto que no. Él tiene una especie de pomposa gravedad. Usted tiene que continuar. Lo sé.

—Ya he tomado medidas.

La mujer la miró con atención.

—La creo. Y buena suerte. Tenemos que empezar la muestra, y tengo que ayudar a No, pero quería darle las gracias personalmente. Mere me contó lo que ha hecho usted, o más bien lo que no estaba dispuesta a hacer, y naturalmente estoy muy agradecida.

—Sólo he hecho lo que tenía que hacer. O más bien he hecho lo que no podía hacer.

Las dos se pusieron en pie.

—Es un puñetero nivel nuevo —oyó Hollis declarar a Clammy desde el otro lado del *noren*.

70

Reflectante

El pingüino olía a Krylon, un esmalte en aerosol que Fiona había utilizado para camuflarlo, como si dijéramos. Milgrim sabía ahora más de camuflaje de lo que habría esperado aprender jamás gracias al interés de Bigend en la ropa militar. Antes de eso, sólo conocía dos tipos: el que tenía manchas Lava Lamp en tonos naturales que utilizaba el ejército norteamericano cuando era niño y el fotorrealista y espeluznante material de cazador de pavos que a veces empleaba cierto tipo de traficante de drogas extra-aterrador de Nueva Jersey. Lo que Fiona llamaba «reflectante», sin embargo, era nuevo para él. La chica dijo que lo había inventado un pintor, un vorticista. Lo buscaría en Google cuando tuviera tiempo. Había sido sugerencia de Garreth, y Fiona le había contado a Milgrim que no tenía mucho sentido, en su situación, aunque cualquier cosa era mejor que el Mylar plateado. Sin embargo, le gustaba que Garreth lo hubiera sugerido, porque le parecía parte de algún aspecto de la acción artística de lo que él estaba haciendo. Decía que nunca había visto nada igual a lo que Garreth estaba preparando, y sobre todo la velocidad a la que lo estaba montando.

Fiona había pintado en el patio de las motos el pingüino de Mylar plateado con formas geométricas negras, aleatorias, torcidas, los bordes difusos, como *graffiti*. El reflectante verdadero tenía los bordes nítidos, decía, pero no había forma de enmascarar el globo inflado. Usó un pedazo de cartón, cortado en una curva cóncava, para enmascarar a ojo, y luego empleó un gris oscuro para cubrir el plateado restante. Cuando se secó un poco, lo camufló aún más con un beige igualmente oscuro, trazando las líneas con la máscara de cartón. El resultado no ocultaría al pingüino contra ningún fondo, sobre todo en el cielo, pero lo descomponía desde un punto de vista visual, haciendo difícil interpretarlo como objeto. Seguía siendo un pingüino, no obstante, un pingüino nadando, ahora con la Taser y los elementos electrónicos que Voytek le había colocado en el vientre.

Había que marcar ahora una secuencia de armado en el iPhone que requería el pulgar y el índice, y hacía falta el índice de la otra mano para dispararlo. Milgrim no estaba seguro del todo de cómo funcionaba una Taser, pero empezó a hacerse una idea. Si provocaba que se disparara accidentalmente, aquí en el cubículo Vegas, un par de electrodos serrados se dispararían, con dos finos cables de cinco metros, impulsados por gas comprimido. Lo de disparar el cable serrado sólo podía hacerse una vez. Si los cables alcanzaban la inmaculada pared de yeso de Bigend, supuso que el pingüino quedaría anclado allí, y había un montón de cable fino. Pero si volvías a pulsar el teléfono en el ciclo de disparo de la pantalla, la pared se estremecería. Cosa que no molestaría a la pared, pero si aquellos cables alcanzaban a alguien, y para eso servían, esa persona recibiría una descarga, y bien grande. No de las que te matan, pero sí de las que pueden derribarte y aturdirte. Y había más de una sorpresa almacenada en la cabina del juguete aéreo que Voytek había pegado allí abajo.

Fiona dijo que no tendría que preocuparse de nada de eso cuando manejara el pingüino. Dijo que sólo eran campanas y silbidos extras, algo que Garreth había incluido porque se había encontrado por casualidad con la Taser. Eso era lo que Voytek había indicado, a regañadientes, al salir, cuando volvieron aquí en la Yamaha.

Pero eso no era lo que Garreth le había dicho en la habitación del hotel de Hollis. Él había dicho que necesitaba que Fiona manejara el otro aparato, el de los pequeños helicópteros, así que necesitaba a Milgrim para encargarse del pingüino. Para echarle un ojo a la zona general, dijo. Cuando Milgrim le preguntó cuál era esa zona, Garreth contestó que no lo sabía aún, pero que estaba seguro de que lo haría muy bien. Milgrim, recordando el placer que había sentido al hacer rodar la raya, decidió que asentir sin más era lo mejor. Aunque la idea de que alguien quisiera que manejara algo era nueva. Eran los demás quienes manejaban las cosas, y él los observaba haciéndolo. Pero, supuso, que en realidad lo que le pedían solamente era que observara algo, fuera lo que fuese, a través de las cámaras del pingüino, y era mejor, como había sugerido Fiona, considerar que la Taser era un añadido aleatorio.

Fue más difícil conseguir que el pingüino hiciera algo en el constreñido espacio del cubículo Vegas que lograr que la manta raya diera aquellas rítmicas volteretas, pero ahora estaba empezando ya a conseguir un giro repetido. Si chocaba contra la pared, Fiona se daba cuenta, y no le gustaba, así que intentaba ser lo más cuidadoso posible. Ella decía que los componentes robóticos de las alas eran frágiles, y que el pingüino estaba indefenso sin ellos. En realidad, no volaba, porque los pingüinos no vuelan, y era un globo: más bien, nadaba en el aire en vez de en el agua, y una vez que lo llevabas donde querías, sabía nadar solo. Milgrim tenía mucho cuidado de controlar eso ahora. Deseaba poder sacar el aparato y hacerlo volar de verdad, como había visto volar al otro en París, pero ella dijo que no podían, porque la gente podría verlo y ponerse nerviosa, y porque Garreth había ordenado que no lo dejara salir.

No poder salir y estar con Fiona era una cosa excelente, por lo referido a Milgrim, pero empezaba a recordar la ducha de aspecto aterrador de Hollis con algo diferente al miedo.

—Ojalá hubiera una ducha aquí —dijo, reduciendo el giro del pingüino, girando la Taser hasta que estuvo debajo, deteniéndolo. Había algo maravillosamente satisfactorio en este aparato, algo sinuoso en la forma en que funcionaba.

—La hay —dijo Fiona, alzando la mirada de su Air, sentada a la mesa.

—¿La hay? —Milgrim, de espaldas en la colchoneta blanca, contempló las paredes blancas y vacías, pensando que había pasado por alto una puerta.

—Benny tiene montada una. Los motoristas la usan a veces. Tiene una alcachofa tan antigua que funcionaba con monedas. No me vendría mal una ducha.

Milgrim fue simultáneamente consciente de lo pegajoso de sus sobacos y de lo que incluso la más breve imagen de Fiona en la ducha le provocaba.

—Dúchate tú primero, entonces.

—No te puedes fiar de la ducha de Benny —dijo ella—. Cuando logras que funcione, sólo lo hace una vez, y luego se para. Deberíamos ducharnos juntos.

—Juntos —repitió Milgrim, y oyó la voz que sólo tenía bajo custodia policial. Tosió.

—Dejaremos la luz encendida —repuso Fiona, que lo miraba con una expresión que no supo identificar—. Se supone que no debo perderte de vista. Literalmente. Es lo que él dijo.

—¿Quién? —preguntó Milgrim con su propia voz.

—Garreth.

Ella llevaba los pantalones de motorista, bajos sobre las caderas, ya que se había sentado en una de las elegantes sillas de Bigend, y una camiseta estrecha, blanca, que decía RUDGE encima de un emblema redondo negro, del tamaño de un plato, y COVENTRY debajo. Entre los dos nombres había una mano heráldica roja, abierta y recta, la palma presentada como para advertir a alguien de los pequeños pero prominentes pechos que había detrás.

—Si no te importa —dijo Milgrim.

—Lo he sugerido yo, ¿no?

71
La camiseta fea

—¿Dónde estás? Robert me dijo que te marchaste con una mujer.

Hollis estaba saliendo de la tienda de ropa vaquera con Meredith y Clammy.

—En Soho. Sí, con Meredith. Ya voy de vuelta.

—Tendría que haberte dado ese tipo de palabraclave que le di a tu jefe.

— No. No pasa nada.

—Es mejor si no sales.

—Era necesario.

—Pero ¿ya vienes de vuelta?

—Sí. Hasta ahora.

Se desentendió del teléfono que tenía en la mano y miró el escaparate tenuemente iluminado por las velas. Sombras de personas. Dos más llegaban ahora, para ser admitidas por Bo. A Meredith le pareció ver a una editora asociada de la *Vogue* francesa. Clammy había ignorado a otros músicos algo mayores que él, a quienes Hollis reconoció vagamente. Por lo demás, no era lo que podría considerarse una multitud de seguidores de la moda. Era otra cosa distinta, aunque no sabía qué. Pero notaba que el secreto que Bigend había estado persiguiendo ya había empezado a emerger cuando le encomendó la misión. Los Sabuesos ya no eran un secreto de la misma forma. Llegaba demasiado tarde. ¿Qué significaba eso? ¿Estaba perdiendo su toque? ¿Se había centrado demasiado en su proyecto con Chombo? ¿Le había trastocado Sleight de algún modo el flujo de información?

El cochecito gris de Clammy llegó, conducido por un chico muy parecido a él y a quien no se molestó en presentar. Se bajó, le entregó las llaves, asintió y se marchó.

—¿Quién era ése? —preguntó Hollis.

—Mi ayudante —contestó Clammy, ausente, mientras abría la puerta del asiento de pasajeros. Llevaba una bolsa de papel sin nombre del tamaño de un maletín pequeño—. Tendrás que sostenerme esto.

—¿Qué has comprado?

—Dos de los negros, dos chinos, dos camisas y tu chaqueta en negro.

—Y algo para ti —le dijo Meredith a Hollis.

—Está encima de todo —dijo Clammy, impaciente—. Cógelo.

Hollis se dobló, de lado, en el asiento trasero, y aceptó la bolsa de Clammy como mejor pudo. Una potente vaharada de índigo.

Él y Meredith subieron y cerraron las puertas.

—Es lo primero que hizo —dijo ella, mirando hacia atrás—. Antes de empezar con los Sabuesos.

Hollis encontró algo envuelto en papel de seda sobre el grueso y pesado tejido vaquero de Clammy. Lo sacó, retiró el envoltorio. Un jersey oscuro, suave, pesado.

—¿Qué es?

—Eso es cosa tuya. Un tubo sin costuras. Lo he visto llevar como estola, como vestido de noche de cualquier longitud, como distintos tipos de falda. El tejido es sorprendente. Es de la última hornada de una antigua fábrica de Francia.

—Dale las gracias de mi parte, por favor. Y gracias a vosotros. A ambos.

—Me doy por pagado —dijo Clammy, girando hacia Oxford Street—, pero no aplastes mis cosas.

Cuando el ascensor bajó, respondiendo a su llamada, lo encontró ocupado por un hombre bajo, mayor, extrañamente ancho y de indeterminado aspecto asiático, el pelo gris escaso peinado hacia atrás. Permanecía muy erguido en mitad de la cabina, con una boina escocesa en las manos, y le dio las gracias con un claro acento británico cuando ella abría la cancela.

—Buenas noches —dijo, asintiendo, y pasó de largo, giró sobre sus talones y se encaminó hacia la puerta del Gabinete mientras se encasquetaba la boina.

Robert le abrió la puerta y se la sostuvo.

El hurón estaba en su vitrina.

Cuando llegó a la puerta de la Número Cuatro, recordó que no se había llevado la llave. Llamó con los nudillos suavemente.

—Soy yo.

—Un momento —lo oyó decir.

Escuchó el sonido de la cadena. Entonces él abrió la puerta, apoyado en su bastón de cuatro patas, con algo que ella interpretó como la brillante funda de un LP bajo el brazo.

—¿Qué es eso? —preguntó.

—La camiseta más fea del mundo —respondió él, y la besó en la mejilla.

—Los Bollards se sentirán decepcionados —dijo ella, entrando y cerrando la puerta—. Creía que me hacían dormir con ella.

—Es tan fea que las cámaras digitales se olvidarán de que la han visto.

—¿Le echamos un vistazo?

—Todavía no. —Le mostró el cuadrado negro y vio ahora que era una especie de sobre de plástico con los bordes sellados—. Podríamos contaminarla con nuestro ADN.

—No, venga. Seguro que no.

—Un simple pelo perdido sería suficiente. Un material como éste tiene que ser manejado con mucho cuidado, dado cómo son los forenses hoy en día. No es algo con lo que quieras estar relacionada, seguro. De hecho, no hay mucho material como éste. Es único en su género.

—¿Pep va a ponérselo?

—Y a contaminarlo, sin duda, con ADN catalán —sonrió—.

Pero entonces lo meteremos en una bolsa, la cerraremos y la incineraremos. Pero no habrá ninguna foto de la fealdad. No la queremos.

—Si las cámaras no pueden verla, ¿cómo podríamos fotografiarla?

—Las cámaras pueden verla. Las cámaras de vigilancia pueden verlo todo, pero luego olvidan lo que han visto.

—¿Por qué?

—Porque su arquitectura les dice que lo olviden, y a quien la lleva puesta también. Olvidan a la figura que lleva la camiseta fea. Olvidan la cabeza que hay encima, las piernas, pies, brazos, manos que hay debajo. Lo que la cámara ve, al llevar el sello, se borra de la imagen recordada. Aunque sólo si le pides que te muestre la imagen. Así que no hay nada sospechoso en lo que fijarse. Si le pides a la cámara cincuenta y tres que muestre lo que grabó el siete de junio, recupera lo que vio. En el acto de recuperación, el sello y la forma humana que lo lleva dejan de ser representados. Por virtud de la arquitectura profunda. Un acuerdo entre caballeros.

—¿Y ellos están haciendo eso ahora? ¿De verdad?

—Responder a eso requeriría una discusión muy compleja sobre qué puede significar «ellos». Imagino que es literalmente imposible decir quién lo hace. Basta decir que se está haciendo. De un modo larval, aunque funciona bastante bien. Nosotros vamos muy por delante con esta cultura de la cámara. Aunque no podemos rivalizar con Dubái. Todavía recibo partes y fragmentos de mi acción en la autopista, enviados por correo electrónico. Es la pega de tener amigos obsesivos a los que les gustan los ordenadores. Pero apuesto a que ninguno de esos amigos sabe nada de la camiseta fea. La camiseta fea es lo más. Lo más a lo que he llegado jamás, en realidad. Lo más, y es malo conocerla. Después de que esto se acabe, independientemente del resultado, no sabrás nada de la camiseta fea.

—Me están entrando muchas ganas de verla.

—La verás. Yo también quiero verla. ¿Adónde has ido?

—Volví a la tienda donde pregunté por primera vez por los Sabuesos.

Puso el regalo de la diseñadora en un sillón, se quitó la chaqueta y se sentó junto a él, el brazo sobre sus hombros.

—La conocí. A la diseñadora.

—¿Está aquí?

—Ya se marcha.

—¿Big End ha estado buscando algo que tenía justo delante de las narices?

—Creo que puede haber tratado de esconderse a plena vista, y estoy segura de que a ella le ha encantado hacerlo. Es la única persona que he conocido que ha tenido el mismo trabajo que yo tengo, así que para ella es algo personal.

—¿Tenéis algo en común?

—Espero no ser nunca tan consciente de la existencia de Bigend como ella. Sospecho que no estar de su parte se ha convertido en gran parte de quien es.

—Los titanes suficientemente perversos y gilipollas pueden convertirse en objetos religiosos —dijo él—. Santos negativos. La gente que los repudia, con suficiente pureza y fervor, bueno, hacen eso. Se pasan la vida encendiendo velas. No lo recomiendo.

—Lo sé. En realidad, nunca me ha desagradado Bigend. No como le pasa a alguna gente. Es como una fuerza de la naturaleza un tanto peculiar. No es seguro estar cerca de él. Como esas olas impredecibles de las que me hablabas cuando estábamos en Nueva York. Me agrada menos ahora, pero imagino que es porque es vulnerable, de algún modo. ¿Te ha contado qué es lo que pasa con Chombo?

—Ni idea. Por lo demás, estoy de acuerdo contigo. Es vulnerable. Gracie, Foley, Milgrim, Heidi y tú y los demás habéis formado una ola impredecible sin pretenderlo, y es algo que no podía haberse predicho. Pero él cuenta con una gran ventaja.

—¿Cuál?

—Ya cree que el mundo es así. Muéstrale una ola, e intentará cabalgarla.

—Me parece que tú eres igual. Me preocupa. Creo que es lo que estás haciendo ahora mismo.

Él le acarició el pelo sobre la oreja, lo alisó hacia atrás.

—Porque tú estás dentro.

—Lo sé, pero también porque puedes. ¿No es cierto?

—Sí. Lo es. Aunque después de esto ya no lo será del mismo modo. Para mí es obvio, y lo era antes de que me llamaras. Ya lo había visto en los techos de los hospitales. Y también el viejo. Lo supe cuando me habló de esto —indicó el cuadrado negro—. Esto es grande. Posiblemente lo más grande en lo que hemos estado metidos. No lo vi venir. El potencial, para hacer una gran hazaña, es fabuloso. Pero él me lo ha dado para facilitarme sacar del lío a mi novia y a su extraño jefe.

Ella reparó en la figurita de la Hormiga Azul en la mesilla de noche, junto al teléfono.

—¿Dónde está el GPS que traía? No quiero perderle la pista.

Él miró la hora en su reloj.

—A estas alturas debe estar surcando el Amazonas. En barco.

—¿El Amazonas?

Garreth se encogió de hombros, la rodeó con un brazo.

—Por correo. Lentamente. Si el señor Big End lo está rastreando, sabrá que le hemos gastado una broma. Si es otra persona, puede que piensen que te has ido al Amazonas.

—Alguien lo metió en mi maleta cuando fui a París.

—El personal.

—¿De aquí?

—Naturalmente.

—Eso da miedo.

—Pero lo he pensado todo. Y siempre estoy aquí, lo cual simplifica las cosas.

—¿Quién estuvo aquí antes?

—Charlie.

—¿Canoso, asiático, boina de cuadros?

—Charlie.

—Es casi igual de ancho que de alto.

—Es un gurka. Todo se les va a la cintura. Una joya, Charlie. ¿Cómo consigues hacer algo íntimo aquí, con todas esas cabezas y cosas mirando?

—No tengo ni la más remota idea. Nunca lo he intentado.

—¿Ah, no?

72

Smithfield

Milgrim salió de la ducha de Benny enfundado en una ajada bata de felpa marrón, con rayas verticales que originalmente debieron ser ocres y de un verde muy vivo, y sus zapatos Tanky & Tojo, sin abrochar, en los pies mojados. Fiona lo siguió, envuelta en el saco de dormir MontBell. Llevaba unas enormes chanclas de goma. Él esperó que no pillara pie de atleta. Esperó que no pillarlo ninguno de los dos. El suelo de hormigón de la ducha de Benny le había parecido terriblemente resbaladizo, y el agua hirviente hasta que de pronto se volvió helada. No era una ducha, sólo un cuadrado de hormigón en el suelo contra una pared. Y de hecho estaba oscuro, cosa de la que se alegró. No le gustaba pensar, ahora, qué aspecto debía tener desde atrás, bajo el brillante haz de la diminuta linterna de ella, con esta bata y los zapatos. No había toallas.

Se abrieron paso entre el campo de minas de vasos de papel y componentes de motores que cubrían el suelo del taller de Benny.

De vuelta al cubículo, Milgrim metió sus ropas en el microlavadero y cerró la puerta. Se dio un golpe en el codo al secarse con la bata, que olía levemente a gasolina.

—Aquí tienes la bata —dijo—. No está demasiado húmeda.

Abrió parcialmente la puerta y la tendió. Ella la aceptó.

Usó una de las grandes toallas suizas de Bigend para terminar de secarse y entonces se vistió. El suave rasgueo del fantasma sahariano de Jimi Hendrix llenó el cubículo y el lavadero.

—¿Diga? —la oyó decir—. Sí, un momento —su pálido brazo desnudo le pasó el iPhone—. Para ti.

Milgrim cogió el teléfono.

—¿Diga?

—La tarea —dijo Winnie.

Milgrim, que no se lo esperaba, no supo qué decir.

—No he tenido noticias tuyas —insistió ella.

—Lo he conocido.

—¿Y?

—No creo que esté trabajando para una de las compañías que describiste. Creo que es el novio de Hollis.

—¿Y por qué iba a contratar al novio de Hollis?

—Él es así —replicó Milgrim, más confiado—. Prefiere contratar a aficionados. Suele hablar de eso.

Le seguía sorprendiendo, levemente, estar contándole a alguien la verdad.

—No le gustan —se esforzó por recordar— los tipos de inteligencia estratégica comercial.

—Contratar a un aficionado, en su situación actual, sería suicida. ¿Estás seguro?

—¿Cómo puedo estar seguro? Garreth no me parece alguien que pertenezca a ninguna compañía. Tampoco parece un aficionado. Sabe lo que está haciendo, pero no sé qué es. Sin embargo creo que se acuesta con Hollis. Quiero decir, allí hay sólo una cama —cosa que le hizo pensar en la colchoneta, y en Fiona.

—¿Qué aspecto tiene?

—¿Treinta y tantos? Pelo castaño.

—Ése eres tú. Inténtalo con más fuerza.

—Británico. Como si fuera policía. Pero no lo es. ¿Militar? Pero no exactamente. ¿Atlético? Pero ha tenido un accidente.

—¿De qué tipo?

—Saltó del edificio más alto del mundo. Luego lo atropelló un coche.

Silencio.

—Por eso tendríamos que vernos las caras —dijo ella.

—Hollis me lo dijo. Una de sus piernas no funciona muy bien. Usa bastón. Y una de esas motitos eléctricas.

—Tenemos que vernos. Ahora.

Milgrim miró el teléfono y vio, superpuesto en él, el sello gubernamental de la tarjeta de Winnie.

—Te lo acabo de decir.

—Tendré que preguntarle a Fiona.

—Adelante —dijo ella, y colgó. Milgrim dejó el iPhone en el borde del lavabo y terminó de vestirse.

Salió con el teléfono en una mano y los zapatos y los calcetines en la otra.

Fiona estaba sentada ante la mesa, de nuevo con sus pantalones de motera y la camiseta Rudge puestos. Se estaba secando el pelo con la bata.

—¿Quién era? —preguntó, bajando la bata, los pelos dispersos en todas direcciones.

—Winnie.

—Americana.

—Sí —dijo Milgrim. Se sentó y empezó a ponerse los calcetines y los zapatos.

—No pude evitar oírlo —dijo Fiona.

Él alzó la cabeza.

—¿Qué es lo que tienes que preguntarme?

—Espera. —Terminó de atarse los zapatos. Cogió su mochila, que estaba al otro lado de la mesa, la abrió, rebuscó en su interior, encontró la tarjeta de Winnie. Se la entregó a Fiona.

Ella la leyó. Frunció el ceño.

—¿El Departamento de Defensa?

—SI-CD —asintió Milgrim, y luego deletreó el acrónimo.

—Nunca he oído hablar de ello.

—Winnie dice que casi nadie lo ha oído.

—¿Bigend sabe esto?

—Sí. Bueno, lo de esta llamada no. Ni lo de la anterior.

Fiona dejó la tarjeta sobre la mesa. Lo miró.

—¿Lo eres tú?

—¿Qué?

—Del SI-CD.

—¿En serio?

—Entonces, ¿cómo tienes relación con ella?

—Es complicado.

—¿Has cometido algún delito?

—Últimamente no. Nada en lo que ella pueda estar muy interesada. Va detrás de Gracie.

—¿Quién es ése?

—Tiene a Shombo. Gracie estaba vigilando a Bigend. Creía que era un competidor. En cierto modo, lo es. Así que ella empezó a vigilarme a mí. Ahora tengo que verme con ella.

—«Chombo» —corrigió ella—, no «Shombo». ¿Dónde?

—Creo que decidimos nosotros. Aquí no.

—Eso está claro.

—¿Tienes que decírselo a Hubertus? —preguntó él.

Ella colocó la punta del dedo índice sobre la tarjeta de Winnie, la movió levemente, como si fuera un pequeño tablero güija y estuviera adivinando algo.

—Mi relación con Bigend no es estrictamente comercial —dijo—. Mi madre trabajaba para él cuando yo era niña.

Milgrim asintió, pero en realidad sólo porque parecía ser lo adecuado.

—¿Ella va a intentar detener lo que sea que Garreth está haciendo para Bigend?

—Lo que quiere es fastidiar a Gracie —replicó Milgrim— por cualquier medio. Espera que Bigend lo haga por ella, porque no puede hacerlo ella misma.

Fiona ladeó la cabeza.

—Hablabas como una persona distinta. Como una clase de persona diferente.

—Ella podría explicártelo —comentó él—. Si fuera sólo cuestión de ir y reunirse con ella, yo lo haría, y se lo diría a Bigend cuando pudiera...

—Muy bien —dijo Fiona—. Tengo las llaves de la Yamaha. Llámala. Tendré que explicarle dónde puede encontrarse con nosotros.

—¿Dónde va a encontrarse con nosotros?

—En Smithfield.

Esta vez, al quitarse el casco impregnado de laca, que estaba empezando a aceptar como el precio inherente y no del todo injusto por montar en la moto con Fiona (y casi, posiblemente, de disfrutarlo), Milgrim se encontró bajo una especie de profundo y vidrioso alero, posiblemente de plástico, que se extendía en horizontal desde arriba por toda la cornisa de un edificio muy largo, aparentemente el único de esta manzana, ornamentado para los ojos norteamericanos, pero probablemente sólo funcional para sus constructores victorianos. Secciones de ladrillo alternaban con otras más estrechas de cemento gris. Un par de mensajeros esperaban montados en sus motos, las grandes Hondas que Fiona llamaba gusanos, a unos seis metros de distancia, fumando cigarrillos y bebiendo de latas altas.

—Quédate en la moto —dijo ella, quitándose el casco—. Puede que tengamos que marcharnos a toda velocidad. Si es así, ponte el casco y agárrate.

Milgrim sujetó el casco contra su costado.

Frente al Mercado se encontraba lo que le parecía el Londres genérico, una calle que se curvaba a lo lejos, relativamente poco tráfico, y ahora mismo ninguno en este carril inmediatamente adyacente, pero entonces oyó un motor que se acercaba. Fiona y él se dieron la vuelta al unísono. Uno de esos coches de dos puertas anónimos, normalmente japoneses, que a Milgrim le parecía que comprendían el grueso del tráfico londinense. No redujo la velocidad al pasar, pero vio la mirada del conductor.

Entonces sí redujo, después de dejar atrás a los dos mensajeros, y se detuvo varios coches más allá. Los mensajeros lo miraron, se miraron el uno al otro, soltaron sus altas latas, se pusieron los cascos, arrancaron sus motos y se marcharon. Entonces la puerta del asiento de pasajeros del coche se abrió y Winnie descendió, vestida con una gabardina beige sobre un traje pantalón negro. Cerró la puerta y se acercó a ellos. Era la primera vez que Milgrim la veía sin su sudadera de recuerdo de Carolina del Sur, y no llevaba una bolsa llena de juguetes. En cambio, traía una cartera de cuero negro y zapatos a juego. Al pasar junto a las dos latas, Milgrim percibió el taconeo de sus zapatos.

—Agente especial Whitaker —le anunció a Fiona cuando los alcanzó.

—Bien —dijo la chica.

El conductor bajó del coche. Era un hombre mayor que llevaba lo que Milgrim supuso que podría considerarse un sombrero fedora, una gabardina más o menos del color de la de Winnie, pantalones oscuros, grandes zapatos marrones. Cerró la puerta del coche y se quedó allí mirándolos.

—Milgrim y yo hablaremos en el coche —dijo la agente—. Él se pondrá al volante. Mi conductor esperará a distancia, donde usted pueda verlo. ¿Le parece bien?

Fiona asintió.

—Vamos —le ordenó Winnie a Milgrim.

Se bajó de la moto, sintiéndose torpe con el mono de nailon reforzado, y dejó el casco en el asiento. Ella lo acompañó al coche. Al pasar ante las latas, Milgrim vio que contenían una especie de zumo de manzana de marca extraña, pues los mensajeros londinenses eran conscientes de su salud aunque fumaban.

—Tu amiga no tiene ningún problema en plantear sus términos —dijo Winnie.

—Ya lo he oído. Pero tiene órdenes de no perderme de vista. Y estuvo de acuerdo en traerme aquí con muy poco tiempo de antelación.

Ella le abrió la puerta del lado del conductor.

Milgrim, que no había conducido un coche desde hacía una década o más, se puso al volante. El vehículo olía a ambientador, y tenía una gran medalla de san Cristóbal pegada al salpicadero. Winnie rodeó rápidamente el coche por atrás, abrió la puerta, se sentó en el asiento del pasajero, la cerró.

—Bonito traje —dijo Milgrim mientras ella cruzaba las piernas.

—Es una perversión por mi parte.

—¿Ah, sí?

—El azul marino o el gris marengo son la norma. Cuando una federal aparece llevando un traje de boda, siempre se describe como un traje negro. Una iba con un traje negro y la acusaron de estamparle a un tipo la placa en la cara. Llevaba un traje gris marengo de Brooks Brothers, las credenciales se mostraron lentamente, respetuosamente, a nivel del torso. Pero resulta que era un traje negro, y le estampó la placa en la cara. ¿Sabes qué es lo que tiene eso de raro?

—No.

—Nunca se muestran las credenciales, eso no se hace. Por eso las tarjetas son mucho mejor. La placa es algo salido de un juego de rol, una especie de sello de antigua condena. Cuando tu trabajo es construir relaciones y establecer una conexión, las credenciales son la muerte.

Milgrim la miró.

—¿Ése es tu trabajo?

—Estás aquí, ¿no?

Él reflexionó al respecto.

—Comprendo lo que quieres decir. ¿Quién es ese hombre? —preguntó, por cambiar de tema.

—Me alquila un dormitorio que le sobra. En realidad, el traje es por él. Si va a hacerme de chófer, imagino que puedo parecerme a su idea de lo que es una profesional.

El hombre caminó un poco, se detuvo y se quedó allí plantado con las manos en los bolsillos, mirando en lo que Milgrim supuso que era la dirección de la City. Se retorció en el asiento y vio que Fiona los estaba mirando, a lomos de la Yamaha; el pelo, un diente de león despeinado.

—¿Qué está pasando? —preguntó Winnie.

—Gracie y Foley han secuestrado a alguien que trabaja para Bigend...

—¿«Secuestrado»? Eso tiene un significado muy específico para mí. Es un delito. ¿A quién han secuestrado?

—A Shombo. Chombo, quiero decir. Trabaja para Bigend. Fueron a la casa del hombre con el que se alojaba Chombo, lo golpearon, lo amenazaron, y a su esposa y a su hijo también, y se llevaron a Chombo.

—¿Y no me lo dijiste?

—No he tenido tiempo —replicó Milgrim, lo cual era verdad en cierto modo—. Y he tenido que deducir muchas cosas.

—¿A qué se dedica Chombo?

—Parece que es una especie de investigador de uno de los proyectos de Bigend. Y lo quiere recuperar.

—¿La exigencia de rescate?

—Yo.

—¿Tú qué?

—Yo soy el rescate. Me lo dijo Fiona. Lo descubrió cuando Garreth le encomendó su tarea.

—Continúa.

—Van a entregarle a otro tipo. Ajay. Están haciendo que se parezca a mí lo máximo posible. Creo que era soldado. O algo por el estilo.

Winnie silbó. Sacudió la cabeza.

—Mierda —dijo.

—Lo siento.

—¿Qué quiere Garreth que haga Fiona? ¿Lo sabes?

—Que teledirija un miniavión no pilotado de vigilancia cuando lo hagan.

—¿Hacer qué?

—No lo sé. Recuperar a Chombo.

Winnie lo miró con el ceño fruncido, tamborileó con los dedos de una mano sobre una rodilla, apartó la mirada, y luego lo miró de nuevo rápidamente.

—Gracias a Dios por los permisos en ruta.

—Lamento no habértelo dicho antes.

—Garreth.

—¿Garreth?

—Vas a encargarte de que pueda hablar con él. Lo más pronto posible. Esta noche.

Milgrim miró al san Cristóbal.

—Puedo intentarlo. Pero…

—Pero ¿qué?

—No lo traigas a él. —Se refería al detective jubilado de Scotland Yard, pero manteniendo las manos por debajo del nivel del salpicadero.

—Por teléfono. Y no será mi teléfono tampoco. Tendrá un número desechable. Consíguemelo.

—¿Por qué quieres hablar con él? Me lo preguntará.

—Está construyendo algo. Lo está construyendo para Gracie. No quiero saber qué es. Para nada. El tema del secuestro pone las cosas bajo un prisma diferente.

—¿Por qué?

—Me da que Gracie está perdiendo el norte en este asunto. Como si fuera una aventura de una crisis de madurez. Secuestro. Igual que hacen ciertos tipos con los descapotables rojos. Un hombre de negocios, en su posición, no puede permitírselo. En absoluto. Pero no te enseñan a hacer negocios en clase. Claro que él no lo sabe.

—¿Qué tengo que decirle a Garreth?

—Dile que no será mucho tiempo. No tendrá que decirme nada, admitir nada, proporcionar ninguna información. No será grabado. Puede emplear *software* de distorsión de voz, cosa que hará de todas formas a menos que sea de verdad un aficionado, en cuyo caso es probable que acabéis todos entre rejas, muy pronto, y no habrá nada que yo pueda hacer para impedirlo. Dile que tengo un huevo de Pascua para él. Y lo que le daré no es mío, en modo alguno. No tiene nada que ver conmigo.

—¿Por qué debería creerte?

—Por el contexto. Si es bueno, podrá averiguar quién soy, y de dónde vengo. Pero lo que no obtendrá con eso es que voy a por Gracie. Eso es cosa tuya. Tienes que comunicárselo. Que es personal. —Sonrió de un modo que a Milgrim no le gustó—. Tal vez ésta sea mi propia aventura de la crisis de madurez.

—Muy bien —respondió él, sin considerar que lo fuera en modo alguno.

—Pero dime una cosa.

—¿Qué?

—Si es a ti a quien quieren intercambiar por el tipo de Bigend, ¿por qué te lleva una chica por ahí de paquete en su moto? ¿Por qué no estás encerrado, vigilado a todas horas?

—Porque Bigend casi no tiene nadie en quien pueda confiar ahora mismo.

—La cosa está complicada —dijo ella con un tono que él interpretó que era de una especie de satisfacción—. Bájate. Ya tienes tus órdenes. Vete.

Milgrim se bajó del coche. Al ver que el hombre de la gabardina se acercaba, dejó la puerta abierta. Se dio media vuelta y se marchó, pasando ante las dos latas de zumo de manzana, centinelas solitarios en Smithfield, mientras Fiona ponía la moto en marcha.

73
El amigo remendado

Garreth dormía en la oscuridad junto a ella, el fondo redondo y acechante de la jaula de pájaros apenas visible con el leve brillo de los indicadores de carga de su portátil y los diversos teléfonos: diminutos puntos brillantes rojos y verdes, una constelación de problemas potenciales.

Ella había conocido a Frank, por fin y verdaderamente, y había resultado más fácil acostumbrarse a él de lo que había imaginado, aunque al principio lloró un poco.

Frank había sido estabilizado en Singapur, y luego reconstruido de diversas maneras, en una odisea quirúrgica financiada por el viejo. Frank había visto instalaciones arcanas en Estados Unidos, alas fantasmas de hospitales militares, por lo demás en funcionamiento diario. En uno de ésos, el hueso roto fue sustituido por segmentos a medida de ratán calcificado, sujetos con tornillos de cerámica cuyo ingrediente principal era el constituyente primario del hueso natural. El resultado, hasta ahora, era Frank, un ser remendado, más puntos que piel. Un mosaico tenso y brillante que le recordaba a Hollis un jarrón de cerámica muchas veces reparado.

Garreth le contó que al principio había sido partidario de eliminarlo, pues sabía un poco sobre el estado actual de las prótesis, un campo que estaba siendo impulsado rápidamente por las guerras de Estados Unidos, con sus enormes mejoras en las tasas de supervivencia a las heridas. Pero los cirujanos que el viejo le había procurado eran gente dispuesta a correr riesgos, según le dijo, y acabó contagiado de su ansiedad por ver qué podían hacer, estirando al límite lo posible. Esto hizo que ella volviera a llorar, y él la abrazó, y bromeó, hasta que se le pasó. También acabó por sentir curiosidad por los niveles oficialmente inexistentes de experiencia y tecnología que asumía, correctamente, que estaban implicados. Algo que exigió el corte temporal de ciertos nervios fue lo que menos gracia le hizo, dijo; las recientes intervenciones en Alemania habían sido para volver a conectarlos, para que ahora pudiera sentir, cada vez más, lo que sentía Frank. Lo cual, aunque no era en modo alguno agradable, era muy superior a la anterior desconexión, y absolutamente esencial para que pudiera volver a caminar.

Iba haciendo las vendas progresivamente más pequeñas cada vez que las cambiaba. El resto de Frank era aquel cuadrado aéreo tipo Kansas de dermis rehecha con su tranquilizadora forma de pierna, aunque un poco marchita por la falta de uso.

La mayoría de los animales, le contó, al parecer en serio, preferían compañeros de simetría bilateral, hasta el grado de que formaba una especie de requisito básico en todas las formas de vida, así que comprendía que se sintiera así. Ella le dijo que el requisito básico por lo que a ella se refería eran los hombres que no parecieran unos completos idiotas, y lo besó. Después de eso, más besos, muchos más, risas, algunas lágrimas, más risas.

Ahora ella yacía entre el diminuto brillo de las pantallas LED, y el obligado silencio, la ausencia de mensajes, un buzón de entrada vacío, esta paz, aquí en la cama Piblokto Madness, que ya no le parecía eso, el arco de la mandíbula de la ballena incluso indicando algo matrimonial, si lo pensaba, cosa que todavía no estaba dispuesta a hacer.

Pero muy bien ahora. Pero muy bien hasta el momento. La respiración de él a su lado.

Bajo la almohada, el iPhone empezó a vibrar. Deslizó la mano por debajo, lo cogió, consideró la opción de no atender la llamada. Pero éstos no eran tiempos para no atender llamadas.

—¿Diga? —susurró.

—¿Qué ocurre? —era Milgrim.

—Garreth está dormido.

—Lo siento.

—¿Qué pasa?

—Es complicado. Una persona tiene que hablar con él.

—¿Quién?

—Por favor, no te hagas la idea equivocada —susurró Milgrim—, pero es una agente federal norteamericana.

—Es una de las peores ideas que he escuchado en mucho tiempo —dijo Hollis, olvidándose de susurrar.

—¿Qué pasa? —preguntó Garreth.

—Es Milgrim.

—Pásamelo.

Ella cubrió el teléfono, advirtiendo que no tenía ni idea de dónde podría estar el micro, o si cubrirlo serviría de algo.

—Quiere que hables con una agente norteamericana.

—Ah, ya empiezan a ir saliendo las cosas raras —dijo él—. La zona localizada de altas presiones de lo curioso empieza a manifestarse. Pasa siempre. Dame el teléfono.

—Tengo miedo.

—Es completamente lógico —extendió la mano, le dio un apretoncito en el brazo—. El teléfono, por favor.

Ella se lo entregó.

—Milgrim —dijo Garreth—. Hemos estado trabajando en la red, ¿no? Tranquilo. ¿Tiene nombre ella?

Y Hollis oyó el roce de un bolígrafo sobre papel mientras él escribía en la oscuridad, algo que hacía muy bien.

—¿Sí? ¿De veras? ¿Lo dijo ella misma?

Notó que se apoyaba en las almohadas para erguirse. Cuando abrió el portátil, su luz era la luz de una luna extraña y distinta. Una luna afortunada, esperó. Lo oyó teclear, con una mano, mientras le iba haciendo preguntas a Milgrim, preguntas breves, y escuchaba respuestas más largas.

74
Mapa, territorio

Los tacones de los zapatos Tanky & Tojo de Milgrim, mientras permanecía sentado a horcajadas en el alto asiento trasero de la Yamaha de Benny, no llegaban a tocar el empedrado de esta diminuta plaza. Algo en el ángulo de sus pies le llevó a recordar un dibujo de su infancia de Don Quijote, aunque no sabía si aquellos pies eran del caballero o de Sancho Panza. Fiona estaba sentada delante de él, más baja, las botas firmes sobre la acera, sosteniéndolos. Milgrim tenía el iPhone tras su espalda, y veía exactamente dónde se encontraban ahora en la brillante ventana a través de la aplicación que ella le había enseñado antes: entre estas estrechas calles, su ojo volvía a Farringdon, la línea recta hasta el puente, el río, Southwark, el cubículo Vegas. La ruta entera por primera vez.

Telefoneó a Winnie desde este patio y le leyó el número que Garreth le había dado. Lo había escrito en la parte posterior de la tarjeta, que se estaba convirtiendo en un objeto más blanco; sus afiladas esquinas, redondeadas. Ella se lo volvió a leer, lo hizo comprobarlo.

—Buen trabajo —dijo—. Permanece a la espera por si no puedo contactar con él.

Pero habían pasado ya ocho minutos, así que suponía que estaba al teléfono con Garreth.

El casco amarillo de Fiona se volvió.

—¿Terminado? —preguntó, la voz apagada por la visera.

Milgrim miró la pantalla, el brillante mapa. Lo veía como una ventana al tejido subyacente de la ciudad, como si sostuviera algo de donde habían arrancado una lasca rectangular de la superficie de

Londres, revelando un sustrato de brillante código. Pero, en realidad, ¿no era todo lo contrario, no era la ciudad el código subyacente al mapa? Había una expresión al respecto, pero nunca la había comprendido, y ahora no podía recordar cómo era. ¿El territorio no era el mapa?

—Terminado —contestó, devolviéndole el teléfono. Ella lo apagó y se lo metió en el bolsillo, mientras él se ponía el casco de la señora Benny y se ajustaba las correas por debajo de la barbilla, sin advertir apenas la laca.

Puso los pies en los estribos cuando ella echó a rodar, y se apretó contra la espalda reforzada, viendo las viñetas brillantes como el día de las paredes iluminadas por los faros mientras ella daba la vuelta, el motor de la Yamaha sonando como si estuviera ansioso por llegar al puente.

¿De qué estarían hablando Winnie y Garreth?, se preguntó mientras Fiona salía del patio y enfilaba el carril hacia Farringdon Road.

75
Por las redes oscuras

Mientras observaba a Garreth escuchando en sus auriculares, se preguntó qué estaría diciendo la agente norteamericana.

Lo había visto sacar un teléfono que no había visto antes de una bolsa de plástico sellada al vacío, y luego instalar una tarjeta seleccionada de una cartera de nailon negro que contenía unas cuantas docenas más, como carpetas duplicadas de una colección de sellos muy aburrida. Conectó el nuevo teléfono a un transformador, y luego, con otro cable, a algo negro y más pequeño. Cuando el nuevo teléfono sonó, el tono era una variante del Teléfono Antiguo, su propia opción más frecuente.

Ahora escuchaba, de vez en cuando asentía levemente, los ojos en la pantalla del portátil, el dedo índice hurgando, como por su propia cuenta, en las teclas y el ratón. Ella sabía que había vuelto a consultar en sus redes oscuras para comunicarse con el viejo o con alguna tercera fuerza desconocida. Parecía que no había ninguna publicidad en las redes oscuras de Garreth, y relativamente poco color, aunque suponía que eso se debía a que tendía a leer principalmente documentos.

Ahora apareció la foto de una mujer, china, treinta y tantos años, el pelo dividido por la mitad, sin expresión, al estilo de una fotografía biométrica de pasaporte. Garreth se inclinó un poco hacia delante, como para verla mejor, y escribió algo en su cuaderno.

—Eso no nos sería de mucha ayuda —dijo—. Tengo ya mejores números.

Volvió a guardar silencio, escuchó, abriendo pantallas en el portátil, tomando notas.

—No. Lo tengo ya. No creo que pueda hacer mucho por mí. Lo cual es una lástima, considerando su disposición. Lo que sí me vendría bien sería algo más pesado. Masivo, en realidad. Y los artículos estarán allí. Merecerán la pena, ampliamente. Lo masivo vendrá solo, imagino. Pero si fuera inmediato, mejor —escuchó de nuevo—. Sí. Por supuesto. Hágalo. Buenas noches.

Tocó el teclado y la fotografía desapareció. Miró a Hollis.

—Ha sido muy extraño.

—¿Era ella, la de la foto?

—Probablemente.

—¿Qué quería?

—Ofrecía algo. No era realmente lo que más me gustaría, pero tal vez lo consiga.

—¿No me dirás qué es?

—Sólo porque estarías menos segura sabiéndolo a estas alturas —le apartó el pelo de la cara, lo echó a un lado—. ¿Sabes lo que deberías llevarte, si fueras a marcharte para siempre? No más de lo que puedas llevar a la carrera.

—¿Para siempre?

—Probablemente, no. Pero es mejor asumir que no podrías volver.

—Los ejemplares de autor, no —señaló las cajas.

—No. Pero en serio, haz la maleta.

—No voy a ir a ninguna parte sin ti.

—Ése es el plan. Pero haz la maleta ahora, por favor.

—¿Es demasiado grande? —Hollis señaló su maleta de ruedas.

—Perfecto, pero no la cargues mucho.

—¿Es por algo que te ha dicho?

—No, es porque dudo que tengamos mucho más tiempo. Haz la maleta.

Ella colocó la maleta vacía sobre el sillón más cercano, abrió la cremallera y empezó a seleccionar cosas de los cajones del armario. Añadió el jersey tubo de la diseñadora de los Sabuesos. Entró en el cuarto de baño y recogió las cosas de la encimera.

—¿Cómo está Frank? —preguntó al salir.

—Quejándose, pero tiene que acostumbrarse.

Hollis advirtió la figurita de Hormiga Azul en la mesilla de noche. La cogió. Tú te vienes, pensó, sorprendiéndose a sí misma, y la metió en la maleta junto con los frascos y tubos de productos.

—¿No vas a necesitar ningún tipo de seguimiento a la cirugía neural?

—A una mujer en Harley Street —respondió él—, en cuanto pueda.

—¿Y cuándo podrás?

—Cuando esto se acabe.

Empezó a sonar un teléfono. Otra variante del Teléfono Antiguo. No era el de ella. Garreth se sacó un teléfono del bolsillo, lo miró. Respondió a la tercera llamada.

—¿Sí? ¿Desde ahora? ¿Escenario? ¿No? Crucial —pulsó una tecla.

—¿Quién?

—Big End.

—¿Qué?

—Ya estamos. Noventa minutos.

—¿Qué es crucial?

—No sabemos dónde. Cuestiones de escenario. Necesitamos exteriores, necesitamos intimidad. Pero ellos también. ¿Preparada?

—Todo lo que puedo estarlo.

—Llévate un jersey. La parte de atrás de la furgoneta no tiene calefacción —sacó un segundo teléfono—. Mensaje para todos —dijo, pulsando unas cuantas teclas diminutas. El teléfono pitó.

Ella echó un vistazo a la Número Cuatro. El papel de pared con sus partes de insecto, los estantes con sus bustos y cabezas. ¿Volvería a ver esto?

—¿Vas a llevarte la moto pequeña?

—No más allá de la puerta —respondió él, levantándose de la

cama con la ayuda de su bastón—. Le toca el turno a Frank —dio un respingo.

Ella acababa de ponerse un jersey.

—¿Te encuentras bien?

—La verdad es que sí. Sé buena chica y coge la camiseta fea de la cajonera junto a la cama. Y el otro paquete, el más pequeño.

—¿Qué es eso?

—Casi nada. Y un mundo de preocupación para alguien. Rápido. Hay una furgoneta vegetariana esperándonos.

—¿Qué coño pasa? —preguntó Heidi, desde el otro lado de la puerta de la Número Cuatro.

Hollis abrió.

Heidi estaba allí, mirándola, la chaqueta de *majorette* abierta sobre un sujetador del ejército israelí.

—Ajay acaba de recibir un mensaje de texto, ha salido corriendo pasillo abajo, y ha dicho que tenía que ver a su prima. —Vio a Garreth—. ¿Has sido tú?

—Sí, pero tú vienes con nosotros.

—Sea lo que coño sea —dijo Heidi—, yo voy con…

—Nosotros —interrumpió Garreth—, pero no si vas a retrasarnos. Y ponte una camisa. Zapatillas de deporte, no botas. Por si hay que correr.

Heidi abrió la boca, la cerró.

—Hora de irnos —anunció Hollis, cerrando la cremallera de su maleta.

—No sin los regalitos —dijo Garreth.

76
Chica lejana

Milgrim se quedó allí de pie, sintiéndose perdido, recordando el sonido de la Kawasaki de Fiona perdiéndose en la nada.

Había recibido un mensaje de Garreth y se marchó, dejando su sándwich de pollo y beicon sin comer sobre la mesa del cubículo Vegas, pero no antes de colocar un trozo de cable de nailon transparente a los diminutos ojales, delanteros y traseros, del pingüino pintado de reflectante. Él la ayudó a hacerlo pasar por la puerta, y Fiona lo ancló a la enorme caja de herramientas rojas de Benny colocando un martillo sobre el sedal de pescar. Entonces regresó rápidamente al cubículo, donde le entregó el iPhone del pingüino.

—Esa furgoneta en la que te traje volverá dentro de poco —le dijo—. Espera en el patio con el pingüino, ¿de acuerdo? Cabrá en la parte trasera.

—¿Adónde vas?

—No lo sé.

Se cerró la cremallera de la chaqueta.

—¿Yo iré al mismo sitio?

—Depende de Garreth —respondió ella, y durante un instante él se imaginó que estaba a punto de besarlo, tal vez en la mejilla, pero no lo hizo—. Cuídate.

—Tú también.

Entonces salió por la puerta y se marchó.

Milgrim volvió a envolver su sándwich con cuidado y lo guardó en uno de los enormes bolsillos laterales de la chaqueta de nailon, que se había dejado puesta. Se lo daría si la veía más tarde. Entonces reparó en el casco negro de la señora Benny sobre la mesa, e interpretó que no montaría con Fiona en la moto esa noche. Lo recogió y olisqueó el interior, en busca del olor de la laca, pero no pudo encontrarlo ahora.

Se echó al hombro la mochila con el Air, apagó la luz de la lámpara italiana y salió cerrando la puerta tras él. Si había un modo de cerrar con llave, no lo conocía.

Se acercó a la caja de herramientas de Benny, liberó al pingüino, y salió al patio, el cable en el puño izquierdo, que mantuvo en alto, como si estuviera sujetando una agarradera en el metro.

—¿Vas a salir? —preguntó Benny. Sujetaba una de las cubiertas de fibra de vidrio.

Milgrim no tenía ni idea de que estuviera aquí. ¿Hasta qué hora trabajaba? ¿O era ahora otro engranaje en el plan de Garreth?

—Van a venir a recogerme —contestó.

—Que te lo pases bien, entonces —dijo Benny, al parecer sin prestarle ninguna atención al pingüino—. Yo cerraré con llave.

Entonces llegó el pequeño vehículo japonés con las cortinas y el techo transparente. Un miniconductor japonés, que parecía tener unos quince años, con una camisa blanca almidonada.

—Le ayudaré a poner eso en la parte de atrás —dijo con acento británico. Apagó el motor y bajó del coche.

—¿Adónde vamos?

—No me lo han dicho todavía, pero tenemos un poco de prisa.

77
Pantalla verde

La rueda rota de la maleta despertó, como un ominoso artilugio de medición, mientras la arrastraba por el pasillo hacia el vestíbulo trasero. Iba a decirle adiós al hurón, aunque dudaba que pudiera explicárselo a nadie. Garreth tal vez comprendería, pues tenía sus propias formas extrañas de tratar con el miedo. Vio la silla-motito vacía, abandonada junto a la puerta de cristal en la que esperaba Robert.

—Enhorabuena, señorita Henry —dijo, de manera inexplicable y hasta tierna, mientras abría la puerta y la sujetaba para ella. Después de haber advertido claramente una multiplicación de caprichos arquitectónicos idénticos en las acuarelas de arriba, más su momento con el hurón, ella no quiso arriesgarse a más liminalidad, así que le dio las gracias, sonriendo, y pasó de largo y salió a un pórtico que supuso había sido construido para coches de caballos. Luego se dirigió hacia la parte trasera de la alta furgoneta de Comidas Lentas, que estaba allí aparcada. La furgoneta era alta, grande, y estaba recién pintada, con un rico tono berenjena, con letras de color bronce oscuro, como si la reina misma fuera vegetariana, si es que los de Comidas Lentas eran vegetarianos y aficionados a Aubrey Beardsley.

—Hola —saludó la conductora, pelo castaño bajo la gorra foleyesca, hermosa y noruega. Camionera y actriz profesional. Hollis lo sabía porque había oído a Garreth contratarla, a través de un tercero, aunque no había advertido hasta ahora de qué se trataba—. Hay dos paneles aislados con cremallera dentro de estas puertas —dijo, indicando la parte trasera de la furgoneta—. Le abriré la primera, la cerraré, y luego usted abre y cierra la segunda. Es para asegurarnos de que no escape la luz. ¿Está claro?

La muchacha sonrió, y Hollis se encontró devolviéndole la sonrisa. Sabía que además de para conducir estaba allí para encargarse de las autoridades por si había algún problema con el lugar donde aparcaran luego. Ahora abrió una de las puertas traseras de la furgoneta, revelando una tensa pared de lona negra, como algo propio de un truco de magia, y subió tres escalones plegables de aluminio de aspecto muy recio, donde abrió una alta cremallera vertical.

—Deme la maleta.

Hollis se la pasó. La conductora la metió en la abertura, bajó de la escalera. Ella subió entonces los tres escalones, atravesó la abertura, notando los dientes de plástico de la cremallera contra su muñeca, y entonces se dio la vuelta y bajó la cremallera casi hasta abajo del todo. La muchacha la terminó de cerrar; Hollis quedó sumida en la más absoluta oscuridad.

Tras ella, la otra cremallera subió, dejando paso a una luz sorprendentemente brillante. Hollis se dio media vuelta y vio a Garreth, y tras él a Pep, que llevaba lo que supo al instante que debía ser la camiseta fea.

—No pensé que fuera literalmente tan fea —comentó, atravesando la segunda cremallera.

Lo era. Pep, con pantalones negros de ciclista, llevaba puesta la camiseta más grande y más fea que Hollis había visto en su vida, una prenda de algodón fina y barata del color de los aparatos de ostomía, ese mismo tono de piel caucásica imaginario. Eran rasgos enormes extendidos en un semitono negro mate, ojos asimétricos a la altura del pecho, una boca ceñuda a la altura de la entrepierna. Más tarde ella sería incapaz de decir qué era tan feo, excepto que se trataba de algo que iba mas allá del *punk*, más allá del arte, y era fundamentalmente, de algún modo, una afrenta. Las líneas diagonales en los bordes continuaban tras los lados y en las mangas cortas y sueltas. Pep le sonrió, o tal vez sólo se lo pareció, y se sacó por encima de la cabeza una bolsa de mensajero verde oscuro para meter dentro lo que Hollis reconoció como otro recuerdito de Garreth.

—No te olvides de quitarte esa bolsa —dijo su novio. Estaba sentado en un sillón negro que parecía conectado al brillante suelo color berenjena—. Si no, estropea la vista.

Pep hizo una mueca, o tal vez sonrió, en respuesta, y luego pasó de largo, atravesando la cremallera abierta de la segunda tela de lona negra. Ella vio los mismos rasgos horribles repetidos en la parte posterior de la camiseta. El catalán se agachó, recogió su maleta, la depositó en el interior y luego corrió la cremallera y desapareció. Ella oyó la otra cremallera abrirse y cerrarse, y después el sonido de la puerta al cerrarse también.

Se volvió hacia Garreth; vio que estaba montando su portátil negro en una especie de abrazadera que se extendía desde un armazón de tubo de plástico negro. El tubo, como un modelo geométrico de un sólido rectangular, casi llenaba el interior de la furgoneta. Como el sillón de Garreth, estaba sujeto con esa cinta negra no reflectante que se usa para unir las películas. Había cosas montadas en el armazón: dos pantallas de plasma, una encima de la otra, cables, cajas y trozos de cable conectados, y varias lámparas LED de aspecto muy elegante.

—¿Adónde vamos? —preguntó Heidi, un poco temerosa, sentada en el suelo en la parte delantera, la espalda contra otra cortina cerrada de lona negra.

—Deberíamos saberlo dentro de poco —dijo Garreth mientras terminaba de plantar el ordenador en su sitio, de modo que quedó ante él en una especie de mesa invisible.

—¿Donde ha ido Ajay?

—Donde vamos a ir nosotros, pero con Charlie.

Olía a pegamento, artilugios electrónicos nuevos, luces.

—Siéntate junto a Heidi —le indicó Garreth mientras Hollis oía cerrarse la puerta del conductor—. Hay una colchoneta.

Se sentó.

—Loca —dijo Heidi, los ojos muy abiertos, mirando de Hollis al entramado que las rodeaba—. Claustrofobia.

—¿Qué ocurre? —preguntó su amiga.

—La tengo.

El conductor arrancó. La furgoneta se alejó del Gabinete.

Trato hecho, le dijo Hollis al hurón, en silencio, aunque no era consciente de haber hecho ningún trato.

—Nunca te había oído decir que tuvieras claustrofobia.

—Fujiwara dice que es por haber estado casada con el mierda pinchada en un palo, y que por eso acudí a él en primer lugar. Yo creía que sólo quería hacérselas pasar canutas a alguien, ¿sabes?

—¿Y no era eso?

—Cuando me calmó, construyendo maquetas, pude ver que no quería estar atrapada.

—¿Terminaste tu Bestia Calzadora?

Hollis pensó que podría ayudarle haciéndola hablar.

—No con suficiente detalle —dijo Heidi, tristemente.

—¿Tenemos ya un TLP? —le preguntó Garreth a alguien. Hablaba con una especie de código entrecortado pero tranquilo con un número desconocido de gente, el micro conectado a un conmutador con línea a una galaxia de teléfonos.

—¿Y nosotros? —dijo Heidi—. ¿Lo tenemos?

—Calla. Tiene que concentrarse.

—¿Entiendes lo que está haciendo?

—No, pero es complicado.

—La prima de Ajay lo cubrió de maquillaje blanco. Llenó el corte de su nariz con masilla. Le tiñó el pelo de marrón mierda y esparció color por sus sienes.

—Quieren que lo confundan con Milgrim.

—Eso ya lo sé. Pero ¿por qué?

—Alguien ha secuestrado al investigador estrella de Bigend. Exigen intercambiarlo por Milgrim.

—¿Y por qué?

—En realidad, parece que porque lastimaste con ese dardo al

hombre que os seguía, aunque Milgrim ya había metido la pata antes.

Heidi, sus grandes manos blancas tensas sobre las rodillas, las uñas negras recortadas, miró a Hollis con una seriedad absoluta.

—¿Te estás quedando conmigo?

—No.

—¿Qué son, maricas?

Hollis, mientras preparaba su respuesta, vio que Heidi se esforzaba por no reír. Le dio rápidamente un golpe con los nudillos en las costillas.

—Listo —anunció Garreth, la mano extendida para enmudecer todos los teléfonos—. En los Scrubs. El modelo funcionó. Situación óptima. A menos que haya viento.

—¿Qué modelo? —preguntó Hollis.

—Alguien de la Universidad de Colorado nos hizo uno. Scrubs era lo mejor para nosotros. Disculpadme.

Apartó la mano del conmutador y empezó a teclear. La furgoneta redujo velocidad, sonó el claxon, cambió de carril, se detuvo un instante, giró.

—Scrubs, querida —le dijo a alguien más—. Te necesito en el aire. No te saltes semáforos, no corras, llega.

—¿Qué está pasando? —preguntó Heidi en voz baja.

—Creo que hemos acordado dónde hacer el intercambio —dijo Hollis—. Creo que nos gusta.

—Van a encontrarse con una versión fea de mi novio Bollywood —Heidi se encogió de hombros.

—Creí que intentabas no llegar tan lejos.

—Lo intentaba.

—¿Te encuentras mejor?

—Sí —dijo Heidi, y se metió la mano bajo la chaqueta de *majorette* para frotarse las costillas—, pero volverá la claustrofobia si no puedo salir de esta puñetera furgoneta.

—Ahora tenemos un sitio al que ir —dijo Hollis.

—Todavía no —le dijo Garreth a alguien—, pero está en el aire.

Entonces dijo algo en un idioma que Hollis no reconoció, y guardó silencio.

—¿Qué idioma era ése? —preguntó mientras la furgoneta daba otro giro.

—Catalán.

—No sabía que lo hablabas.

—Sólo sé decir cosas muy desagradables sobre su madre —se irguió en el asiento—. Perdón —volvió a guardar silencio—. Plenamente operativos —dijo por fin—. Hasta ahora, óptimo —volvió a guardar silencio—. Lo agradezco, pero no. Tendrás que retenernos. Fuera de la zona. Tengo mucho sobre el terreno. Demasiadas partes en movimiento para tener a alguno de los tuyos en la mezcla. No es negociable, no. —Vio su mano bajar hacia el conmutador—. Cabrón.

—¿Qué?

—El hijo de puta tenía una ambulancia privada lista, o eso dice. Y especialistas de guardia en Harley Street, por si Chombo resulta herido.

—No se me había ocurrido.

—A mí sí. Tenemos apoyo médico propio. La ambulancia de Big End no tendrá sólo equipo médico. Será un grupo para hacerse con Milgrim.

—¿Sabe dónde está?

—Lo llaman primero.

—¿Y es muy malo eso?

—No sé decirte —respondió él. Apartó la mano del conmutador, y sonrió de inmediato—. Perfecto —dijo—. Magnífico. ¿Encima? Dame la situación. ¿Cuatro? ¿Alejándose? Retrocede, baja. Acércate a medio metro del suelo con un coche intermedio. Necesito el número, marca, modelo. Luego asegúrate de que no haya nadie dentro. Pero nada de IR, por si se refleja en el cristal y lo ven.

—Infrarrojos —dijo Heidi.

La pantalla superior montada en los tubos negros se encendió, un verde osciloscopio gastado. Redujo la intensidad de la luz.

Hollis y Heidi se acercaron a mirar la pantalla, arrastrándose por la colchoneta. Imagen de una cámara móvil, abstracta, ilegible. Entonces Hollis vio una gran matrícula británica, como grabada por un robot en el fondo del mar.

—Buena chica —dijo Garreth—. Ahora elévala un poco y danos una buena vista interior. Luego síguelos. El del paquete: ése es Gracie. Síguelo y no lo pierdas —volvió a tocar el conmutador, se volvió—. No queremos el paquete —le dijo a Fiona, y luego se volvió hacia la pantalla verde.

78
El Lissitzky

—¿Le apetece un agua mineral o fruta? —preguntó el conductor—.
La cesta está ahí mismo.

Milgrim, sentado en el suelo tras el asiento de pasajeros, advirtió
la pequeña cesta por primera vez. Había estado viendo al pingüino
hacer juegos malabares contra el techo descubierto y preguntándose qué sucedería si se disparaba la Taser.

—¿Hay *croissants*? —preguntó, inclinándose hacia la cesta.

—No, lo siento. Manzanas, plátanos. Pan de gambas.

—Gracias —dijo, y se metió un plátano en el bolsillo. Quería
preguntarle al conductor qué estaban haciendo en mitad de la noche con un pingüino robótico pintado de reflectante y lleno de helio, pero no lo hizo. Sospechaba que el hombre no tenía ni idea y era
un conductor agradable, atento, enormemente bueno, alguien que
conocía muy bien la ciudad. Así que Milgrim optó por no preguntar
nada. Adondequiera que fuesen era donde quería Garreth que fuesen, y quizá Fiona estaría también allí.

El pingüino rodó suavemente cuando ejecutaron un giro. Milgrim sentía la escrupulosidad del muchacho al conducir: no cometía
ninguna infracción, probablemente conducía dos kilómetros por
debajo del límite de velocidad. Había visto a gente, a veces gente
bastante poco recomendable, conducir así cuando iban a traficar
con droga. Transaccional, lo consideraba. En realidad, toda la noche parecía completamente transaccional, aunque nunca le habían
ofrecido agua mineral o fruta cuando hacía algo así.

El muchacho llevaba uno de esos micros diseñados para parecer
lo más posible, o eso pensaba Milgrim, un *flipper* de una máquina

del millón pegado a la oreja. Periódicamente hablaba por él en voz baja, aunque sólo para responder sí o no, o para repetir nombres de calles que Milgrim olvidaba al momento. Supuso, sin embargo, que el muchacho sabía ahora adónde iban.

Y de repente, sin aviso previo, pareció que habían llegado.

—¿Dónde estamos? —preguntó.

—Wormwood Scrubs.

—¿La prisión?

—Little Wormwood Scrubs —respondió el conductor—. Cruce la carretera, recto desde aquí, siga recto, llegue al césped. Él dijo que le dijera que ella estará bajo una manta de camuflaje y tal vez sea difícil verla.

—¿Fiona?

—No lo dijo —contestó rápidamente el muchacho, como si no quisiera implicarse más. Bajó del coche, cerró la puerta, lo rodeó rápidamente y abrió la puerta del otro lado.

Milgrim mantuvo el pingüino bajo, apartado de la luneta, mientras salía como un cangrejo para abrir la puerta trasera. Había algo inherentemente alegre en la fuerza de sustentación de un globo, pensó. El día que descubrieron por primera vez los gases flotantes debió ser un día maravilloso. Se preguntó qué le habrían metido. Seda barnizada, supuso, imaginando por algún motivo el patio del Salon du Vintage.

El muchacho le sujetó el globo mientras bajaba del coche, la camisa extrañamente blanca a la luz de la farola más cercana. Milgrim advirtió la presencia de un gran espacio vacío, una anomalía total en Londres. Al otro lado de la carretera. Vacío y oscuro.

—¿Un parque? —preguntó.

—No exactamente —respondió el muchacho—. Cruce directamente —señaló—. Siga adelante. La encontrará.

Le tendió el cable del globo, el lazo del sedal de nailon.

—Gracias —dijo Milgrim—. Gracias por el plátano.

—No hay de qué.

Cruzó la calle, oyó a la furgoneta arrancar tras él y marcharse. Siguió andando. Atravesó la hierba, un camino pavimentado, más hierba. Un vacío tan peculiar, ligeramente irregular, la hierba mal cortada. Nada de los paisajes, la profunda arquitectura, los huesos clásicos de los parques de esta ciudad. Terreno baldío. La hierba estaba húmeda, aunque si había llovido antes, no se había dado cuenta. Rocío, tal vez. Lo sintió a través de los calcetines, aunque los zapatos de Tanky & Tojo eran mejores para esto que para el pavimento, los gusanos negros excavando. Zapatos para caminar. Se imaginó caminando por alguna parte con Fiona, un sitio tan amplio como éste, pero menos aterrador. Se preguntó si a ella le gustaría eso. ¿Caminaban alguna vez los moteros? ¿Le había gustado a él caminar alguna vez? Se detuvo y miró el luminoso cielo de Londres, levemente púrpura, todas las luces de la ciudad más grande de Europa capturadas, prendidas aquí, oscureciéndolo todo menos unas cuantas estrellas. Se volvió a mirar atrás, más allá de la ancha carretera bien iluminada, un grupo de casas corrientes que no comprendía culturalmente, casas o apartamentos o condominios, y luego a la rareza de estos Scrubs. Parecía que podías trapichear aquí. No podía imaginar que una ciudad de este tamaño no realizara tráfico de drogas en un lugar como éste.

Entonces oyó un suave silbido.

—Aquí —llamó Fiona en voz baja—, aquí abajo.

La encontró agazapada bajo un fino hule con uno de esos nuevos dibujos de camuflaje más esotéricos en los que estaba interesado Bigend. No pudo recordar cuál, pero ahora vio lo bien que funcionaba.

—¡Con el pingüino no! Coge tu controlador. Rápido.

La chica se sentó con las piernas cruzadas, habló en voz baja, su propio iPhone brillando en verde sobre su regazo. Hizo bajar el globo, soltó el cable en cada extremo y lo liberó. El globo se soltó lentamente, cargado con la Taser. Milgrim sacó el iPhone del pingüino de su bolsillo, se sentó junto a ella, y Fiona lo cubrió y se cubrió con el hule, dejando fuera las cabezas y las manos.

—Vamos allá —dijo—. Que vuele. Hazlo subir, lejos de la carretera. Ahora no puedo hablar, tengo trabajo.

Milgrim vio que llevaba puesto uno de los auriculares.

—Busca a un hombre alto. Llevaba una gabardina. Sin sombrero. Pelo corto, probablemente gris. Lleva un paquete, algo envuelto en papel, de unos cuantos palmos de longitud.

—¿Dónde?

—Lo he perdido. Pulsa el círculo verde si quieres visión nocturna, pero no sirve de nada con el pingüino a menos que estés encima de algo.

Milgrim encendió su iPhone, vio una brillante pantalla en blanco y luego advirtió que la cámara del pingüino estaba viendo el cielo vacío. Al instante se dio cuenta de que era mucho más bonito cuando no tenías que preocuparte de chocar contra la pared o el techo del cubículo. Nadó más alto, extrañamente libre.

—¿Lleva ese tipo un jersey de yóckey con una cara pintada?

Ella le mostró su pantalla: una figura con una especie de jersey enorme; en la parte trasera, un rostro grotesco y enorme.

—Parece constructivista —dijo él—. ¿El Lissitzky? ¿Se dirige a ese coche?

El hombre se acercó a un sedán negro, de espaldas a la cámara del helicóptero de Fiona.

—Lo está cerrando. Lo ha abierto ya, y ahora lo cierra.

Los dedos de ella se movieron y la imagen se volvió borrosa, pues su aparato, comparado con el pingüino aéreo, se movía con sorprendente velocidad.

—¿Adónde vas? —se refería al aparato.

—Tengo que comprobar los otros tres. Luego tengo que posarlo, ahorrar batería. He estado en el aire desde que llegué. ¿Estás buscando al hombre con el paquete?

—Sí —dijo Milgrim, e hizo zambullirse al pingüino en la relativa oscuridad de los Scrubs—. ¿Quiénes son los otros tres?

—Uno es Chombo. Luego está el del coche, el que intentó bloquearos en la City.

Foley.

—El otro es un futbolista con pelo estilo metal.

—¿Pelo metal?

—Como un peinado *mullet*, más bien. Un tipo grandote.

79
Amo del calabozo

Hollis se encontraba tras él, tratando de fingir que veía jugar a alguien, algo tedioso y arcano, importante en sí mismo, en múltiples pantallas. Algo que no importaba, que no era de gran relevancia, de lo que no dependía nada.

Un juego con valores de producción universitarios. Nada de música, ni de efectos especiales. Garreth el amo del calabozo definiendo las misiones, fijando las tareas, concediendo oro y sellos de invisibilidad.

Era mejor mirarlo de esa forma, pero no conseguía aceptarlo. Se apoyó contra el acero recubierto de color berenjena del vehículo, sintiendo su frialdad, y vio la imagen en vídeo que suministraba el aparato de Fiona.

Lo que ella hacía volar parecía veloz como un colibrí, capaz de detenerse de manera súbita y de mantenerse en el aire de manera sostenida, pero también de hacer subidas y bajadas propias de un ascensor. Todo en el pálido verde monocromo de la visión nocturna. Sus cámaras eran mejores que las de Milgrim, optimizadas y caras. Hollis, que no tenía ni idea de su aspecto, imaginaba que el aparato era una enorme luciérnaga con el cuerpo del tamaño de una *baguette*, las alas pulsantes iridiscentes.

Se mantenía suspendido en el aire, vigilando a cuatro hombres que salían de un sedán negro. Un Mercedes de alquiler, había dicho Garreth, después de comprobar de algún modo los números de la matrícula.

Dos de los hombres eran altos, anchos de hombros y de aspecto eficiente. Otro, más bajo, casi con toda seguridad Foley, cojeaba. El cuarto, cuya postura recordó ahora de Los Ángeles y Vancouver, un petulante encorvamiento perpetuo, era Bobby Chombo, el matemático estrella de Bigend. El mismo corte de pelo, la mitad de su fina cara perdida tras su flequillo sucio en diagonal. Allí estaba bajo la libélula de Fiona, como en un grabado en acero verde pálido, envuelto en lo que parecía ser una bata o un batín. Neurasténico, recordó que le encantaba llamarlo a Inchmale. Decía que la neurastenia volvía, y que Bobby iba por delante de la curva, adaptándose ya a la moda.

Garreth daba por hecho que uno de los hombres más altos, el de la gabardina oscura, el que llevaba el paquete rectangular, era Gracie. Hollis supuso que se basaba en el hecho de que el otro tipo tenía una especie de arcaico pelo rockero, un pelo que le recordaba a uno de los amigos yonkis de Jimmy, un batería de Detroit.

Cuando los cuatro continuaron andando y se apartaron del coche, con Foley al parecer guiando a Chombo, Garreth le ordenó a Fiona que la libélula bajara para leer la matrícula del coche, y que se asomara a la ventanilla por si alguien más se había quedado a vigilar, una complicación que Hollis supuso que habría requerido alguna otra habilidad más desagradable por parte de Pep. El coche estaba vacío, y cuando la libélula ganó altura de nuevo, encontró con facilidad a los hombres, todavía moviéndose, pero el que Garreth creía que era Gracie había desaparecido, y aún no lo había localizado, con su paquete y todo. Fiona había sido incapaz de buscarlo entonces, porque Garreth la necesitaba de vuelta en el coche, para poder asistir a la llegada y subsiguiente robo de Pep, que había tardado cuarenta y seis segundos, la puerta del lado de pasajero y el cierre posterior.

El catalán, siguiendo instrucciones, no llevaba la bolsa de mensajero, y Hollis supuso que había depositado el otro regalito, fuera lo que fuese, en el coche, pues ése era evidentemente el plan. Y entonces se marchó, su bicicleta eléctrica de motor dual, completamente silenciosa, capaz de alcanzar fácilmente noventa kilómetros por hora, sin cruzarse nunca con los conos focales de ninguna de las cámaras que aparecían en la pantalla del portátil de Garreth. Si lo hubiera hecho, la imagen resultante de una bicicleta sin ciclista podría haber dado al traste con todo el plan.

El mapa-cámara del portátil de Garreth era en escala de grises, los conos de la visión de la cámara en rojo, cada uno desvaneciéndose hacia el rosa según se esparcían desde su ápice. De vez en cuando, uno de ellos se movía cuando una cámara giraba sobre su eje. Hollis no tenía ni idea de dónde sacaba esta imagen concreta a partir de las redes oscuras, y se alegró de no saberlo.

La pantalla que mostraba la imagen del vídeo de Milgrim, pensó, parecía enteramente fuera de lugar en la operación, y quizá por ese motivo volvía a ella, aunque no era muy interesante. Con Gracie todavía en paradero desconocido, sentía los nervios de Garreth. Podía haber utilizado a alguien que supiera lo que estaban haciendo, supuso, con otro aparato como el de Fiona.

Fuera lo que fuese aquello que Milgrim estaba haciendo volar, parecía relajado, casi cómico, aunque capaz de fuertes estallidos de movimiento sostenido hacia delante. Después de que Fiona le indicara que hiciera un circuito por la zona en busca de Gracie, Milgrim así lo hizo, aunque Garreth se quejó de que estaba demasiado alto. Ahora vio que estaba sobrevolando unos matorrales tan tupidos como para explicar el nombre del lugar, y Garreth al parecer se había olvidado de él. Pero sabía que no esperaban nada de Milgrim y su aparato. Le habían dado este trabajo para mantenerlo lejos del alcance de Bigend.

El sonido de una cremallera muy larga al descorrerse con sigilo. Miró a la derecha y vio a Heidi llevarse el índice a los labios.

—Los dos nuestros se dirigen al punto ahora —le dijo Garreth al micrófono—. Bájalo a veinte metros al oeste del punto. Tendremos que apañarnos con las baterías que te quedan.

Debía de estar hablando con Fiona. Mientras lo hacía, Heidi se coló por la abetura y bajó lentamente la cremallera, cerrándola tras ella.

Hollis sabía que el punto serían las coordenadas GPS que Gracie había especificado como el lugar del intercambio.

En la pantalla de Fiona, la perspectiva cambió de pronto a la altura de las rodillas, y luego corrió por la hierba oscura y borrosa, como si mostrara el punto de vista de un niño hiperactivo.

Vio que Milgrim había llegado al final de los matorrales y giraba lentamente a por más.

Espero que sólo haya ido a mear, pensó Hollis, volviéndose a mirar la larga cremallera de plástico.

80

Figuras en un paisaje

—Mira —dijo Fiona—, eres tú.

Garreth le había ordenado que la libélula alzara el vuelo de nuevo. Ella le mostró a Milgrim su iPhone, el hule de camuflaje crujiendo a su alrededor.

—¿Ése es Ajay?

Dos figuras en la pantallita, desde arriba, grabadas en acero en la pantalla verdosa. Una de ellas arrastrando los pies, con la cabeza gacha, los hombros demasiado anchos para la chaqueta de Milgrim. El otro hombre era bajo, ancho, de cabeza algo redonda y plana. Ajay tenía las manos juntas, cruzadas casi a la altura de la entrepierna, en lo que parecía un gesto de pudor. Esposado.

La libélula de Fiona descendió, alcanzándolos al pasar, enfocándolos y desenfocándolos. Milgrim pensó que Ajay estaba haciendo un buen trabajo al interpretar una rendición cobarde, pero por lo demás no veía el parecido. Chandra parecía haber hecho esta vez un trabajo mejor con el *spray* para el pelo.

El otro hombre, pensó Milgrim, parecía como si alguien hubiera sometido al Dalai Lama a la gravedad de un planeta con masa superior a la de la Tierra. Bajo, extremadamente fornido, de edad indeterminada, llevaba una especie de boina, encasquetada sobre la frente, con un borlón en lo alto.

Mientras los sujetos abandonaban el encuadre, los pulgares de Fiona se movieron, haciendo girar de nuevo el objetivo de la cámara, lo que hizo que Milgrim se acordara de comprobar su propio iPhone, donde encontró a su pingüino mirando la hierba y los bajos matorrales.

Cuando volvió a mirar, Fiona había encontrado tres figuras más que se acercaban a los Scrubs.

Una era Chombo, todavía envuelto en su abrigo fino como el papel, y con aspecto de sentirse mucho más convincentemente infeliz que el Milgrim de Ajay. A la izquierda de Chombo venía Foley, cojeando de forma bien visible, con pantalones más oscuros que los que le habían ganado su apodo. Todavía tenía puesta la gorra y la chaqueta corta oscura que llevaba en París. A la derecha de Chombo, Milgrim vio, para su horror, el hombre del Restaurante Familiar de Ciudad Límite, el otro Mike de Winnie, el del peinado *mullet* y la navaja en los vaqueros

—Garreth te quiere aquí —dijo Fiona, indicando dónde estaba su libélula espía—, buscando al tipo que perdí. Muévete.

Milgrim se concentró en el brillante rectángulo que era el espacio del pingüino, moviendo los pulgares. Rodó, corrigió, lo hizo cobrar altura.

La visión nocturna del miniavión de Fiona era mucho mejor que la del pingüino, que sufría una especie de miopía infrarroja: cuanto más oscuro era, más tenía que acercarse, y más brillante tenía que hacer los LED infrarrojos del pingüino. Que para empezar, según Fiona, no eran demasiado brillantes. La hierba del suelo era presentada con una especie de puntillismo cutre, monocromo, levemente verde, carente de detalle. Aunque si había alguien allí, pensó, lo vería.

Y entonces encontró a Chombo, y a Foley y al hombre del Restaurante Familiar de Ciudad Límite, todavía andando.

Tenía el pingüino en automático. Se hizo cargo, paró el movimiento de las alas y dejó que el impulso lo llevara en el suave arco proporcionado por su ajuste de la cola, una maniobra que ya le salía mejor.

Pasó sobre algo que había en la hierba.

¿Un agujero? ¿Una roca grande? Trató de refrenarse, usando las alas al revés, pero esto le hizo girar y captar una pantalla blanca de contaminación lumínica. Se enderezó. Debajo no había nada. Empezó a descender usando las alas en modo manual.

Había un hombre sentado en la hierba, con las piernas cruzadas y algo rectangular en el regazo. Una chaqueta corta, el pelo corto y claro. Luego despareció, pues el pingüino, a pesar de los mejores esfuerzos de Milgrim, pasó de largo.

Fiona le había dicho, dos veces, lo afortunados que eran al no tener brisa esta noche, todo tranquilo en el valle del Támesis, y sin embargo no podía manejar al pingüino lo bastante bien para ver a un hombre que tenía inmediatamente debajo. Inspiró profundamente, alzó los pulgares de la pantalla. Dejó que las cosas se tranquilizaran. Dejó que el pingüino se convirtiera en un simple globo en el aire sin viento. Y empezó de nuevo.

—A seis metros —oyó decir a Fiona, en voz muy baja—, y acercándome.

81
En el lugar

—Lo he visto —dijo Fiona, sin llegar a creerlo—. Creo que Milgrim lo ha visto también, pero luego ha desaparecido.

—Lo sé —contestó Garreth—, pero allá vamos ahora.

El miniavión de Fiona revoloteó mientras Ajay y el hombre llamado Charlie alcanzaban a los otros tres, que se habían parado a esperarlos.

Charlie puso una mano en el brazo del indio para detenerlo. Ajay esperó con la cabeza gacha.

Ahora Foley empujó a Chombo hacia delante. Éste se rebulló, miró en todas direcciones, y Hollis vio la negra O de su boca. Foley le dio un codazo en las costillas.

Garreth tocó el conmutador.

—Golpéalo —dijo.

Hollis vio al *sparring* de Heidi difuminarse, o teleportarse, por el espacio que lo separaba de Foley. Lo que cayó encima de éste, con la llegada del indio, fue igualmente rápido e invisible: Ajay parecía haber girado y agarrado a Chombo antes de que Foley se desplomara en el suelo.

Ahora, Charlie, el hombre bajito con forma de nevera que llevaba la gorra de cuadros, se interpuso entre los dos y el hombre del peinado *mullet*.

Hollis nunca vio la navaja del hombre, sólo la forma en que alzaba la mano, mientras se cernía sobre Charlie, y luego lo vio caer, aunque Charlie tan sólo pareció haber dado un paso atrás. El hombre rodó, saltó, casi tan rápidamente como Ajay había golpeado a Foley, volvió a saltar, cayó.

—Charlie trató de enseñarme eso una vez —dijo Garreth—, pero no pude conseguir ser lo bastante supersticioso.

A estas alturas el hombre estaba de nuevo en el suelo, sin que Charlie pareciera haberlo tocado.

—¿Por qué sigue cayendo?

—Una especie de bucle de retroalimentación gurka. Pero tu Foley no va a levantarse. Espero que Ajay no se pase.

Hollis alzó la mirada, vio la pantalla de Milgrim. El hombre del pelo gris. Un rifle…

—Tiene un arma…

—Fiona —dijo Garreth—. Tirador. Bajo el pingüino. Ahora.

82

London Eye

Manejar las alas para que giraran, lenta y brevemente en direcciones opuestas, hizo que el pingüino diera la vuelta, pero le presentó a Milgrim la irónica silueta de un *Ruchnoy Pulemyot Kalashnikova*, por el que inmediatamente perdió todo el inglés.

Estaba cruzado sobre las piernas de Gracie, la culata desplegada mientras Gracie colocaba el cargador curvo, un arma humilde de la que Milgrim, en sus tiempos a sueldo del gobierno, había visto una absurda cantidad. El ruso para las terminologías para cada pieza de maquinaria usada para producirlas: selladoras y soldadoras eléctricas y tantas más. Había advertido siempre desde entonces, en las pantallas de televisión, aquellos cargadores: objetos ubicuos en los lugares más duros del mundo que nunca auguraban nada bueno.

—Mierda —dijo Fiona a su lado, procurando no hacer ruido. Y entonces añadió—: Adelante.

Gracie presionó algo en el lado del rifle, lo soltó, se sentó y se inclinó hacia delante, alzando las rodillas, colocando la culata de aspecto ortopédico contra su hombro.

El pingüino descendió, al parecer por su cuenta, mientras Gracie apoyaba la mejilla en el arma. El cañón se movió, levemente.

Una sacudida cuando algo oscuro y rectangular salió disparado debajo. El aparato de Fiona.

Gracie alzó la cabeza. A través del pingüino, miró directamente a Milgrim, que debía de haber cometido aquella torpeza, aunque nunca pudo recordarla, la configuración que ella le había mostrado en el cubo.

Algo derribó a Gracie, golpeándolo de lado, haciéndole perder su postura de francotirador, la mano invisible de un idiota gigante, el pingüino sacudiéndose simultáneamente, la imagen difuminándose. Milgrim nunca llegó a ver los cables, aquellos cinco metros, pero supuso que eran muy finos.

Gracie rodó de espaldas, empezó a estremecerse cuando Milgrim disparó de nuevo la Taser. «Galvanismo», la palabra recordada de las clases de biología del instituto. Gracie agarró los cables invisibles. Milgrim pulsó de nuevo la pantalla. Gracie se sacudió otra vez, aguantó.

—¡Basta! —gritó Fiona—. ¡Lo dice Garreth!

—¿Por qué?

—¡Basta!

Milgrim alzó ambos pulgares, obediente ahora, temeroso de haber hecho algo irreversible.

Gracie se sentó en el suelo, las manos en el cuello, y entonces le dio al cable invisible un fuerte tirón que hizo que la imagen volviera a difuminarse.

El pingüino empezó a elevarse, lentamente, alejándose. Los pulgares de Milgrim accionaron el mecanismo de las alas. No sucedió nada. Probó con la cola, probó el modo automático. Nada. Seguía elevándose. Vio a Gracie ponerse en pie tambaleándose, vacilar, echar a correr luego, perdiéndose de vista, mientras el pingüino, libre del inusitado lastre de la Taser, ascendía por su cuenta hacia el tranquilo cielo previo al amanecer del valle del Támesis.

Le pareció ver la rueda del London Eye justo cuando Fiona le plantó su iPhone delante.

83

Por favor, márchate

—¿Qué ha sido eso? —preguntó ella.

—Milgrim —respondió él, sacudiendo la cabeza—. Le ha disparado a Gracie con la Taser. Menos mal que voy a retirarme. Milgrim acaba de salvarnos el cuello.

—¿Milgrim tenía una Taser?

—En su globo. ¿Hola? ¿Querida? —hablaba por el micro ahora—. Acércanos el coche, por favor. Y date prisa, te estás quedando sin combustible.

—¿A quién intentaba dispararle Gracie?

—A Chombo primero, imagino. Así le habría hecho más daño a Big End. Bien porque vio que no negociábamos de buena fe, o porque lo tenía planeado de antemano. Inicialmente, pensé que iría de legal, seguiría las reglas locales, se quedaría con Milgrim. Esperaba que no se hiciera el norteamericano con nosotros, en pleno Londres, en un sitio público, en mitad de la noche. Está loco. Pero la agente secreta de Milgrim cree que es por la crisis de la edad madura. Si hubiera disparado, la zona se habría llenado de policías en un instante, y de los que no convienen. Lo cual lo habría puesto donde lo queremos, aunque lo más probable es que a nosotros también.

—Se dedica al tráfico de armas. ¿No se te ocurrió que pudiera tener una?

—Los traficantes de armas son hombres de negocios. Caballeros maduros, algunos de ellos. Sabía que había cierto potencial de *cowboy* —se encogió de hombros—, pero no podía evitarlo. Sólo podíamos hacer un numerito controlado —sonrió—. Pero Milgrim le soltó una descarga, suficiente para que se marchara sin el arma. Imagino que querrá poner distancia de por medio.

Alzó una mano, ladeó la cabeza, escuchó.

—No me digas. No. Mamón.

—¿Qué?

—Ajay se ha torcido un tobillo. En un arenal. Chombo se ha escapado —inspiró profundamente, luego dejó escapar el aire—. No estás viendo mis maquinaciones en su mejor momento de genialidad, ¿verdad?

Algo golpeó contra la parte trasera de la furgoneta.

—¡Estate quieto de una puñetera vez! —ordenó Heidi, la voz apagada pero plenamente audible a través de la puerta de acero y las dos pantallas de lona.

Garreth miró a Hollis.

—Está fuera —dijo.

—Lo sé. No quise interrumpirte. Esperaba que sólo hubiera ido a hacer un pis.

La larga cremallera se alzó y Bobby Chombo fue inyectado casi simultáneamente a través de la abertura, la cara llena de lágrimas. Cayó sobre el suelo color berenjena, sollozando. La cabeza de Heidi apareció cerca de la parte superior de la cremallera.

—Es éste, ¿verdad?

—Nunca te he dicho lo preciosa que me pareces, ¿verdad, Heidi? —dijo Garreth.

—Se ha meado encima —informó ella.

—Está en buena compañía, créame —dijo Garreth, sacudiendo la cabeza.

—¿Dónde está Ajay? —preguntó Heidi, frunciendo el ceño.

—A punto de probar cómo viajan los gurkas. A caballito. Quería conocer mejor a Charlie.

Garreth se volvió hacia sus pantallas. Hollis vio que la de Milgrim estaba en blanco, o más bien tenuemente turneresca, rosa pálido tras el gris acero, el tono verdoso perdido ahora. Pero la de Fiona estaba muy ocupada. Figuras subiendo al coche negro.

456 • WILLIAM GIBSON

—Márchate —le dijo Garreth al coche en la pantalla, con un pequeño gesto de apuro—. Por favor, márchate.

El coche desapareció del encuadre.

—Voy a tener que pediros a todos que salgáis un momento —dijo.

—¿Por qué? —preguntó la cabeza sin cuerpo de Heidi.

—Porque tengo que hacer algo muy sucio —contestó él, sacando un teléfono como el que había empleado para atender la llamada de la agente americana—, y porque no quiero tenerlo a él —asintió en dirección a Chombo— lloriqueando como sonido de fondo. Da mala impresión.

Hollis se arrodilló junto a Chombo.

—¿Bobby? Hollis Henry. Nos conocimos en Los Ángeles. ¿Lo recuerda?

Chombo dio un respingo, los ojos cerrados.

Ella cantó el primer verso de «Hard to Be One», probablemente por primera vez en una década. Entonces lo volvió a cantar, dándole el tono adecuado, o en cualquier caso acercándose más.

Él permaneció en silencio, se estremeció, abrió los ojos.

—¿No tendrá por casualidad un puñetero cigarrillo? —le preguntó.

—Lo siento. Yo no…

—Yo sí —dijo Heidi—. Fuera.

—No voy a ir a ninguna parte con usted.

—Yo le acompaño —le tranquilizó Hollis.

—Puede quedarse el paquete —dijo Heidi, separando la abertura negra con sus manos blancas de uñas negras.

Chombo ya se había puesto en pie y se arrebujaba en su fina chaqueta de lana. Miró a Hollis, y luego atravesó con torpeza la abertura vertical con sus dientes de cremallera.

Ella lo siguió.

84
Nuevo

Las baterías del aparato de Fiona se habían agotado y cayó como una piedra casi en cuanto Foley y los demás se marcharon en el coche negro. Milgrim la había ayudado a plegar el hule, que ahora estaba guardado en uno de los bolsillos laterales de su chaqueta, y luego encontró el miniavión, aunque lo hizo al pisarlo, con lo que rompió el encaje de un rotor. A ella no pareció importarle, se lo metió bajo el brazo como si fuera una bandeja de bebidas vacía y rápidamente lo condujo al lugar donde había dejado la Kawasaki.

—Lo enviaremos de vuelta a Iowa por FedEx para que lo reconstruyan —le dijo, quizá para que dejara de disculparse.

Ahora Milgrim lo sostuvo mientras ella rebuscaba en el baúl para transportar ojos que Benny había montado sobre el asiento trasero. Lo sacudió torpemente. Oyó sonar algo.

—Toma —dijo ella, sacando un casco negro muy brillante, envuelto en plástico. Rompió el plástico, lo sacó, cogió el miniavión y le tendió el casco. Metió la libélula en el baúl, lo cerró—. Te estabas cansando del de la señora Benny.

Milgrim no pudo resistirse a darle la vuelta, alzarlo, olisquear el interior. Olía a plástico nuevo, a nada más.

—Gracias —dijo. Miró la Kawasaki—. ¿Dónde puedo sentarme?

—Yo iré en tu regazo, básicamente.

Extendió la mano, cogió la cinta de su mochila, se la alzó por encima de la cabeza para que le quedara sobre el otro hombro, en bandolera, y luego lo besó, en la boca, dura pero brevemente.

—Sube a la moto. Garreth quiere que nos larguemos rápidamente de aquí.

—De acuerdo —dijo Milgrim, sin aliento debido a la hiperventilación y la alegría, mientras se ponía su casco nuevo.

85
Demasiado grande
para manejarlo

—Cornualles está bien —dijo Heidi, al teléfono con Hollis—. No he encontrado todavía un sitio para esparcir a mamá y a Jimmy, pero es una buena excusa para conducir.

—¿Cómo va el tobillo de Ajay? —Hollis estaba mirando a Garreth, quien de espaldas en la cama ejercitaba a Frank con una goma elástica amarillo brillante. Con las ventanas abiertas, entraban brisas ocasionales y el sonido del tráfico de la tarde. Era una habitación más grande que la que habían tenido una semana antes, una doble, pero tenía las mismas paredes rojo sangre y los no-ideogramas chinos falsos.

—Bien —respondió Heidi—, pero sigue usando ese bastón raro que le dio tu novio. Es un milagro que se haya lavado las manos.

—¿Ha superado todo lo demás?

Ajay se había sentido avergonzado por haber perdido a Chombo, y frustrado por no haber tenido una oportunidad de enfrentarse al hombre del peinado *mullet*. Hollis misma, dijo, podría haberse encargado de Foley, que ya de entrada parecía carne de hospital. Y Milgrim, para rematar las cosas, había abatido a Gracie, que había aparecido no sólo con un arma, sino con un rifle de asalto. En la parte positiva, Ajay parecía haber hecho buenas migas con Charlie, y a su regreso de Cornualles pretendía intentar aprender a lograr que sus oponentes cayeran repetidas veces, al parecer sin necesidad de tocarlos. Hollis suponía que Garreth dudaba mucho que de allí saliera gran cosa, pero no se lo había dicho a Ajay.

—No es que tenga mucha capacidad de atención —dijo Heidi—. ¿Dónde está Milgrim?

—En Islandia, o de camino. Con Hubertus y las Dottir. Telefoneó esta mañana. No pude comprender si estaba en un barco o en un avión. Dijo que era un avión, pero que casi no tenía alas, y apenas volaba.

—¿Estás contenta?

—Aparentemente —dijo Hollis, mirando a Frank, ahora libre de vendas, haciendo flexiones repetidas contra la suave luz parisina—. Extrañamente. Hoy.

—Cuídate. Tengo que irme. Ajay ha vuelto.

—Cuídate tú también. Adiós.

Garreth decía que Milgrim y Heidi le habían salvado el cuello en los Scrubs. Milgrim al emplear la Taser con Gracie, que había traído el arma que esperaba que no fuera a traer; y Heidi al salir a dar una carrera para reducir la claustrofobia y localizar a Chombo, que iba en dirección a Islington, y traerlo de vuelta, contra su voluntad, a la furgoneta.

Hollis se acordaba de haber esperado ante la furgoneta, con Bobby pidiendo tiempo para fumar un segundo cigarrillo, y la bonita conductora noruega exigiendo que se callaran y volvieran al interior. Pep llegó entonces en su extraña bici silenciosa, corriendo sin luces, para entregarle a Hollis una ajada bolsa de Waitrose, sonreírle y marcharse. Cuando volvió a atravesar las lonas negras, encontró a Garreth desmoronado en su sillón, las pantallas en blanco.

—¿Estás bien? —le preguntó, dándole un buen apretón en el hombro.

—Siempre hay un poco de bajada —dijo él, pero se animó unos minutos más tarde, cuando la furgoneta ya estaba en marcha. Alguien hablaba a través de sus cascos—. ¿Cuántos? —preguntó. Sonrió entonces—. Once vehículos sin identificar —le dijo a ella un momento más tarde, en voz baja—. Chalecos antibalas, armas automáticas, unos cuantos con trajes anticontaminación. Canela en rama.

Ella estuvo a punto de preguntarle qué quería decir, pero él la hizo callar con una mirada y otra sonrisa. Le entregó entonces la bolsa Waitrose. Cuando la abrió, pudo ver uno de los enormes y horribles ojos de la camiseta más fea del mundo.

—¿Qué era eso del avión sin alas? —le preguntó ahora, bajando a Frank, completada la secuencia.

—Milgrim está a bordo de algo que Bigend ha construido, o restaurado. Dijo que era ruso.

—Ekranoplano —dijo Garreth—. Un vehículo de efecto terreno. Está loco.

—Milgrim dice que ha encargado a Hermès el interior.

—Y es un pijo de la muerte, además.

—¿Qué clase de policía vino a por Foley y los demás?

—Un grupo muy chungo. No están en los libros. El viejo sabe un poco sobre ellos, pero cuenta menos de lo que sabe.

—¿Los llamaste cuando nos hiciste salir?

—Hice saltar la liebre, sí. La agente americana de Milgrim volvió a llamarme cuando estaba esperándoos en la furgoneta, detrás del Gabinete. Me dio un número y una palabra en clave. No los tenía cuando llamó antes. Me ofreció unos números que yo tenía ya. Le pedí algo grande. Y cumplió. Bien grande. Los usé, di la marca, color y número de matrícula. Bang.

—¿Por qué hizo eso?

—Porque, según Milgrim, es dura de narices —sonrió—. Y supongo que porque no podían achacárselo a ella, ni a su agencia, ni a su gobierno.

—¿De dónde lo habrá sacado?

—Ni idea. ¿Llamó a un amigo en Washington...? En fin, nunca dejan de sorprenderme cómo se van produciendo las cosas más extrañas.

—¿Y detuvieron a Gracie y a los demás?

Él se sentó, dobló la goma amarilla delante de su pecho, y lentamente separó los puños.

—Un tipo especial de detención.

—Nada en las noticias.

—Nada —reconoció él, todavía tirando.

—Pep puso algo en su coche. Y luego lo volvió a cerrar.

—Sí.

La goma estaba ahora totalmente tensa, temblando.

—El otro regalito.

Garreth se relajó, y la goma elástica amarilla unió sus puños.

—Sí.

—¿Qué había dentro?

—Moléculas. De esas que uno no quiere que encuentre un detector de explosivos. Muestras de una hornada particular de Semtex en la que el IRA había invertido copiosamente. Explosivo plástico. Firma química distintiva. Por lo que todo el mundo sabe, todavía quedan unas cuantas toneladas por ahí sueltas. Y la tarjeta de una cámara digital. Fotografías de mezquitas de toda Gran Bretaña. Las fechas de las imágenes eran de hace unos pocos meses, pero no han prescrito como pruebas sugerentes.

—Y cuando dijiste que ibas a usar algo improvisado, ¿era eso?

—Sí.

—¿Para quién era originalmente?

—No es importante ahora. No hace falta saberlo. Cuando salté del Burj, capullo de mí, me cargué la oportunidad. Pero luego vi que tenía una novia en problemas. Vinagre y papel marrón.

—¿Vinagre?

—Improvisación. Lo que haya más a mano.

—No me quejo. Pero ¿qué hay de Gracie? ¿No les hablará de nosotros?

—La belleza de todo esto es que no sabe nada de nosotros —dijo él, apoyando la mano en su cadera—. Bueno, de ti un poco, posiblemente, a través de Sleight, pero Sleight ahora mismo no tiene jefe, siendo Gracie un invitado secreto de Su Majestad. Ahora mismo está muy ocupado poniendo tierra de por medio, imagino. Y la cosa pinta aún mejor, según el viejo.

—¿Mejor en qué sentido?

—El gobierno norteamericano no parece tener a Gracie en mucha estima. Están investigando por su parte. Las agencias le están dedicando toda su atención, o eso ha oído el viejo. Imagino que los nuestros acabarán por decidir que ha sido víctima de una broma pesada, pero se encontrará con los problemas auténticos en casa. Bien grandes, espero. A la larga, me preocupa más Big End.

—¿Por qué?

—Está ocurriendo algo. Demasiado grande para manejarlo. Pero el viejo dice que es exactamente eso: Big End, de algún modo, es ahora demasiado grande para manejarlo. Lo que tal vez sea lo que quieren decir cuando hablan de que algo es demasiado grande para fracasar.

—Ha encontrado la última temporada de zapatillas de Meredith. En Tacoma. Las compró y se las dio. A través de una extraña entidad nueva suya que localiza y ayuda a creativos.

—Yo tendría cuidado con la «localización».

—Y me ha pagado. Mi contable me ha telefoneado esta mañana. Me preocupa eso.

—¿Por qué?

—Hubertus me ha pagado exactamente la cantidad que recibí por la parte de vender los derechos de una canción de Toque de Queda a una compañía de coches china. Es mucho dinero.

—Eso no es un problema.

—Para ti es fácil decirlo. No quiero estar en deuda con él.

—No lo estás. Si no hubiera sido por ti, tal vez no habría recuperado a Chombo, porque yo no habría aparecido. Y si lo hubiera recuperado, cambiándolo por Milgrim, habría tenido que acabar negociando con Sleight y Gracie. No sólo lo puse nervioso por eso. Lo sabe. Te recompensa por tu papel crítico en conseguir lo que sea que haya conseguido ahora.

—Va camino de Islandia.

—Déjalo que se vaya. ¿Cómo se te dan las cocinas?

—¿Cocinar yo? Habilidades mínimas.

—Como diseñadora. Tengo un apartamento en Berlín. En la

zona oriental, nueva construcción, el antiguo era completamente de amianto cuando lo tiraron. Una habitación muy grande y un cuarto de baño. No hay cocina, sólo los muñones de tuberías y ganglios saliendo del suelo, más o menos en el centro. Tendremos que rellenarlo, si vamos a vivir allí.

—¿Quieres vivir en Berlín?

—Provisionalmente, sí. Pero sólo si tú quieres.

Ella lo miró.

—Cuando salí del Gabinete y te seguí a la furgoneta de Comidas Lentas, Robert me felicitó. No le pregunté por qué, sólo le di las gracias. Empezó a comportarse de un modo extraño desde que apareciste. ¿Sabes por qué?

—Ah. Sí. Cuando hablé por primera vez con él, cuando te estaba esperando, le dije que había venido para pedirte que te casaras conmigo.

Ella se lo quedó mirando.

—Y estabas mintiendo.

—Para nada. El momento nunca llegó a producirse. Supongo que piensa que estamos prometidos.

—¿Ah, sí?

—Es decisión tuya, tradicionalmente —dijo él, soltando la goma elástica.

86
Pañitos

Fiona se estaba cortando el pelo.

Milgrim se quedó en el camarote, terminando el libro de Hollis, y luego rebuscó en los archivos recónditos de la *web* del Gabinete, donde pudo descubrir, por ejemplo, que las acuarelas de los pasillos que conducían a la habitación de Hollis eran de principios del siglo XX, de un excéntrico norteamericano expatriado llamado Doran Lumley. El Gabinete era dueño de treinta de ellas, y las hacía rotar regularmente.

Miró el decorado del camarote, recordando la habitación de Hollis en el Gabinete, cuánto le había gustado. Los diseñadores de Hèrmes habían basado estos camarotes en los de las naves aéreas trasatlánticas alemanas anteriores a la guerra, aunque nadie lo comentaba. Aluminio esmerilado, bambú laminado, gamuza verde musgo, y avestruz en un tono muy peculiar de naranja. Las tres ventanas eran redondas, ojos de buey en realidad, y a través de ellas, si miraba, un mar vacío, convertido en bronce por el sol poniente.

El ekranoplano le recordaba a Milgrim el *Spruce Goose*, en el que había viajado en Long Beach cuando iba al instituto, pero con las alas ampliamente amputadas. Eran extraños híbridos soviéticos, los ekranoplanos; volaban, a tremendas velocidades, a unos cuatro metros y medio sobre el agua, incapaces de ganar más altura. Habían sido diseñados para transportar cien toneladas de tropas o carga, muy rápidamente, por el mar Negro o el Báltico. Éste, un Orlyonok A-90, como todos los demás, había sido construido en los Astilleros del Volga, en Nizhni Novgorod. Milgrim ya sabía más sobre ellos de lo que le importaba, pues se suponía que estaba traduciendo para Bigend un fajo de documentos históricos y técnicos de diez centímetros de grosor. Con Fiona aquí, no había hecho muchos progresos.

Había intentado trabajar en el más pequeño de los cuatro vestíbulos, en la cubierta superior, directamente tras la cubierta de vuelo (si ése era el término, en algo que más bien viajaba más que volaba). Allí apenas había nadie, habitualmente, y podía llevarse los papeles y el portátil. Pero el wifi era excelente a bordo, y se puso a buscar allí cosas en Google, a comer *croissants* y a tomar café. Fue allí donde descubrió la página *web* del Gabinete.

—Eso es el Gabinete, ¿verdad? —le preguntó la muchacha italiana, sirviéndole otra taza de café—. ¿Se ha alojado allí?

—No —respondió Milgrim—, pero he estado.

—Yo trabajaba allí —dijo ella, sonriendo, y volvió a la cocina, muy elegante con su blusa y falda Jun Marukawa. Fiona decía que Bigend, con el ekranoplano Hermès, se había convertido por completo en un villano de James Bond, y que los uniformes eran la guinda del pastel. Con todo, Milgrim pensaba que no se podía negar que la chica estaba atractiva con su Marukawa.

Pero cuando por fin se puso a traducir lo que era una prosa bastante terrible, Bigend salió de la cubierta de vuelo, con el traje Klein Blue recién planchado.

Se sentó frente a Milgrim, ante la mesita redonda, el traje contrastando dolorosamente con el tapizado de cuero naranja. Procedió, sin ninguna introducción, como era su costumbre, a contarle la historia del rifle que Gracie había dejado en Little Wormwood Scrubs. Milgrim ya sabía que lo habían encontrado poco después de amanecer; lo encontró un hombre que sacaba a pasear a su perro y que llamó enseguida a la policía. Ahora ya sabía que cosas más raras se habían encontrado en los Scrubs, entre ellas munición diversa, y no hacía tanto tiempo.

Se enteró entonces de que la policía que había respondido al hombre del perro era la policía corriente, de modo que los números de series del rifle habían estado, brevemente, en los ordenadores de la policía normal. Se evaporarían dentro de poco, por la intervención de entidades más fantasmales, pero aquello había sido suficiente para que Bigend lo adquiriera. Ahora sabía que el rifle, fabricado en China, había sido capturado en Afganistán dos años antes, y había sido rápidamente puesto a buen recaudo. Después de eso, desapareció, hasta que Gracie apareció con él, doblado, en una caja de cartón. A Bigend le molestaba aquel rifle. Su teoría (o su «narrativa», podría haber dicho el terapeuta de Milgrim en Basilea) era que Gracie había conseguido el arma por alguna contrapartida suya del ejército británico, después de que hubiera sido borrado en secreto de los depósitos y devuelto de contrabando a Inglaterra. La gran preocupación de Bigend ahora era hasta qué punto podía haber sido su contrapartida esta persona teórica. ¿Podía tener Gracie un socio británico, alguien con inclinaciones similares? ¿Alguien que no hubiera sido detenido por los superpolis que había llamado Garreth?

Milgrim no lo creía.

—Creo que es por cosa del arma.

—¿Qué quieres decir con eso?

—Con las armas pasan cosas. Esto pasó porque había un arma. Me ha dicho que no puede comprender por qué trajo Gracie el arma. Que eso no encaja con lo que piensa que es. Que fue una estupidez. Una exageración. Algo gratuito. Mal negocio.

—Exactamente.

—Lo hizo porque alguien que conocía aquí tenía el arma, que fue capturada por tropas británicas. Alguien la trajo aquí de vuelta. Eso no es tráfico de armas. Es un *souvenir* ilegal. Pero Gracie vio el arma. Y entonces tuvo el arma. Y entonces pasaron cosas, porque el arma estaba allí. Pero quienquiera que fuese el que le procuró el arma no quiere tener nada que ver con todo esto. Nunca más.

Bigend se lo quedó mirando.

—Es notable cómo haces eso —dijo por fin.

—Es pensar como un delincuente —repuso Milgrim.

—Una vez más, estoy en deuda contigo.

Con Winnie, pensó Milgrim entonces, aunque Bigend no lo sabía. Cuando le tuiteó, después de saber cómo estaba Hollis, le preguntó: «¿Cómo lo hiciste?» Su respuesta, el último mensaje suyo que había recibido, aunque todavía lo comprobaba periódicamente, decía simplemente: «Pañitos».

—Es el fluir del orden, ¿verdad? —Milgrim no tenía ninguna intención de preguntar esto. No había pensado en ello. Sin embargo, había surgido. Su terapeuta le había dicho que las ideas, en las relaciones humanas, tenían vidas propias. Eran autónomas en cierto sentido.

—Naturalmente.

—Eso es lo que estaba haciendo Chombo. Encontrar el fluir del orden.

—Lo encontró una semana antes de que lo secuestraran, pero su obra, a esas alturas, habría sido inútil. Sin él, quiero decir.

—Y el mercado, todo eso, ¿ya no es real? ¿Porque conoce usted el futuro?

—Es una rodaja muy pequeñita del futuro. Un gajo ínfimo. Minutos.

—¿Cuántos?

Bigend echó un vistazo al vestíbulo vacío.

—Diecisiete, en este momento.

—¿Es suficiente?

—Siete habría sido completamente adecuado. Siete segundos, en la mayoría de los casos.

El vestido de Fiona era un lustroso jersey negro tubular y sin costuras. Lo llevaba con la parte superior recogida, formando una especie de banda sobre sus pechos, los hombros desnudos. Un regalo de su madre, dijo, que lo había recibido de una editora asociada de la *Vogue* francesa. Milgrim no sabía casi nada de su madre, aparte de que había estado relacionada con Bigend, pero siempre le había resultado intimidatoria la idea de que sus novias tuvieran progenitores.

Él llevaba su chaqueta de *tweed* y sus pantalones de pana, pero con una camisa Hackett, sin botones superfluos en los puños.

Estaban sirviendo cócteles en la sala de baile, que era como llamaban a lo que normalmente era el comedor principal. Las paredes estaban decoradas con murales cuasi constructivistas de ekranoplanos que parecían, y Milgrim pensó que algunos de hecho lo eran, los Clippers de Pan American Airways de los años cuarenta, pero con las alas truncadas y aquel extraño *canard* que sostenía los motores. Mientras Fiona y él bajaban por la escalera en espiral, vio a Aldous y al otro alto conductor alzándose elegantemente sobre el resto de los pasajeros, a muchos de los cuales Milgrim no había visto antes, ya que habían pasado casi todo el tiempo en el camarote. Allí estaba también Rausch, su traje negro arrugado, el pelo aplastado parecido a aquel material que Chandra había usado con Ajay, aunque con un estilo distinto de aplicación.

Cuando llegaron a la cubierta, Aldous se acercó al pie de las escaleras.

—Hola —dijo Milgrim, que no lo había visto desde aquella noche en la City—. Gracias por sacarnos de allí. Espero que no tuvieras muchos problemas después.

—Es cosa de Bigend —dijo Aldous, con un elegante encogimiento de hombros, y Milgrim supo que se refería a los abogados—. Y de la mensajera —le dijo a Fiona, haciendo un guiño.

—Hola, Aldous.

Ella sonrió y luego se dio la vuelta para saludar a alguien a quien Milgrim no conocía.

—Me he estado preguntando —dijo, bajando la voz y contemplando al otro lado del salón la cabeza pulida del otro conductor— por las pruebas. Ha pasado tiempo.

—¿Qué pruebas?

—Los análisis de orina.

—Creo que los han interrumpido. Han desaparecido de la lista de tareas. Pero ahora todo está cambiando.

—¿En Hormiga Azul?

Aldous asintió.

—Nueva política —dijo, gravemente, y luego asintió tocándose el auricular, y se marchó en silencio.

—Encontramos tu colutorio —dijo Rausch—. En Nueva York. Lo hemos enviado a tu camarote.

Miró con tristeza a Milgrim, pero lo hacía siempre.

—Aldous dice que las cosas están cambiando en Hormiga Azul. «Nueva política.»

Rausch se encogió de hombros.

—Todo el que importa, todo el que corta el bacalao, está en este avión.

—No es un avión —dijo Milgrim.

—Lo que sea —replicó Rausch, irritado.

—¿Sabes cuándo llegaremos a Islandia?

—Mañana por la mañana. Gran parte del viaje es por placer, para ir rompiendo el hielo.

—Casi me he quedado sin medicación.

—Todo ha sido placebo desde hace tres meses. Supongo que las vitaminas y suplementos eran reales. —Rausch lo observó con atención, saboreando su reacción.

—¿Por qué me lo dices ahora?

—Bigend le dijo a todo el mundo que te concediera pleno estatus humano. Y cito textualmente. Discúlpame.

Se perdió entre la multitud.

Milgrim se metió la mano en la chaqueta para tocar el frasco casi vacío de medicamentos. Se acabaron las diminutas anotaciones púrpura de fecha y hora.

—Pero me gusta el placebo —dijo para sí, y entonces oyó un estallido de aplausos.

Las Dottir y su desagradable padre bajaban por los gruesos peldaños de cristal esmerilado de la escalera en espiral. Milgrim sabía, gracias a Fiona, que su álbum acababa de conseguir algo. Con sus resplandecientes cabellos de armiño, bajaron una a cada lado de su sombrío padre. Que, según Fiona, ahora poseía, en sociedad con Bigend, aunque de modo arcano e indetectable, gran cantidad de Islandia. La mayor parte, en realidad. Había sido Bigend, dijo, el primero que vendió a aquellos jóvenes *cowboys* fiscales islandeses la idea de la banca por Internet.

—Se lo puso en bandeja —le había dicho, en el camarote, en sus brazos—. Sabía exactamente lo que iba a suceder. Ahora mismo están fuera de sí, la mayoría, cosa que ayudó.

Estaban sirviendo champán para un brindis. Milgrim se apresuró para buscar a Fiona y su copa de Perrier.

Mientras le cogía la mano, Pamela Mainwaring pasó rápidamente de largo, en dirección a Bigend.

—Hola, mamá —dijo Fiona.

Pamela sonrió, asintió, hizo el mejor contacto visual posible con Milgrim, y continuó su camino.

87
El otro lado

En el sentido de las agujas del reloj, este sueño: mármol del siglo XVIII, piedra gastada, serpenteante, encerada de modo irregular, tonos de flema de fumador capturados en sus profundidades, perfiles de cada escalón mezclados con cuidadosos segmentos de algo sin vida como el yeso, remendando antiguos accidentes. Como las secciones trazadas, troceadas, grapadas de un miembro amado, retornadas de un viaje: cirugía, desastre, una subida a escaleras aún más altas que éstas. Hacia el oeste, la espiral. Sobre el vestíbulo, las franjas de la camisa de Robert, la cabeza del turco sobre la grapadora, sobre la tontería equina sutilmente ruda del grillo tallado en el escritorio, ella sube.

A esta planta no visitada, desconocida, la alfombra florida, ajada, antediluviana, bajo bombillas incandescentes, una combustión arcaicamente controlada de filamentos. Las paredes adornadas con paisajes locamente variados, sin gente, cada uno de ellos embrujado, levemente, por el dedo espectral del Burj Khalifa.

Y al fondo de una habitación enorme y quizás interminable, en un charco de luz, una figura, sentada, con un traje de Klein Blue. Mientras gira, el pelaje claro, el hocico de carmín, los dientes de madera pintados…

Ella despierta junto a la suave respiración de Garreth, en su habitación a oscuras, las sábanas contra su piel.

Gracias

Mi esposa Deborah y mi hija Claire fueron puntuales primeras lectoras y sensibles críticas, como siempre.

Susan Allison, a quien está dedicado este libro, y que ha sido mi editora en un sentido o en otro desde el principio de mi carrera, fue naturalmente excelente con esta novela.

Como también lo fue Martha Millard, mi agente literaria desde que necesité una.

Jack Womack y Paul McAuley leyeron páginas casi a diario, siendo Paul de particular ayuda en lo referente a Londres. Louis Lapprend fue reclutado cuando Milgrim llegó a París, para fines similares.

Cory Doctorow proporcionó a Sleight el problemático Neo de Milgrim.

Johan Kugelberg me llevó amablemente al club donde está basado ligeramente el Gabinete, y que es casi igual de peculiar.

Sean Crawford mantuvo honrada a Winnie.

Larry Lunn me dio el fluir del orden, cuando le pedí un buen *macguffin*. No sé quién más podría haberlo hecho.

Clive Wilson me ofreció amablemente información sobre el terreno de la geografía de Melbourne y el beicon vegetariano.

Douglas Coupland me presentó el concepto del cubículo Vegas al mostrarme, hace años, el que había construido para escribir.

Bruce Sterling, quien me envió por correo electrónico la pregunta equivocada sobre los circuitos cerrados de televisión, creó casualmente el concepto de la camiseta fea en uno de esos característicos y demoníacamente concentrados estallidos de imaginación que al parecer tiene sin esfuerzo.

Michaela Sachenbacher y Errolson Hugh me introdujeron en el mundo de las marcas «secretas» y la pasión que hay detrás de ellas.

Todo lo que sé sobre el hecho de ser modelo en el siglo XXI lo aprendí del maravilloso artículo de Jenna Sauer, en *Jezebel*, «I Am The Anonymous Model». La carrera de Meredith está basada en él. Disponible con un rápido vistazo en Google.

Igualmente disponible está el informativo «Artful Dodgers» de Mark Gardiner para el número de febrero de 2009 de *Motorcyclist*, donde aprendí todo lo que sé sobre los mensajeros londinenses.

La línea de zapatillas de Meredith está basada en la marca Callous, lanzada por Thomas Fenning y Tomoaki Kobayashi en 2003, y que imagino conoció un destino similar.

Gracias a todos.

Vancouver, junio de 2010

Visite nuestra web en:

www.edicionesplata.com